ハヤカワ文庫JA
〈JA984〉

虐殺器官

伊藤計劃

早川書房
6623

Genocidal Organ

by

Project Itoh

2007

Cover Design Isao Mitobe

ヴェーダ語の文献に見られる奇妙な計算によれば、神々の言葉に付加された人間の言葉が表現しているのは言葉全体の四分の一でしかないと見積もられている。

——パスカル・キニャール「音楽への憎しみ」高橋啓訳

目次

虐殺器官

第一部

1

泥に深く穿《うが》たれたトラックの轍《わだち》に、ちいさな女の子が顔を突っこんでいるのが見えた。

まるでアリスのように、轍のなかに広がる不思議の国へ入っていこうとしているようにも見えたけれど、その後頭部はぱっくりと紅《あか》く花ひらいて、頭蓋の中身を空に曝《さら》している。そこから十フィートと離れていないところに、こんどは少年が横たわっていた。背中から入った弾丸は、少年の体内でさんざん跳ね回ったあと、へその近くから出ていこうと決めたようだった。ぱっくりひらいた腹からはみ出た腸が、二時間前まで降っていた雨に洗われて、ピンク色にてらてらと光っている。かすかに開いたくちびるから、すこしつき出た可愛らしい前歯がのぞいていた。まるでなにか言い残したことがあるとでもいうように。

轍のつづく道をたどってゆくと、二十家族ていどのちいさな村がある。

村の広場には穴が掘られていて、多くの人々が皮膚をぶすぶすと燻《くすぶ》らせて煙を放ちながら、折りかさなって倒れている。肉の焼ける臭いと、髪の毛の焦げる臭い。中途半端に焼けた筋肉が収縮して、みながお腹《なか》の赤ちゃんのようにうずくまっている。筋肉の収縮に負けた骨が折れたりして、あきらかに関節ではない場所で曲がっている四肢も見られ、それら収縮し、曲がった腕や脚がたがいに絡まりあって、蜘蛛の巣のようになっていた。

みんな死んでいる。

みなが死んでいた。扉を開けると、そこにはぼくの母親がいて、すでに葬儀屋がワシントンの州法で義務づけられた防腐処理をすませている。エンバーマーがきっちりと表情をつくり、化粧もじゅうぶんにほどこされ、永遠に凍りついた偽りの安らかさをたたえている。

「ほら、ごらん、お前のうしろを。すべての死者たちがすぎゆくのを」

母さんがそう言ったので、ぼくは振り返る。すると、そこには広大な世界が広がっていて、死者たちがぼくに手を振って微笑んでいる。そこには、人類が同胞を埋葬することをおぼえて以来のすべての死者がいる。かたちが保たれているものもあれば、さまざまに欠損しているものもいる。頭のない死者がどうして微笑んでいるとわかるのか、ぼくにもさっぱりわからなかったけれど、それでもやっぱり彼は微笑んでいて、自分の腹からこぼれる腸をどうしたものかと所在なげにもてあそんでいる。

「みんな、死んでいるんだね」

ぼくはそう言って死んだ母さんのほうを振り返る。母さんはうなずいて、ぼくを指さし、

「そうよ。ほら、お前のからだをごらん」

そこでぼくが自分のからだを見ると、それはすでに腐りはじめていて、はじめて自分が死んでいることに気がつく。


はるかかなたでは、人類の歴史がはじまって以来すべての死者たちが河となって、ゆるやかにいずこかへと行進をつづけている。

ここは死後の世界なの、とぼくは母さんに訊く。すると、母さんはゆっくりと首を振った。子供のころ、そうやってぼくの間違いを正したあのしぐさで。

「いいえ、ここはいつもの世界よ。あなたが、わたしたちが暮らしてきた世界。わたしたちの営みと、地続きになっているいつもの世界」

そうなんだ、とぼくは言う。安心して涙がこぼれた。かなたの行進には見慣れた顔がいくつもある。小児ガンで逝ったベンジャミン、頭を吹き飛ばした父さん。

すると、母さんはぼくの手をとって、行進へとみちびいてくれる。

「さあ、いきましょ」

ぼくはうなずき、母さんとともにかなたの死者たちへと歩いてゆく。最初に学校へいったときも、こうだったっけ。ぼくは懐かしさに涙を流しながら、母さんとともにゆく。すると隣には、さっき轍に顔を突っこんでいた、頭を弾丸で撃ちぬかれた少女と、背中を撃たれ、

腹から臓物をこぼしていた少年と、穴のなかで燃やされていた人々がいて、ぼくらといっしょにかなたの死者たちにくわわろうと歩いている。

2

ぼくの母親を殺したのはぼくのことばだ。

たっぷりの銃とたっぷりの弾丸で、ぼくはたくさんの人間を殺してきたけれど、ぼくの母親を殺したのは他ならぬぼく自身で、銃も弾丸もいらなかった。はい、ということばとぼくの名前。そのふたつがそろったとき、ぼくの母親は死んだ。

これまでぼくはたくさんの人間を殺してきた。おもに銃と弾丸で。刃物で殺したこともあるが、正直言ってあまり好きなやりかたじゃない。同僚にはその種のやりかたを専門に請け負うプロフェッショナルがおおぜいいる。背後から音もなく接近し、喉笛を切り裂き、次いで得物を構えた両腕の腱を断ち、そのまま内腿の大動脈を切り裂いて、最後に心臓に突き立てるまで、三秒とかからない連中が。

その種の技術を極めようとは思わないが、必要とあらばこなす自信はもちろんあるし、それになにより馴染みぶかい銃と弾丸で、ぼくはこれからまだしばらくは殺しつづけるだろう。

というのも、二〇〇一年のある朝、ニューヨークに建っていたのっぽなふたつのビルに、航空機が勢いよく突っこんだからだ。

少なくとも公式には、それ以前のアメリカ合衆国はどれだけのくそったれだろうと暗殺を禁じていたはずだった。前世紀にフォードが署名した大統領行政命令一二三三三があったから、南米から麻薬を売りさばいたパブロ・エスコバルも、アメリカの中東政策にとって目の上のたんこぶになっていたサダム・フセインも、合衆国政府の手によって暗殺されることはなかったのだ。

合衆国政府のいかなる職員も暗殺に従事してはならない、ということば。レーガンもブッシュもクリントンも、その「ことば」の強制力のもとに政策を進めてきた。暗殺がなくなったわけじゃないが、この行政命令によって暗殺という手段のリスクは大きくなった。つまり面倒くさい方法になったわけで、「公式な介入」や「公式な戦争」にくらべた場合、暗殺という手法のプライオリティはとんとん下がって、よっぽど機密が確保される状況でなければ採用されなくなっていた。

暗殺などしなくても、アメリカ合衆国はその気になればいつでも言いがかりをつけて戦争を起こせるのだし、ひとりをこっそり殺したのがバレたときにメディアに叩かれるさまを想像した場合、堂々と大量に殺したほうが倫理的なハードルはずっと低かった。誰かが言っていただろう、一人の死は悲劇だが、百万の死はなんとやら、とか。ひとり殺すよりもウン万人殺すほうが、正義の掲げやすさも段違い。少なくとも、むかしはそういう世界があったのだ。

それがあの記念すべき「本土爆撃」の日以来——だんだんと緩められていって、いまや暗殺はおおっぴらとは言わないまでも、選択肢としてじゅうぶん考慮に値するものと、ワシントンでは看做《みな》されるようになっている。テロとの戦い、人道上の必要、いろんな理由がつけられて、一二三三三号が封じた闇をすこしずつこじ開けていった。

だから、ぼくは殺し屋になった。つもりはなかったのだけれど、入った職場が徐々にその種の仕事をこなす回数が増えていったからだ。殺し以外にも任務はいろいろあるが、ぼくら情報軍の特殊検索群i分遣隊は、陸軍《アーミー》・空軍《エアフォース》・海軍《ネイビー》・海兵隊《マリーンズ》・情報軍《インフォメーションズ》からなるアメリカ五軍の特殊部隊を統《す》べる特殊作戦コマンド《SOCOM》にあって、暗殺を請け負う唯一の部隊だった。前世紀はグリーンベレーだってやっていたし、デルタ・フォースと呼ばれた陸軍分遣隊の連中もやっていたけれど、時あたかも二十一世紀——つまり今現在——この種の作戦は主にぼくたち情報軍の蛇喰らい《スネークイーター》が担当することになっている。だからぼくらは、海兵隊の長距離偵《LRR》察《P》隊や海軍の陸海空特殊部隊《SEAL》といった特殊作戦コマンド《SOCOM》のほかの部隊からは、蔑《さげす》みとともに「濡れ仕事屋《ウェットワークス》」と呼ばれることがあった。この名前は冷戦時代から暗殺仕事をさす隠語として、ジョン・ル・カレやグレアム・グリーンの小説で使われてきた。

映画「キャリー」の有名なポスターを思い浮かべてもらえるといいかもしれない。いじめっ子たちに頭から豚の血をぶっ掛けられて立ちすくむシシー・スペイセクのかわいそうな姿。ぼくらの仕事(の一部)が濡れ仕事《ウェットワーク》と呼ばれているのはそういうことで、違うのはぼくらの場合、まみれているのが人の血だということ。アメリカ合衆国首狩り部隊。それが情報軍は特殊検索群i分遣隊というわけだ。

そういう事情でいま、ぼくは空飛ぶ海苔《フライングシーウイード》の腹に抱えこまれて、次の暗殺予定者《ターゲット》のところへ向かいながら、標的の資料にもういちど目を通している。

次に殺す相手の顔に、名前に、行動パターンに、家族構成に、政治的傾向に、すべての情報に、その人物の人生が染みついていた。特殊部隊員は人間を観察する手法を多かれ少なかれ訓練で叩きこまれている。というのも、特殊部隊というのは別にドンパチだけが専門ではなく、むしろ後進国の軍隊を訓練したり、敵対勢力内にある現地人を医療や教育や灌漑《かんがい》によって教化したりするといった任務のほうが多いからだ。そういう現場で大切なのはコミュニケーション技術なので、つまるところ人付き合いの苦手な一匹狼は特殊作戦の世界には向かない。そういう人間はむしろ傭兵《マークス》になる――と言いたいところだが、傭兵《マークス》の仕事も貧乏国軍の戦術指導だったりするから、同じようなもんだ。

特殊検索群i分遣隊の連中はそれに加えて、心理チャートを読みこんでその人物像を明確に想定することができるような、心理学の教練課程を受けている。実行に際して政治的リスク――倫理的バイアスと言い換えてもいい――が減ったとはいえ、暗殺そのものはいまだに困難でデリケートな任務だ。一二三三三号が発せられた背景に、CIAの立案した作戦の山ほどの失敗があったように、暗殺というのは素人の手に負えるものではない。

準軍事作戦、と言ってみたところで、その言葉が意味するのは結局のところCIAによる軍隊のママゴトにすぎなかった。だからこそ、情報軍とその特殊作戦部門である特殊検索群のような、新しいカテゴリの軍隊が生まれたのだ。かつてＣＩＡが担っていた諜報能力のいくぶんかを引き継いだ軍事集団。スパイと兵士のハイブリッド。二十一世紀のインテリジェンス活動は、文民的であるより軍事的であることが求められている。戦場の情報は流動的であり、そしていまやあらゆる場所が戦場だからだ。

なにごとも事前情報どおりにはいかない。不確定要素は必ず含まれている。というわけで、そうした不確定要素を極力減らすと同時に、その不確定要素が実際に発動した際の即応性を高める一環として、個々の隊員が対象の人物像を組み上げることが求められた。

それはつまり、殺す相手の姿と人生とを生々しく想像することに他ならない。相手に愛情を抱けるほどリアルに想像してから、殺す。最悪のサド趣味だ。定番の変態ナチスポルノならばうってつけの題材だろう。そんな悪趣味がなんらトラウマにならないのは、ひとえに戦闘適応感情調整のおかげだ。戦闘前に行われるカウンセリングと脳医学的処置によって、ぼくらは自分の感情や倫理を戦闘用にコンフィグする。そうすることでぼくたちは、任務と自分の倫理を器用に切り離すことができる。オーウェルなら二重思考《ダブルシンク》と呼んだかもしれないそれを、テクノロジーが可能にしてくれたというわけだ。

そういうわけで、ぼくが資料を見ながら考えていたのは、標的に対する憐憫《れんびん》などではもちろんなく、ぼくが殺したいまのところ最後の人間である、つまり母親のことだった。

死者の国は、ときどきぼくのもとにおとずれて、こころの表面をカリカリと小さくひっかき、そして目覚めとともに去ってゆく。

死者の国には、いくつかのバリエーションがある。

さまざまに欠損した死者たちが果てのない荒野を列なしてゆるやかに歩むというパターンが、いちばん頻繁に降りてくるヴァージョンで、他には、これまた果てなく広がる墓地で、それぞれの墓石のうえにその主たちが座って退屈しているというものもある。母親が逝ったあとよく見たのは、死者だけが入院している病棟という冗談みたいなものだったが、どういうわけかぼくにはそれがいちばんこたえた。母親を失った直後の心象が、そのまま投影されたものだったからだろう。

ぼくは軍人で、特殊部隊員で、殺し屋だから、死者はたくさん見てきた。普通の人間が一生のあいだに見ることのできる何倍もの死者を見てしまっていた。あのときは中央アジアのとある国でおこなわれた虐殺の跡で、ぼくはそのときも殺し屋だった。民族虐殺を国中に扇動していた秘密警察の元長官を暗殺するために、ぼくたち特殊検索群i分遣隊はアフガン経由でその国に入り、ある村でその男を捕捉した。

男は死んだ。ぼくがマガジンひとつぶん、頭にライフル弾を叩きこんだからだ。が、男の部隊はすでに村の住民すべてを「処理」してしまっていた。ぼくはそこでいくつもの屍体を見た。雨あがり、泥に穿たれた車両の轍に顔をつっこんだまま、吹き飛んだ後頭部を曇天に曝して倒れている少女。背中から撃たれ、破裂した腹から腸をこぼしている少年。村の広場に掘られた穴のなかで、ガソリンをかけられ燃やされた女子供。

それから最後に、それらすべてを演出した男だ。ぼくによって撃たれ、自分自身が手を下したあまたの骸《むくろ》と同じように、制御を失った肉体が奇妙にねじれて倒れている。

そして、そんなアジアの記憶から帰ってくると、ぼくの母親はチューブに繋がれ、たっぷりの薬品とナノマシンによって生かされるままになっており、医者はその処置の継続の可否を訊ねてきている。外見はどこも欠損しておらず、まっさらな状態の母親が、清潔なベッドに横たわり、無意識でぼくの決断を望んでいた。生きているようにも見えるけれど、それは体内に注入された働き者の分子機械たちのおかげにすぎなかった。ぼくたちが負傷した際に施される、戦闘継続性技術《パーシステンス・イン・コンバット》と同じものだ。

真っ白な病院の、真っ白な静寂のなかで、ぼくは処置の中断に同意するファイルをさし出される。延命措置の終了を承認しますか、という問いに、はい、というぼく自身の言葉と、拇印《ぼいん》による認証。そして意思を欠いた、それが再び宿ることのない肉体から分子機械群は撤退し、母は速やかに死を得る。

とはいえ、母親は本当に死んでいたのだろうか。そもそも、その決断をくだす前に死んでいなかったと、どうして言えるのだろう。

どこからが生で、どこからが死なのか。二十世紀のおわりから、医療技術の発展とともにそれは曖昧になるいっぽうだったけれど、半世紀以上ものあいだ、人類はそれに対し目を閉じ耳を塞ぎ、そうした問題はほかの問題と同じく先送りにしてきたのだった。

けれど、それは人生の他の多くの雑事と同じやりかたで、割り切って受け入れるしかないのだろう。ともあれ、そうすることによって、母親は防腐処置を受け、棺にきれいに納められた。防腐処理はワシントンの州法でそう定められているからだ。そこまで行けば、だれだってはっきり死んでいる。

それが、ぼくが殺した、いまのところ最新の人間だった。

「シェパード大尉……シェパード大尉」

自分の名を呼ぶ声に目覚める。資料を読みこんでいるうちに眠ってしまったようだ。反射的に頬に触れたのは、死者の国に行ったあとは涙で濡れていることがままあるからで、起こしてくれた機上輸送管理担当《ロードマスター》を前に、無意識で泣いているところを見られなくてよかったと安堵する。

「起きてください、射出十五分前です」

機上輸送管理担当《ロードマスター》はそう告げて立ち去る。射出と言ったのは冗談ではない。最近の敵地侵入のトレンドはもはや高高度降下低高度開傘《HALO》のようなアナクロなパラシュート降下ではなく、電波反射特性を可能な限り抑えた侵入鞘《イントルード・ポッド》による高速かつ速やかな機動だった。貨物庫《カーゴ》いっぱいに、巨人のボールペンのような漆黒の棒状の物体が並んでおり、整備スタッフたちはチェックに余念がない。周囲を見ると、同僚たちが平べったい空飛ぶ海苔《フライングシーウィード》の貨物庫《カーゴ》で忙しく立ち働いている。

「この削岩機の中でよく眠れるもんだ」と言いながら、ウィリアムズが近づいてきて、「さっき乱気流にぶち当たってものすごい揺れたんだぞ、知ってるか」

知らなかった、とぼくが答えるとウィリアムズは呆れたように笑い、

「まったくお前はたいした不感症だよ。セックス愉しいか……」

軍用機に旅客機のような快適さを求めるわけにはいかない。前世紀に比べればテクノロジーの進歩で大分マシにはなっているのだろうが、実用にくらべれば快適さというのはどうしようもなくプライオリティが低いのが軍隊の世界だ。このフライングシーウィードは電波反射特性を極限まで抑えこんだ平べったい長方形をしていて、こんな空を飛ぶように出来ていない変態的な形状の機体を、ソフトウェアがコンマ判断で姿勢制御し飛ばせている。そんな無茶をこなしたあとで、快適さをしまう余裕がどこに残されているのかは疑わしい。

「人並みに気持ちいいとは思うけどね。準備しなくていいのかい」

「そらこっちの台詞だ。俺はもう大丈夫。お前さんが宿題やってないんじゃないかと心配で見に来たのさ」

「ご親切に」

そう答えると、隣にウィリアムズが座りこみ、額を寄せてきた。この男はゴシップマニアで、どんなにくだらないことでも、秘密めかして話したがる癖がある。誰に女ができただの、実は誰々がものすごい変態性癖の持ち主だの、その種のヒソヒソ話にとり憑かれているのだ。

「ところでクラヴィス、今回の作戦オーダー、どう思うね……」

それはこの作戦に参加する隊員全員が気にしていることで、誰も口にしていないことでも

あった。兵士はなぜと問うてはならない、というのが軍隊の不文律だからだ。ウィリアムズはその屈強な体軀に似合わず、特殊部隊員としては好奇心が強すぎ、口が軽すぎ、ゴシップを好みすぎるきらいがある。シャーリーズ・セロンは十五歳のとき、母親が自分の父親を銃で撃ち殺すところを見ちまってるんだぜ、知ってたか。そういうことを嬉々として話す手合い。

「さあね」ぼくははぐらかし、「ターゲットふたりを同時暗殺というのは、かなりタイトだね。ふたりがいっしょに決行予定地点に現れなかったら——ぼくらの嫌いな不確定要素が状況を左右しすぎる」

「そうじゃなくてさ」苛立たしげにウィリアムズは首を振り、「標的Bのことだよ。あらアメリカ人だ」

「世界中にいるからな、アメリカ人は」ぼくはため息をつく。「それとも、異国のやせっぽち《スキニー》は躊躇《ちゅうちょ》なく殺せても、同胞を殺すのは気が進まない、か……」

「悪い同胞さ。恥知らずだ。良心は痛まんよ」そうウィリアムズは言い切ってから、「けれどな、あの人物像《プロファイル》はおかしい。重要な情報が巧妙に抜かれている感じがするんだよ。みんな言ってる——こいつがどんな人間だったか、さっぱりわからん、ってな。みんな標的Bの心的イメージを組み立てられずにいるんだ」

「どんな人間かわからないのに、悪い同胞で恥知らずなのかい」

ウィリアムズは肩をすくめ、

「俺たちは悪い連中をやっつける部隊だ。こいつが殺されるべき人間だとしたら、世界にとって悪党だからに決まってるだろ」

シンプルな世界観だった。ウィリアムズはどんな形であれ国というものの無謬《むびゅう》性をまだ信じている。もちろん、それはこの仕事が要請したシンプルさであり、盲目さでもあるだろう。そういう世界観を維持しなければ、見ず知らずの個人を意識して殺し、殺して、殺し続けることなどできはしまい。

心の健康を保つためには、深く考えないのがいちばんだし、そのためにはシンプルなイデオロギーに主体を明け渡すのがラクチンだ。

倫理の崖っぷちに立たせられたら、疑問符などかなぐり捨てろ。

内なる無神経を啓発しろ。世界一鈍感な男になれ。

正しいから正しいというトートロジーを受け入れろ。

兵士は身を守るために、有象無象の敵を殺す。ぼくらハイテク殺し屋と違って、マスとしての「敵」と対峙する通常の歩兵たちならば、そこから相手の個々の人生の重みを見ずに済ますことはわりと容易だろう。

それでも壊れてしまう兵士はいるにはいる。かつてイラクに駐留した兵士たちを祖国に送還し社会に復帰させるために、米軍は大量のカウンセラーを必要とした。アメリカという日常に帰還するためのステップとして、イラクに帰還予定者のキャンプをつくり、そこで市民生活のシミュレーションを体験させたのだ。

バグダッドのキャンプで繰り広げられる「アメリカ」のままごと。

戦場という異世界を日常としてしまった兵士たちが、Kマートでの買い物の仕方を思い出そうとする。マーズ・バーの値段はいくらだったっけ。そうしてバーチャルなアメリカを通過しなければ、イラクの戦場で戦った男女は、本物の祖国に帰ることができなくなっていた。

人間とはかくももろい精神の主人であり、殺すのが名を持ち人生を鮮やかに描き出された個人ならば、殺《あや》めるという行為のはらむ精神的な後遺症の危険はより深刻になる。一般の兵士とは異なり、ぼくたちが殺すのは集合体としての敵でなく、個人なのだ。名も無き「敵」を殺すよりもはるかに、心的ストレスは強烈だ。

とはいえ、それはぼくもウィリアムズも繊細で過保護なアメリカ人だからだ。世界には命の値段がどうしようもなく安かったり、場合によっては無価値以下だったりする場所が、たくさん残されていることを、ぼくは知っているし、実際見てきたのだから。

あのなめらかなさや《ポッド》に収まって、ぼくらが撃ち出されていく闇も、そんな地獄の一部だった。ぼくらが飛んでいるはるか下方の大地、これから降り立つ場所では、すべてがカオスへと転がり落ちてしまったかのようだ。それは悲惨であると同時に少なからず祝祭的でもあるだろう。

ヒエロニムス・ボッシュの描く地獄絵が、どこか楽しげであるのと同じ意味で。

〈当リムジン《リモ》は領空侵入より五分経過するも、敵対空砲火《AAA》は認められず。短距離対空ミサイル《SAM》陣地も反応なし。敵捕捉を順調に回避している模様。みんな寝てんのかね〉

コクピットからのリンクが耳の中に響く。

この種の隠密作戦に従事する特殊部隊員《オペレータ》はみな、通信機を外にむき出しで持たなくてもいいように、周囲の組織と親和性の高い、体温で駆動する生体リンクを埋めこんでいる。口の中でもごもごと囁かれた不明瞭で小さい声を、ソフトウェアが補正してくれる。だから聴き手に届くのは、本来は発話されていない合成された音だ。きちんと喋ることができたなら、ぼくがそう発話しただろう声。それはぼくの喉と、それが再生されるスピーカのあいだのどこにも存在しない。

「ステルスペンキがレーダー波をあらかた吸収しちまってるんだろうよ」ウィリアムズは肩をすくめ、「敵味方識別信号《IFF》がなきゃ味方にだって見えるかどうか」

〈降下十分前だ、侵入鞘《タオルケット》にくるまってくれ。幸運を祈る〉

「だとさ」

ぼくはウィリアムズの肩を叩く。向こうも会話を打ち切ってポッドに乗りこんだ。表面が艶消しの黒なのは電波吸収剤《RAM》の色ではなく、赤外線特性を抑えるためのコーティングだ。機上輸送管理担当《ロードマスター》がジミ・ヘンドリックスの「ブードゥー・チャイル」を機内スピーカで流し始めた。出撃前の景気づけだ。

ポッドに乗りこんでいく男たちを見ながら、ぼくはいつも思う――まるで棺桶だ。

自分の棺桶に這い戻る死者たち。カモフラージュのためのフェイスペイントと相まってゾンビのように見える。ブードゥーの魔術で蘇った死者たちが、本来納まるべき棺桶のなかへ帰っていく。そんな想像をしながらこの光景を眺めると、乗りこむかれらの挙動がどことなくもっさりとしていて、瞳も魚のように濁って死んでいるかのように見えてくる。ブードゥー・チャイル。ふと、あの機上輸送管理担当《ロードマスター》も同じことを考えているのだろうか、という思いが頭をよぎる。機上輸送管理担当《ロードマスター》をちらりと見たけれど、その顔は減圧に備えて酸素マスクに覆われており、表情を読むことができない。

ぼくも立ち上がりポッドのほうへ歩いていく。すでに乗りこんだ仲間たちは、それぞれのポッドのなかに納まって、腕を胸の前で交差させる対衝撃姿勢をとっている。上から見下ろすと、ほんとうに死者のようで、ほんとうに棺桶のようだ。

ふと「二〇〇一年宇宙の旅」の一場面を思い出す。冷凍睡眠中の宇宙飛行士たちが、静かにコンピュータに殺されていく場面を。ぼくもポッドのなかに入って、ほかの仲間と同じように死者の真似事をする。胸の前で腕を組み、ファラオのように棺のなかに納まった。ハッチから見上げるカーゴベイの天井と照明。棺桶のなかで、自分の呼吸の音がクリアに聴こえる。ぼくは死者だ。これから大地に混乱と殺戮をもたらす黙示録の死者だ。

そして、唐突に得体の知れない感情の波が襲い掛かってきた。

〈カーゴ内減圧開始。先導射出まで五分。射出に備えよ〉

悲しみに近いが、複雑すぎて名づけ得ない感情の塊。

病院のベッドで、瞳を閉じて横たわる母の姿。

防腐処理を施され、棺桶のなかで眠りにつく母の微笑み。

ポッドのハッチが音もなくなめらかにスライドし、外界との接点を完全に封じた瞬間、内外の気圧を調節するドスッというくぐもった音が響いた。世界から音が消え、闇に閉ざされる。葬られるというのは、こういうことなのだろうか。

そうだ、自分はいま、母親の死を追体験しているのだ。ぼくはこの感情の理由を不意に理解した。母親の死が、高高度降下に際して何度も繰り返してきたはずの儀式に、いままでになかった意味を付け加えたのだ。

ポッドがぴきぴきと小さく裂けるような音を立てる。カーゴ内の減圧で外殻が軋《きし》んでいるのだ。

〈カーゴベイの減圧終了。降下三分前。後部ハッチ開放せよ〉

モーターの駆動音がしばらく響いたあとロックが外れ、シーウィードの胎《はら》が開放される。機上輸送管理担当《ロードマスター》はハッチから吹きこむ気流に洗われてもみくちゃにされているはずだが、ポッドのなかにいるぼくたちには、その風の音は聴こえない。

〈降下一分前。カウント開始〉

母さんも、こんなふうに死んでいったのかな。棺桶の窓が閉じたとき、外の光を失って、釘を打たれて密封されて。どこへ運ばれるかもわからないままに、こんな箱のなかに閉じこめられて、そうやって埋められたんだ。母さんも、人類の歴史が始まってからいままで、棺桶に入って葬られたすべての人も。

カウントが頭蓋のなかに響くが、降下前にいつも感じていた静かな高揚はない。

〈射出開始。神のご加護《ゴッドスピード》を〉

ドシュ、と重くやわらかな射出音がした。そして重力が消える。

単純な物理法則がぼくを支配したのだ。物は落下するという法則が。

3

ぼくの棺桶が空に放たれた。

身に着けていた装備群がわずかに浮く数秒間。さや《ポッド》はすぐさま誘導モードに入り、自由落下の時間は終わる。ポッドに推進力はない。これにはいかなる燃料もエンジンも搭載されてはいない。ポッドの基本は滑空で、その軌道調整は安定翼《フィン》の角度調節で行われる。つまりこれはグライダーのようなもの——というよりはスマート爆弾に近いかもしれない。スマート爆弾の炸薬を抜いて、かわりに人を詰めこんだ棺桶だ。

翼を器用に制御して、棺桶が目標地点へと空気を縫ってゆく。翼を制御しているのは筋肉素材で、生きた組織からなっている。この侵入鞘《イントルード・ポッド》に機械部品はほとんど存在しない。そう言ってよければ、ほとんどが肉でできている。肉は翼を制御するのみならず、表面に埋めこまれた嚢胞《のうほう》を収縮させてポッドそのものの形状を微妙に変化させ、そうした波うち蠢《うごめ》くサーフェースが機体近くで発生する乱流を制御し吸収するようになっていた。

激しい振動と、ポッドの表面が空気と擦れる音が弱まってきた。角度が浅くなってきて、軌道が微調整を繰り返すのがGの偏《かたよ》りによって感じられる。ポッドが終末誘導モードに入ったようだ。

ドスッというくぐもった音が聴こえ、足方向に勢いよく体重がかかる。制動傘《ドラグシュート》が展張し、推進ベクトルを大きく吸い取ったのだ。もう地面まで数メートルだろう。ぼくは衝撃に備えて体をこわばらせる。この棺桶ではそれぐらいしかできることがなかったからだ。スピードを失ってポッドが急速に倒立する。

ショックの大半は制動傘《ドラグシュート》と外殻の生体組織が吸い取ってくれる。まるでタンポポの種が根を張る場所を見つけたかのように、ポッドはゆっくりと落着した。ボールペンにパラシュートをつけて落っことせば、この風景にかなり近いだろう。先端が大地に触れ、いずれかの方向に倒れる。外殻の組織配置は偏っているから、こんな筒状の物体でもよほどの斜面でなければ、どこまでも転がって止まらずに、中身の兵士が三半規管をめちゃくちゃに弄《もてあそ》ばれるようなことはない。

ポッドは静かに地面に横たわっているようだ。ぼくはロックを解除してハッチに手を掛ける。四角い扉を外側にそうっと外すと、シーウィードの天井だった風景が星空にすり替わっていた。

外に出て周囲の安全を確保したのちに、ぼくらは黙々と作業に取り掛かった。ウィリアムズのポッドは、ぼくから四十フィートと離れていない場所に着地している。他の二人もぼくを中心にして半径四百フィートの円内に収まっていた。GPS爆弾やレーザー誘導爆弾、小型標識ドローン目標爆弾などの各種誘導爆弾や、誘導ミサイルといったものの命中率を示す半数必中界《CEP》は、投入数の半数が収まる円の半径で示される単位だが、いまやそれは一桁台があたりまえ。狙った獲物は逃さない――陳腐にいえば、そういう感じ。こうした投下物の誘導テクノロジーはほとんど頭打ちのレベルにまで達している。

ポッドを廃棄モードに移行させると、人工筋肉をはじめとした生体組織の各細胞が必要とする特定の酵素の供給が断たれ、細胞が壊死《えし》し、すみやかに分解が進行していった。水分が抜けてミイラのようになり、老人の皮膚のように組織が角質化しはじめる。ほうっておけばこれはそのまま崩れ落ちて、この草原の肥やしになるだろう。

だからこのポッドを処分するためにぼくらがしなければならないのは、おもに生体化されていない数少ない機械部品を取り除くことだけだったのだが、それとてモジュール化されているため、作業そのものは容易で十分もかからなかった。夜の暗闇のなかで持ちこんだ物の痕跡を黙々と消し去るぼくらは、まるでキャンプファイヤーの道具を片づけているティーンエイジャーのようだ。

ただし、ぼくらの祭りのほうはこれから始まるのだが。

片づけが終わるとすぐに、ぼくらは行軍を開始した。

夜が明ける前にすべてを終わらせなくてはならない。白昼の暗殺も脱出もぞっとしない。

理想は誰にも見られないこと――可能ならば、殺す相手にさえも。

チームは四人で、ぼくとウィリアムズのほかに二名――どちらもこの種の作戦はそれなりに場数を踏んだ連中だ。管理運用規定《SOP》にしたがって、有能なトレーサーであるアレックスが斥候をつとめ、ぼくらのかなり先を先導する。しんがりを担当するのはアレックスと同期のリーランドで、このふたりに前後を警戒させながら、ぼくとウィリアムズは闇夜を進軍していった。

　行軍というのは楽な仕事ではない。そりゃ、ぼくらが先達よりはだいぶ恵まれているのは確かだ。ぴっちりしたインナーは汗を吸い取って水分を体に再還元してくれるようになっているし、眼球を覆うナノレイヤーの薄膜は光量を補正して、こうした曇天の真夜中でもクリアにものが見えるようにしてくれるのみならず、各種の戦闘情報を網膜に投射してくれる。

　それでも、暗殺という作戦の性格上、標的の隣に侵入鞘《イントルード・ポッド》を突き立てて降下するわけにはいかない。相当な距離を銃と弾薬とその他のお役立ちアイテムを抱えて行軍するという、特殊部隊の基本的な仕事はなくなってはくれないのだ。特殊部隊の仕事はさまざまだが、ぼくの印象ではこの仕事の大半は歩きだ。とにかく歩いて歩いて歩き倒す。選抜過程で真っ先にさせられるのがこの行軍で、石をつめた大型リュック《ベルゲン》を背負わされて、歩くというよりも競歩のような強行軍が延々と続き、このしょっぱなの過程で志願者の大半は脱落していく。

　ぼくらのチームは離陸前に情報部の報告と地図をつき合わせて相談しあい、これ以上ないという妥当な降下地点を選択したつもりだが、それでも目標の町まで基本的に登りの地形を四時間、脇目もふらず行軍しなければならない。

　アレックスはぼくらよりずっとタフなので、より速く移動して稜線に達したら警戒モードに入る斥候の役目を任せられていた。半日かからないミッションなので、大量の食料やら水やら弾薬やらをしまったベルゲンを背負う必要はなかった。そういうわけで、行軍ペースはものすごく速かった。敵の存在に関するあらゆる兆候を見落とさない範囲内で許される最高の速度を出して、ぼくらは目標の町に向かう。

道路、というより舗装もロクにないあぜ道ではあるが、衛星写真はその交通量の多さをはっきりと告げていて、その近傍を進軍するのはリスクが大きすぎた。そういうわけでぼくらは道なき道を進まざるを得ない。とはいっても、ヨーロッパとロシアの境界にあるこの土地の風景は、基本的に森と草地だった。砂漠やジャングルに比べればずっとやりやすい。

モスレムとクリスチャン、そんな定番の対立が、この国の惨状について世界が抱く一応の認識だった。もちろん、あらゆる紛争の原因はひとつではありえない。イスラム教徒とキリスト教徒が共存している国はいくらでもある。実際、この国だってそうだったのだから。旧ソ連領で、共産党が政権を手放したあとは独立し、資源を巡ってロシアと対立し——ソ連崩壊後のお決まりの路線をたどったこの国も、しかし宗教がらみでは火種らしきものはまったくないように思えた——数年前までは。

なぜ、対立がここまで深刻になったのか。なぜ、虐殺が引き起こされるまでに、憎悪が急速に膨張していったのか。それこそ指数的な勢いで。それに関するまともな仮説を立てられる学者は、いまのところいなかった。

敵との遭遇《エンカウント》は絶対に避けなければならなかった。とりわけ、標的を暗殺する前は。見つかったら最後、無線連絡が標的を目標地点から遠ざけてしまう。多少の軍勢に囲まれても、ぼくたちの練度と装備ならば、脱出地点まで逃げ切るのはそう難しいことではないだろうが、作戦そのものは失敗だ。

二時間分の強行軍ののち、ぼくらは一休みすることにした。ほとんど走るようなスピードで来たために、ウィリアムズは息が上がる寸前だったし、ぼくもかなりつらかった。草むらに隠れて横たわると、ナノコーティングが周囲の色相をスキャンして、リアルタイムで変化するパターンを生成する。環境追従迷彩。潜伏《アンブッシュ》にはありがたいテクノロジーの魔法だ。

ところが、馴染みすぎたのがまずかった。

アンブッシュしている草むらのすぐ近くに、一台のピックアップ・トラックが停車した。全身の筋肉が即座に休止モードを解く。息を潜め、藪そのものになりきって見守っていると、どやどやと車から降りてきたのは三人のＡＫを持った連中で、当然ながらぼくらのことなどまったく目に入っていない様子で焚き火をはじめた。

銃弾のことなどまるで考えていないのだろう。彼らは弾倉が叩きこまれ、おそらく薬室に弾が入ったままのＡＫを焚き火の近くに放り出した。

「素人め」

ウィリアムズが声を出さずに口を動かすのが見え、ぼくは肩をすくめる。こうした地域の兵士たち――隙あらば（いや隙がなくとも）制圧した村で陵辱し、強奪するならず者をそう呼べれば、だが――の練度などどこの程度だ。

とはいえ、居座られてしまうとぼくらが動けない。日の出までの時間を思えば、行軍にはわずかな遅れも許されなかった。ぼくはなんの倫理的躊躇もなく、ぼくらに攻撃を仕掛けてきたわけでもない、この焚き火を囲って暖をとっているだけのパトロール兵を殺すことにした。

背後から接近するあいだ、男たちはぼくらにまったく気がつかなかった。だから、刃物が一閃して喉笛を切り裂いたときも、何が起こったのかはまったくわからなかっただろう。自分が死んだ理由も、自分が誰に殺されたのかも。生暖かい血が喉笛から流れていくあいだ、その瞳は一瞬もぼくのほうを見ることはなく、ただ目の前の焚き火を映してオレンジ色に輝き、そして意識を失った体が地面に突っ伏していく。そうやって全部で四人が、ほぼ同時に死体となった。

ぼくらは素早く倒れた男たちの衣服を探る。所属票の類は一切持っていない。そこで、ぼくは男の服の血に濡れた肩口をナイフで裂いて、袖を大きく開いた。

予想通り、肩の筋肉には知らなければ見落とすであろう小さな盛り上がりがある。小指の爪よりも小さく平らな盛り上がりで、そのかすかな傷跡がなければまったくわからないだろう。

ぼくはナイフでその部分の肉を削り取った。肉の中に小さな楕円形の板がある。

ＩＤタグだ。

ウィリアムズが眉をつり上げてぼくのほうを見やる。いつもの手で行くか、と提案しているのはすぐにわかった。決定権は最先任のぼくにある。作戦地域を考慮して人選したのだから当然だが、四人全員が白人だった。ぼくたちが殺したこの兵士たちと同じ、この国で異教徒を虐殺している者たちと同じ、白人だ。

ぼくはアレックスとリーランドに確認するように視線を送る。お任せします、というようにふたりが肩をすくめたので、ぼくは楽な方法をとることにした。バックパックから取り出した保護ジェルで、男の肩肉から抉《えぐ》り出した血まみれのタグを小さく包みこむと、それを手のひらに載せてアスピリンのように飲み下す。

4

トラックの荷台には五〇口径が据えつけられていて、移動しながら乱射ができるようになっている。普通の日本車にこんな機関銃をとりつけただけで、ここではちょっとした脅威になるのだ。ここの空軍は内戦が始まってすぐに運用が不可能になってしまったが、それでもレーダーと、それに連動した対空警戒網はなんとか生きていた。そうしたぎりぎり近代的な軍備をまだここの武装勢力が抱えていることを思えば、底辺の戦力におけるこうした日曜大工感覚はなんともアンバランスで可笑《おか》しかった。

さっきまで努力して避けてきた道路で、いまは敵の車を転がしている。ナノレイヤー以外のすばらしきハイテク装備は捨てなければならなかった。レーザーサイトやグレネードランチャーなどのモジュール化された特殊作戦装備《SOPMOD》を、おもちゃのように取りつけたり外したりできるアサルトライフルもだ。

それでも、この異国の夜を延々と行軍しなければならないよりはずっとましだった。だいたい、ぼくらは恵まれたアメリカ人で、ときにその装備は過保護すぎるきらいがある。世界最高のテクノロジーを持つ国で、世界最高の軍事技術をファッションにすることのできるという恩恵はわくわくするもので、ぼくのなかにそういう子供じみた欲望がないとは言えないのだが、人間というのは勝手なもので、ときどき流行を忘れてシンプルで野蛮なファッションに戻りたくなるときがある。

運転しているのはアレックスだった。ぼくは助手席に座って前方を警戒しながらも外から見て怪しまれないよう、ぼんやりとくつろいだムードを装っている。敵から奪った服は血にまみれていたが、もともと汚れていたので、携帯していた飲料水で少し洗うとともに、そのほかの部分の汚しにより一層磨きをかけることでなんとか誤魔化せた。

「目標まで、これだとあっという間ですね」とアレックスが口を開いた。「このピックアップの脇に書いてあるの、なんていう文字なんでしょうね」

日本語だ、とぼくは答えた。大学で日本語をすこしだけ勉強していたことがあったたし、そのために選ばれて日本のジエイタイという軍隊を訓練したこともあったからだ。文字はフジワラという名前のトウフ・ショップが使っていた車であることを物語っている。日本のトウフ・ショップも、まさか自分が売り払ったオンボロが、はるか東欧の内戦で機関銃の機動銃座に使われているなどとは思いもしないだろう。

「漢字、かっこいいですよね」

「読めない文字は情報というよりも意匠だからね」

「読めないからこそカッコいい、てことですか」

「そういう部分もあるな。理解できない文化は排斥の対象になりやすいのと同じくらい、崇拝や美化の対象になりやすいんだよ。エキゾチック、とか、オリエンタル、とかいう言葉のもつクールさは、理解できない文化的コードから発しているというべきだね」

「異国の文字は、ことばでありながらことばでない、と。それはテキスタイルと同じようなパターンや図像に近いわけですね」

「意味情報を消失しているわけだからね――正確に言うなら、ぼくらが意味情報を取得できない、ということだが。異国の文字でスクラブルをやったら、できあがったボードはほとんどアートにしか見えないだろうな」

　ぼくらはよく基地で待機中にスクラブルをやった。十五×十五のマス目と睨めっこしながら、ボードを英単語で埋めつくしていって、待機の長い時間をつぶすのだ。ウィリアムズときたらしょっちゅうぼくに勝負を仕掛けてきては、毎回負けてふてくされている。負けたときのウィリアムズは決まってこう言うのだ。

「いいか、平均的なアメリカの成人は四万五千の単語を知ってるはずなんだ。四万五千だぞ。なのになんで俺は十五マス平方のボードを埋める単語を思いつかないんだよ」

　ちなみにスクラブルで世界最高の得点をあげた単語は地方領主《CAZIQUES》で、ぼくはウィリアムズとの勝負で一度これを出したことがある。スペイン語派生の少々マニアックな単語で、獲得した点数のあまりの高さもあってか、そんな単語は存在しないと怒り狂ったウィリアムズは、辞書を引っ張り出してきて調べなければ納得しないほどだった。ぼくは生まれてから一度もスクラブルに負けたことがない。母とはじめてゲームをした八歳のときから一度もだ。

「お前はことばにフェティシュがあるようね。言語愛者、とでも言うべきかしら」

そうティーンエイジャーのころ母親に言われたことがある。意識したことはなかったけれど、たしかにぼくはことばが好きだった。ことばが持つ力が好きだった。ことばが人を変化させるのが、不気味で面白くてしょうがなかった。ことばによって怒る人、ことばによって泣き出す人、ことばが人間の感情を、行動を左右し、ときに支配すらしてしまうのが興味深かった。

ぼくには、ことばが単なるコミュニケーションのツールには見えなかった。見えなかった、というのは、ぼくはことばを、リアルな手触りをもつ実体ある存在として感じていたからだ。ぼくにはことばが、人と人とのあいだに漂う関係性の網ではなく、人を規定し、人を拘束する実体として見えていた。数学者が数式に実在を感じるように。虚数をリアルに思い描けるように。物理学者はことばで思考するのではない、という。アインシュタインは相対性理論をことばや数式として得たのではない、というのは有名な話だ。この天才はそれをイメージとして得た。ことばや理論的な構成がまったく関与しない純粋な情景として、アインシュタインは相対性理論を得た、と語っている。

ぼくは、ことばそのものがイメージとして感じられる。ことばそのものを情景として思い描く。この感覚を他人に説明するのはむつかしい。要するにこれは、ぼくの現実を感じる感覚がどこに付着しているかという問題だからだ。何をリアルと感じるかは、実は個々の脳によってかなり違う。ローマ人は味と色彩を論じない、という言葉があるのは、そういうわけだ。

　ぼくがことばを実体としてイメージできるように、「国家」や「民族」という抽象を現実としてイメージできる人々がいる。こうして国家のために人を殺す仕事に就いていながら、ぼくにはその種の想像力が悲しいほど欠けていた。ことばに対する現実感が強すぎるせいか、国家も民族も共同体も「ことば」としか思えなかった。ことばとして見えてはいても、生活として生々しく想像できるような代物ではない。

　逆に言えば、国家を生々しくイメージできる人々が、ぼくのかわりに世界のことを考えてくれる。そういう人間たちは国防総省やラングレー《CIA》やフォートミード《NSA》やワシントンにいて、アメリカという国家を生々しくイメージしながら、ぼくに誰それを殺せと命令してくれる。いま、ぼくたちがいるこの国で戦いを指揮している各武装勢力の親玉たちもまた、そうした能力を持っているのだろう。国を生々しく物として感じられるがゆえに、ぼくがイメージしづらい自国と他国の境界もまた、はっきりとイメージできるのだろう。現実感が「国家」に付着している人間でなければ、異質な他者を明確に敵として意識しつづけることは難しいに違いない。殴りかかってきたり撃ってきたりする目の前の暴力的な他者ならともかく、宗教や民族といった抽象によって彼我《ひが》の境界を維持し続け、あまつさえそれを敵として殺戮し続けるには、それなりの現実の在り方があるものだ。

　現実が人それぞれであるように、歴史もまた人それぞれだろう。だから、状況はこうだ、と言ってしまえる歴史など、どの紛争にもありはしない。

ユダヤ人虐殺はなかった、人類は月へ着陸していなかった、エルビスは生きている。その種の与太話がときおり盛んに議論されるのは、歴史というものが本質的な意味で存在しないことの証左に他ならない。湾岸戦争は起こらなかった、とものすごいことを言ったのは、ポストモダンの聖人であるところのボードリヤールだったっけ。

　歴史とは勝者の歴史、という言い方もあるが、それもまた異なる。

歴史とは、さまざまな言説がその伝播を競い合う闘技場《コロセウム》であり、言説とはすなわち個人の主観だ。そのコロセウムにおいて勝者の書いた歴史が通りやすいのは事実ではあるが、そこには弱者や敗者の歴史だってじゅうぶんに入りこむ余地がある。世界で勝者となることと、歴史で勝者となることは、往々にして別なこともあるのだ。

　そういうわけで、ぼくが降り立ったこの大地で、どちらの勢力が正しくて、どちらが間違っているかを説明するのは不可能だ。ぼくはCNNでしか世界を知らないアメリカ人《ヤンキー》だ。家でデリバリー・ピザを食べながら、モニタで世界情勢を見る。この二十年にいろいろな戦争があり、テロ事件があり、そのイデオロギーも目的も様々だった。世界中で、いろんな人が、いろんな動機で戦争を繰り広げている。戦争は絶えず変化した。

　しかし、デリバリー・ピザは不変だった。

　ぼくが生まれる前から変わらず存在したし、たぶんぼくが死ぬまで立派に営業するだろう。ドミノ・ピザが不変性を獲得している世界から、ぐるぐる変わる世界を語ることはとても難しい。

アメリカに生まれるという困難、ドミノ・ピザやショッピングモールが不変であるという困難をものともせず、流動するつるつるした世界や戦争を語れる人間たちがワシントンにいて、ぼくらに誰それを殺せと命令を下している。その種の判断はぼくにはとてもできない。デリバリー・ピザの不変性の帝国からしか何事かを語れないぼくには。

　まったくありがたいことだ。

　なんのことはない。ぼくもウィリアムズと同じように、判断する自由という厄介な代物を、他人に明け渡しているだけだ。

　何が言いたいのかといえば、ここの政治状況は混沌としていて、ぼくの理解力ではとても言語化できないということだ。モスレムとクリスチャンの対立などというのは、真実の五パーセントぐらいでしかないことはわかっている。はっきりしているのは作戦命令書と標的の人物像で、標的は「暫定政府」を名乗るならず者たちの「国防大臣」だった。国家安全保障会議《NSC》はこの人物を「第一階層《レイヤー・ワン》」の標的だと認識している。つまりお偉いさんというわけだ。この地域がまがりなりにも国の体裁をとっていたころには国軍の准将だった人物で、たっぷりの銃と爆薬を持っていた。

　彼らは首都から遠く離れた村々を巡回して、少年たちを兵士として徴発している。ぼくらがこれから向かうのも、そんな場所のひとつだった。「暫定政府」で「国防大臣」の肩書きをもつ元准将の機動部隊は、そうした村々に入って魔女狩りを行う。「テロリスト狩り」ということばを使って反目する勢力の人間がかくまわれていないかを調べ、疑わしい者はかたっぱしから射殺し、「使えそうな」子供らは自分の勢力に組みこんでいく。

フロントガラス越しに見えてきた遠くの町でも、そうした徴発と虐殺が行われているはずだった。オレンジ色の光が、夜空に浮かぶ雲底のディテールを照らし出している。町のさまざまな場所で炎が燃え上がっているのだろう。大量の煙が高く高く伸び上がって、まがまがしい中国の龍のように見えた。

「いよいよ本陣だ。諸君、ナチュラルにいけよ」

ウィリアムズが荷台から言ってよこす。

ぼくらは汚した口許をさらにマフラーで隠した。こんないい加減な偽装でも通ってしまうことを、ぼくらはこれまでの作戦経験から知っている。

かつては美しかっただろう町は、いまや見る影もなかった。内戦初期に行われた空爆とその後の砲撃で、数世紀にわたり人々をその胎《はら》に抱えてきた建物は崩壊し、残された石壁も弾痕でぼろぼろになっている。

町の入口にやってくると、検問の兵士が手をかざしてピックアップを停車させた。パトロールしていたらガスと糧食が尽きた、とかなんとか、現地語を操ることのできるアレックスが伝えると、検問兵はうなずいて、携帯していた読み取りデバイスをぼくら一人一人にかざしていく。

ジェルに保護されてぼくらの胃のなかに留まっている血まみれのIDが、持ち主たちの情報を返すと、それがぼくらの身分になった。兵士は読み取った情報をノートブックに転送し、部隊管理ソフトの画面を見ると満足して、ぼくらを通してくれる。

まるで木偶《でく》だ、とぼくは思った。

表示された情報とぼくらが同一人物なのかどうかはまったく気にしていないようだ。まるで体内のタグが情報を発信しているということそのものが、重要であるかのように。

アメリカでは、または世界のほとんどの富を持つ先進資本主義国では考えられないチープな認証だし、チープな情報信仰だった。ぼくらの社会では情報を補強するためのさまざまな生体認証《バイオメトリクス》がついてくる。情報それだけでは信用はひねり出せない。まぎれもない本人であることを立証するための認証方法があり、それを参照するための公共のデータベースが構築されている。ドミノ・ピザの配達だって、フィンガーリーダに親指を押しつけなければピザを渡してもらえない。

だが、あの兵士はマイクロソフトあたりの管理ソフトに表示された情報を見て、満足してしまった。ここでは、情報化されていることそのものにいまだ価値があるようだ。テロや内戦で混沌状態にある情報後進国は多かれ少なかれそういうもので、情報というものに向き合い取り扱うリテラシーがまったく教育されていない。

ぼくらは、教会だったものの残骸にピックアップを横付けして降りた。

「銃声です」

アレックスが言う。町のどこか東のほうから、散発的に乾いた破裂音が響いていた。

「連中はまだ、この町を制圧しきっていないんですかね」

「かもしれない」

リーランドが自分のＡＫを点検しながら言う。泥水に漬けこんだってＡＫは作動するだろうが、やはりごてごてした特殊作戦装備《SOPMOD》の類が懐かしいのかもしれない。それでも満タンの各弾倉から、一発ずつ弾を抜き取っておくことは忘れない。満タンの状態では弾倉から弾を押し出すスプリングが完全に押しつぶされてしまい、スムーズな給弾を妨げることがままあるからだ。

「あるいは、町の住人を処刑しているか、だ」

ぼくらは黙りこんだまま、敵陣のなかを堂々と歩いていった。あちこちで建物が炎上して、明らかに兵士ではない人間の骸がごろんと転がっている。ある体格のいい婦人の死体は顔面の右半分が吹き飛んで、その中身のディテールが近くの炎に照らされて輝いていた。娘か息子だろうか、彼女と手をつないでいたはずの子供は、体そのものがなく、ただその細く未成熟な腕だけが残り、小さい掌で婦人の手をしっかりと握っている。

と、アレックスがぼくの肩を叩いた。その顎で示す方向を見やると、ごくごく普通の服を着た少年たちが、町の中央にある広場で幾列かに並ばされ、肩口にタグを埋めこまれている。この町の生き残った少年たちを武装勢力が徴発しているのだ。

現実の出来上がっていない子供たちを誘拐して、兵士に仕立て上げる。自分から志願する子供も少なくない。兵士になれば、ＩＤを埋めこんでもらえるからだ。

マーケットの棚に並んでいる商品についているのと同じちいさなIDタグを、武装勢力の兵士や徴発された少年たちは皮下に埋めこまれる。こうした国の内戦で使われ、いまぼくらの胃のなかで身分を偽装してくれているIDタグは、オクラホマかオオサカかどこかの工場で大量に作られて、世界のあらゆる店のあらゆる棚を管理するのに使われているのと同じ安物だ。

こうした、内戦によって政府を失った国々では、戸籍情報は失われてしまっている場合が多い。国民、と言ってみたところで誰が国民かどうかわからない、というのが実際のところだ。ドンパチをやっている状況下で国勢調査をするわけにもいかない。だから、この国に暮らし、この国で農作物を生産して生活していても、その人間はどこの誰でもない。近所かせいぜい村といった共同体の中で流通する名前を持っているだけだ。

それが兵士になれば、その子はタグ付けされて、武装勢力の携帯端末で管理される何者かになる。フリーの表計算ソフトに記載され管理され、その生死を把握された誰かさんになる。こうした紛争地帯の末端にあっても、市販品の端末で部隊管理するのはもはや戦場の常識だ。

少年たちは国民でない誰かさんから、スーパーの棚に並ぶ商品に昇格することを望んで兵士になる。マーズ・バーやプリングルスやスニッカーズと肩を並べるために、戦場へ行く。

いま、こうして異国の闇を行軍するぼくらはといえば、スーパーの棚よりはもうちょっと上等で、埋めこまれたタグは体内情報をモニタしてくれるセンサと協働して、個々の身体の状況を発信するようになっている。スーパーのIDタグにはちょっとできない芸当だ。

少年たちに自由はない。自分の両親を殺し、好きだった少女を陵辱した男たちの列に加わるか、皆と一緒に死ぬしかない。

リーランドの言ったとおり、銃声は住民を処刑するためのものだった。

平和時ならば建築現場で働いていたはずの重機が地面に掘った巨大な穴の縁に、男女が一列に並べられている。処刑者たちが合図とともにAKを発砲すると、胸や頭を撃たれた男女がそこに落ちていった。

ぼくは焼け焦げた死体を見たことがある。こんがり焼けて、皮がぱりぱりになったチキンのようだった。焼けると筋肉が収縮して、それに負けた骨が折れたりしているのを見ると、人間というのがどこまでも物理的な存在で、つまりは素材にすぎないのだということがわかる。死体はとことんモノでしかない。

体の制御を失って、くにゃりとくずおれた肉体を、兵士たちが穴の中に落としていく。命を失った肉体は蹴り落とせるほど軽くはない。穴に落ちてくれなかった死体を、武装勢力の人間たちが苦労しながらひとつひとつ手で押して穴に落とす。

悲しくないわけではない。少年たちが兵士として徴発されたり、普通の町の人々がまとめて殺されていくのを見て、辛くないわけではない。だが、そうした風景を前にして、止めなければという倫理的な行動を起こすには、ぼくらは多くの無意味な死を見すぎていた。この武装勢力の兵士たちとぼくらは違うという自信も、それほどあるわけではない。ぼくらとて、他者の意思で人を殺しにこの地へやってきたのだから。

ぼくはミッションと、三人の部下を抱えている。目の前で殺されている人々を助ければ、任務は失敗し、狂気の元准将はさらに殺して殺して殺しまわり、結果としてぼくらは助けられたはずの別の人間たちを殺すことになる。

倫理の崖っぷちに立たせられたら、疑問符などかなぐり捨てろ。内なる無神経を啓発しろ。世界一鈍感な男になれ。

ぼくらは例によって、必要とされる無神経を啓発することにした。というのも、目の前に目標の建築が迫ってきたからで、そこではぼくらの標的ふたりが会合を開いているはずだった。感情調整を施されているぼくらは、この種の切り替えを瞬時に行うことができた。

元准将の「国防大臣」は暗殺を避けるため、国内を頻繁に移動していた。かつてサダム・フセインがやっていたやりくちで、ヒトラーもまた暗殺対策としてしょっちゅう予定を変更していたという。世界がこの国で起こっている大量死を認識した時点で、アメリカは採りうる手段として暗殺を検討しはじめたが、国防大臣はかつて欧米で諜報訓練を受けた人物で、リスクを避ける方法をよく知っていた。

だから目の前の、かつてモスクだった建物に標的がやってくるという情報をつかむことができたのは、幸運以外のなにものでもなく、この機会を逃せば虐殺を続ける元准将を葬る機会が次にいつ回ってくるかはわからなかった。ぼくらは失敗するわけにはいかないのだ。そういう事情で、ぼくらはいつもの通り、目の前で殺戮されていく人々を黙殺した。

「ぼくらは地獄に堕ちるでしょうかね」

アレックスが言った。カトリックの修士号を持っていて、信仰深き若者でもあるアレックス。だから、目の前の地獄を放置することに関して、アレックスがこれまでどのように折り合いをつけているのかぼくには想像もつかない。任務から帰還したその日に、信頼できる神父に告解でもしているのだろうか。

「ぼくは無神論者だ。だから、地獄うんぬんについては気の利いたことは言えそうにないな」

「神を信じていなくたって、地獄はありますよ」

アレックスはそう言って、悲しそうに微笑んだ。

「そうだな、ここはすでに地獄だ」

ウィリアムズが笑う。ここが地獄だとしたら、ぼくたちの仕事は地獄めぐりということになる。ダンテもびっくりだ。

しかし、アレックスはそうじゃないと言って自分の頭を指差した。

「地獄はここにあります。頭のなか、脳みそのなかに。大脳皮質の襞《ひだ》のパターンに。目の前の風景は地獄なんかじゃない。逃れられますからね。目を閉じればそれだけで消えるし、ぼくらはアメリカに帰って普通の生活に戻る。だけど、地獄からは逃れられない。だって、それはこの頭のなかにあるんですから」

「天国もそこにあるのかい」

リーランドが笑って訊く。聞いた話だと、リーランドは日曜教会に通っているらしいが、それは昔からそうだったという近所づきあいからはじまった、習慣以上のものではないだろう。教会に通っている子羊のどれだけが、アレックスのように熱心な信仰を持っているか、ほんとうのところはわからない。

「わからないよ」アレックスは同期のリーランドに答え、「地獄がぼくのなかにあるのは知っている。だって、見たことがあるからね。けれど、天国はまだ見たことがない。天国は神の世界だから、人間のちっぽけな脳に収まるようなものじゃないのかもしれないね。本当に死なきゃわからないのかも」

「さて、諸君」ウィリアムズが会話を割り、「神学論議はそこまでにしようや。そろそろ目標のモスクだ。さすがにあそこは、この下っ端の偽装でどうにかなるようなエリアじゃないからな」

「据付型のIDリーダがあるかもしれない。この雑魚《ざこ》のタグが読み取られると逆効果だ。タグをひっぱり出せ」

ぼくがそう指示すると、おのおの、口蓋に貼りつけてあった糸を引いて、胃からタグを釣りだした。水色の保護ジェルのなかで、糸に縛りつけられたタグが、まだ持ち主の血にまみれて、てらてらと赤くぬめっている。

ぼくらは手近な廃墟に隠れると、それを地面に埋めて隠し、侵入の段取りを確認しあった。体にナノコーティングをスプレーし、敵から奪ったショルダーポーチに隠した端末を操作して、環境追従迷彩のソフトウェアを起動する。偽装アルゴリズムによって生成されたカモフラージュパターンのグラフィックは、体内の塩分を伝導してデータ転送され、服や装備に吹きつけられたナノコーティング層がそのデータを表示する。

一瞬のうちに、ぼくらは廃墟の弾痕だらけの壁に、完全に溶けこんでいた。

「予定通り、リーランドとウィリアムズはここで待機。不測の事態に備えて退路を確保しておくこと。ぼくとアレックスがモスクに侵入して、ふたりが会見しているところを襲撃する。いいな」

「こっそりやってくれよ。四人で町中を相手に銃撃戦ってのは、ぞっとしないからな」

ウィリアムズはそう言って微笑む。この種の作戦の基本単位は四人編成であり、それは第二次大戦後から変わっていないスタンダードなシステムだった。四人以下だと戦力としてはあまりに貧弱すぎ、頭数から言っても替えがきかないので、だれかが負傷したときチームが機能停止になりかねない。かといって四人以上だと指揮統制の難易度が桁違いにアップし、隠密行動も難しくなる。

この編成はイギリスの特殊空挺部隊《SAS》がマラヤで共産主義者を叩いたときに、熱帯のジャングルのなかで洗練されていった。その利点は、さらに小さな戦闘単位である二人編成《ツーマンセル》に分割可能だということだ。ふたりで行動する相棒《バディ》システムは、こうした特殊部隊の最小単位で、単独行動というのはほぼありえないと言っていい。

そういうわけで、暗殺の最終段階に臨んで、ぼくらはふたつの二人編成《ツーマンセル》に分かれた。よく組む相棒《バディ》はウィリアムズなのだが、先任の兵が両方とも出張ってしまうわけにはいかない。

廃墟からモスクの壁まではすばやく移動した。周辺は警備が針の山だったが、環境追従迷彩で偽装したうえ、発見されにくいルートを注意深く選んだぼくらを見つけ出すことはだれにもできなかった。闇のなかで、ぼくらの姿はほとんど完璧に廃墟に同化している。

モスクに到達すると、ぼくはハンドシグナルで二手に分かれるよう指示する。闇と、そしてなにより自身の偽装のせいで、ハンドシグナルそのものは視認しにくいのだが、ソフトウエアが人物の輪郭線を抽出して、眼球を被う薄膜の副現実《オルタナ》が、網膜に投射してくれる。アレックスはうなずき、モスクの裏側へ回っていった。

地面に伏せて壁に張りついていれば、この暗闇でナノコーティングの偽装をほどこしたぼくらを見つけ出すのは、赤外線監視装置を使っていないかぎりほとんど不可能だといってもいい。ぼくは匍匐《ほふく》でモスクの壁面際を這いながら、床下の空間へ通じる穴を見つけた。

遠くから住民たちを処刑するあの銃声が聴こえてくる。ぼくはその音を背後にして、モスクの床下へ這い進んだ。かつてイスラムの神を称えるためのものだった宗教施設の床下は、火薬と肉が腐っていく臭いでいっぱいだ。モスクの中にも死体がたくさんあるのだろう。この上のどこかで指揮をとる「国防大臣」が、この臭いの根源だった。

床下を這い進むうち、クラシックが聴こえてきた。誇大妄想にありがちなワーグナーだったら漫画みたいで面白かったのだが、残念ながらそうではない。ベートーベンの「月光」。月も出ていない、死者の脂《あぶら》が燃えて雲底を紅く照らし出す地獄のような夜には、皮肉としか言いようのない美しい曲だ。ぼくは音源の方向へと這い進み、そのうち床面に穴が開いた場所を見つけた。

穴から床の上にゆっくりと顔を出す。特殊作戦装備《SOPMOD》の照準器があれば、オプションの探査《プロ》触手《ーブ》を伸ばして床上の状況を確認することもできたのだが、いまぼくが持っているのは兵士から奪った定番のＡＫだ。だから自分の目で見て状況を確認する、昔ながらの方法を使うしかない。上に誰もいないのを確認すると、ぼくは音を立てないように床上に出た。

「月光」のピアノは、いよいよ悲しい旋律に突入しつつあった。ぼくは慎重に部屋から部屋へと移動しながら、モスクのなかを探索していく。

イスラムの数学的で複雑な美しいタイルパターンが、シンプルな構造のこの空間をどことなく迷宮のように見せていた。これも理解できない文化コードから来るクールさの生み出す効果だろうか。ぼくは迷宮のより奥へ、より闇深き場所へと音楽に誘われて移動していった。

音がいよいよ大きくなってきた。ぼくは音源の見当をつけて近づいていく。そこはモスクで唯一明かりのついている場所だった。壁に張りつきながら床面近くを這い進み、入口からすばやく覗いて部屋のなかを確認する。

元准将はひとりだった。「月光」が流れているのは卓上に置かれた一個の携帯ラジオからで、その小さな機械が発することのできる目一杯の音量を鳴らしているようだ。元准将の「国防大臣」は物思いに沈んでいるようで、憂いを湛《たた》えた瞳をラジオに向け、そこから出る音を肌で感じようとしているかのように、スピーカのあたりに手をかざしていた。第一種軍装を着こんでおり、まるでなにかの式典に参加するかのようにきっちりとしている。

見たところ、部屋に護衛の類は皆無、標的Aただひとりだけだ。難易度そのものは低い。しかし問題は、この元准将が予定通り標的Bと会談中ではなかったということだ。ここで元准将の死体が発見された場合、どこか近くにいるかもしれないアメリカ人の標的Bをクリアするのは難しくなる。

そもそも標的Bは今夜ここに来ているのだろうか。降下前の不安が当たってしまい、ぼくは陳腐だがマーフィーの法則を思い浮かべた。暗殺は単体でも不確定要素の多い困難な仕事だ。それが二人同時となると、単純に言って困難は二倍ではなく二乗になると考えたほうがいい。

どうする。ここにこのまま這いつくばっているわけにはいかない。なにせここは敵のど真ん中で、針山の頂上にぽっかりあいた空間にすぎないのだから。なにかあれば「針」の連中は一気になだれこんできて、ぼくと、同じくこのモスクのどこかにいるアレックスを穴だらけにするだろう。

すばやい決断を求められるのも、特殊部隊員という仕事の特性だ。ぼくは息を潜めつつ、得物をAKからナイフに持ち替える。元准将が背を向けた刹那、ぼくは一気に飛び出して、片腕で標的の両腕を決め、ナイフをその喉許《のどもと》に突きつけていた。

「標的はお前じゃない。しかし、叫んだり少しでも動いたりすれば殺す。いいな」

ぼくは標的に嘘をつく。これから死にゆく男――それもぼくが殺すことになる男――に嘘をつくのは気が引けないでもなかったが、この状況でモラルを選《え》り好んではいられない。

「ぼくたちが探しているのはアメリカ人だ。今日お前がここで会う手筈になっていた男だ」

「アメリカ人だったとは知らなかった」

そう語る「国防大臣」の呼吸は、こんな状況にあってもひどく落ち着き払っている。

「彼はわれわれの文化情報次官だ。いや、だったと言うべきかな」

「殺したのか」

ぼくはナイフを握る拳に力をこめ、回答を促す。

「いいや、だが彼はここを離れると言った。数日前の話だ。あまりに突然だったので、わたしは彼に事情を訊かせてもらいたい、と言った。そうして今日、ここで話を聞く手筈になっていたのだが、彼はメッセージを伝令に託しただけだった」

つまり、標的Bはここには現れないということだ。優先順位Aの元准将はクリアできるのだから、任務は失敗とは言えないが、ぼくは落胆を抑えることができなかった。

「メッセージは、なんと」

「『ここでできることはすべてした』。

そう、わが政府の公用便箋に書いてあった」

「公用便箋が聞いてあきれる。ここに政府はない。覇権を奪い合ういくつかの武装勢力があるだけで、あんたはそのなかでも虐殺なんてものをやらかした最悪の手合いだ」

「虐殺だと。われわれの平和への願いをそのような言葉で冒瀆するのか。これは、われわれ政府と国民に対する卑劣なテロリズムとの戦いなのだ」

「あんたが『国防大臣』を務める『政府』とやらは、どの国連加盟国からも承認されてはいないし、その国民を殺して回っているのはあんた自身だ」

「国連がどうしたというのだ。われわれの文化を土足で踏みにじり、自決権を鼻で笑う最悪の帝国主義者どもが、長いあいだ異民族が共存して平和に暮らしてきたわが国を……」

そこで元准将は語るのをやめた。瞳には怯えとも悲しみともつかぬ奇妙な色が浮かんでいる。沈黙がモスクを押しつぶし、外で行われている処刑の銃声が、パパン、パパパン、とくぐもって聴こえてきた。

「そうだ、われわれはなぜこんなことになってしまったのか……。寛容と多文化主義こそがこの国の美徳ではなかったか。そうだ、テロリストだ。非寛容を母として生まれたテロリストどものせいだ……いや、違う……そんなものは軍を首都に入れなくとも、警察力のみで充分に対処できたはずだ……なぜだ、なぜこんなことになったんだ」

パン、パパパパン。

悲鳴もなく、ただ銃声のみが、誰かが死んだことを、誰かの軀が穴に落ちていったことを教えてくれる。

ぼくはうんざりし始めていた。五十すぎの人間が死を前にするとロクなことがない。いままでさんざんっぱら殺しておきながら、今際《いまわ》に面して遅すぎる懺悔《ざんげ》か。それで自分の魂をいささかでも免罪できる、救済できるとでも思っているのか。許しを請えばどんな罪でも許されるとキリストは説くが、あいにくぼくは自覚的な無神論者だ。

うんざりだ、そう正直に言う。ぼくは神父でも牧師でもない。キリスト教徒ですらないんだ。ぼくに懺悔したって無駄なだけだ。あんたの懺悔はうんざりだし、どんな宗教であれ地獄があるならあんたはそこへ確実に堕ちる、と。

「そうだろう、わたしは地獄に堕ちる。きみは勘違いしているよ、これは告解ではない。わからないのだ、二年前は美しかったこの国土が、どうしてここまで荒廃してしまったのかが……」

ここにきてようやくぼくは気がついた。元准将は本気で戸惑っているのだ。この男は死ぬほど怯えていたが、それはぼくがナイフを喉許に突きつけているからではない。いまはじめて、自分が始めた内戦の動機を喪失していることに気がついたのだ。

ぞっとした。いまさらになって理由を喪失している不条理もさることながら、ここに来てはじめて内省しているかのような元准将の口調に愕然としたのだ。

「お前はなんで殺してきた」

ぼくは訊いた。

「わたしはなぜ殺してきた」

質問に質問で答えるのは反則だ、とぼくは思った。

いまやこの老人は心底怯えきって、歯の根が合わなくなってきている。発狂しかけているのかもしれない。答があまりに常軌を逸しすぎている。ぼくは刃をより強く喉許に圧《お》し当てて、

「なぜだ、答えろ」

「なぜだ。わからない」

「答えろ」

数分にわたって体を密着させているうちに、元准将の第一種軍装の色を、その色とりどりの勲章を、ぼくの体の迷彩が追従しはじめた。まるで相手の狂気がぼくの体に乗り移ってくるように思え、背筋を冷たいものが這い登ってきたが、相手の腕を決めつつ喉許に刃を突きつけているこの姿勢ではどうしようもないことだった。

「教えてくれ」

その瞳は、死者のようにがらんどうだった。幽霊を見てしまったらこんな感じなのだろうか。目の前の不条理な情景に耐えようとして、ぼくは思わず歯を食いしばる。

「黙れ」

こんなふうに狂った言葉は、予想もしていなかった。うじうじした都合のいい懺悔のほうがどんなにマシだったろう。だが、男の口から漏れてくる言葉はまるで呪文のようで、それを聴いているぼくの正気にまで侵食してきそうな勢いだった。

「たのむ、教えてくれ、俺はなんで殺してきた」

　こちらに構わず、元准将は続けた。口調から威厳が消えうせて、捨てられたヒモのような無残さをさらけ出している。

「黙ってくれ」

　そう言うぼくの声は、認めたくないが、小さな悲鳴だった。

「なぜ殺した」

「黙れったら」

「なぜ」

　限界だった。

　ぼくは刃を引いた。鮮血がモスクの壁に飛び散って、ジャクソン・ポロックのように鮮やかなペインティングを描き出す。自分の血で窒息する前に、ぼくは元准将の足を外側に刈り、そのたくましい体をすばやくモスクの床に引き倒し、心臓にナイフを突き立てた。刹那、その口から赤い泡が漏れ、瞳がかっと見開かれる。

　元准将、「暫定政府」の「国防大臣」を名乗る男は死んだ。

　村々を巡回しては殺戮を繰り返してきた、三万五千人の武装勢力の指揮官は死んだ。

　唐突に現実が戻ってきたかのような感覚に襲われた。そこではじめて、この部屋に満ちていたピアノの調べがないことに気がつく。

「月光」の演奏がいつの間にか終わっている。ぼくは痙攣《けいれん》するように背を反らせ、我にかえって周囲を見渡した。まるで、魔術的な時間に閉じこめられ、窒息させられかけていたかのようだ。ぼくは唾を飲みこんだ。

パパパパ。パン。

「月光」が消えた夜に、人々を殺戮する銃声が響き渡った。

「どうしました」

振り返ると、アレックスが怪訝《けげん》そうな表情で立っている。ぼくは溜息をついた。この虐殺の親玉の異様すぎる反応をどう説明したらいいものか、ぼくにはわからない。

「大丈夫ですか」

と言いながら、アレックスは床に倒れ伏した元准将の死体を検《あらた》めはじめる。様々な角度から死体を眺めて、両目のナノレイヤーの画像記憶機能で元准将の死を収めていった。

「標的Bはここには来ないそうだ」

「じゃ、情報部のミスですかね」

そう言いながら、アレックスは淡々と自分の仕事をこなしていく。

遠くから銃声が聴こえてくる。

まだしばらくは、この場所で虐殺が行われるだろうな、とぼくは思った。

第二部

1

地獄はここにある、とアレックスは言っていた。

地獄は頭のなかにある。だから逃れられないものだ、と。

あの元准将を殺した夜から二年がたち、ぼくは自分自身の地獄をいまだ見つけられないでいる。「死者の国」はいまでもときどきやってくるが、それはあまりに安らぎに満ちていて、とうてい地獄などとは思えない。

アレックスのなかの地獄がどのようなものだったのか、結局最後まで聞けずじまいだった。教会から運び出されていく棺を見ながら、アレックスはいま天国にいるのだろうか、と考える。カトリックは昔のように不寛容な教義を保持してはいない。いまや神の門はすべての死者に開かれている。

それがたとえ、自ら死を選んだ者であっても。

そういうわけで、アレックスは自ら命を断ったのだけれども、葬儀はカトリックの礼式にのっとって行われた。中世のヨーロッパでは、自殺者は四つ辻に埋められたものだ。神から与えられた命を奪う自由は、人間には許されていなかったから、それは恐ろしい罪とされ、審判の日まで彷徨《さまよ》うように十字路へと埋められたのだ。

いまはカトリックでもそのような厳しい罰を死者に科してはいない。自殺者の葬儀は普通に死んだ者と同じようにしめやかに執り行われた。弔《とむら》いの言葉を告げた教会の神父は、アレックスを幼い頃から見守ってきたアイリッシュの老人だった。

アレックスが自分の車のなかでガス自殺した晩、ぼくらは連絡を受けて遺書を探しにアレックスの部屋に入った。きちんと整った、生真面目と言ってもいい部屋だった。本棚には神学関連の本がいくつも並んでいて、聖書も数冊が置いてある。いつかウィリアムズが、面白い小説はないか、と訊いたことがあった。手持ちの小説は全部読んじまった、と。どういうのがお好みですか、とアレックスが訊きかえすと、そうだな、エンターテインメントがいい、とウィリアムズは答えた。セックス、ドラッグ、バイオレンスだ。するとアレックスは笑って聖書を差し出したのだった。

遺書のほうはというと、見つからなかった。アレックスは誰にもなにも言わずに、旅立つことを決意したのだ。

じつを言えば、ぼくの人生における自殺者はアレックスで二人めだった。

そういう意味では——アレックスには申し訳ないけれど——今回の出来事もさほどのインパクトをもっていたわけではない。なにせ第一号ときたらぼくの父親で、それを上回るショックを受けるのはなかなかに難しい——というのは大嘘で、父さんが自殺したときのぼくときたら、まだ人の死の意味もとんと理解できないガキだったから、ショックもなにも受けようがなかった。身近な人間の死というやつは、そうして幼な子が世界を理解する前から図々しくもぼくの人生に侵入してきて、その後もずっと居座り続けている。

父はなぜ自らの死を選んだのか。そもそもこの表現が間違っているのだろう。たぶん、父は「選ぶ」ことなんてできなかったに違いないのだから。選択肢がないから人は自死するのであって、その逆ではない。少なくとも父の脳内には自死以外の選択肢は降りてこなかった。

それ以外選べなかった手段としての自殺ではあるけれど、方法を選ぶことはできたようだ。父は誰もいない家で、何度か首をつろうとして失敗したあと、結局はこの国でいちばん人気のある方法に落ち着いたらしい。つまりは手っ取り早く銃で頭を撃ちぬいたのだ。アメリカ人の自殺者の半分はこれを使う。それは父が死んで二十年以上たったいまも変わらない。銃は自由をもたらす。お手軽に死ぬ自由さえも——どれくらいお手軽かというと、成人となると七割がたこれなのだ。ホームレスからCEOまで、銃はあまねく合衆国市民に自死する機会を与えてくれる。ヘミングウェイもハンター・トンプソンもカート・コバーンも銃で頭を撃ちぬいたし、準備もそれほど必要ないから、ポケットからさくっと取り出していきなり死んで見せることもできる。バド・ドワイヤーが記者会見でいきなり自分の頭を撃ちぬいて見せた映像は、まだまだウェブの至るところに落ちているはずだ。残念ながら、銃が身近にない未成年者は首をつったりするしかない。これがアメリカの自殺人気では二番手だ。

正確な死亡時刻はわからない。というのも、その頃はまだ銃を登録する制度そのものがなくて、当然ながら市販されている銃器はタグ付けされていなかった。いまなら銃を使って自殺すれば、グリップに埋めこまれた連邦統合銃火器管理タグが、発砲の一発一発を記録してアルコール《B》・タバコ《A》・火器《T》・爆発物《F》取締局《E》のデータベースへと送信しているから、その銃がいつ自分の所有者の頭をぶち抜いたかが秒単位でわかる。データベースに記録されたその数字が、自殺者の墓標になるわけだ。が、父さんの時代にはそんな便利な仕組みはなく、父さんは皆が出払っていた家で、午後のどこか、漠然とした時間帯に死んだ。

どうして父が少しばかり面倒くさい二番人気を最初に試したのか、当然ながらいまもってわからない。なぜ死んだのですか、どうして銃を使おうと思ったのですか。死人に自殺のディテールを訊くことはできない。死人には問うことも、許しを請うこともできない。

子供の繊細な心は、自殺の前、父の身体から放射される死の匂いを敏感に感じ取っていた——かというとそんなことはまったくなく、ぼくにとって父はある日、ふいにいなくなった。姿を消したのだ。子供の敏感さを過大評価しないように。

ひとはそうやって、理由もなく、または他者に理解できるような理由をひとつも残さずに、ふっと目の前から消えてしまうものなのだ。

なぜ父さんは自殺したの、と何度か母さんに訊いたことがある。そして、いつしか訊くのをやめてしまった。わからない、というのがその答だったからだ。訊くたびに母は、ほんとうにわからないの、と凄惨な顔つきでぼくに答える。

理由を告げずに逝くことは、遺された者を呪縛する。自分はなぜ気がつかなかったのか、自分が悪かったのではないか、自分が他ならぬその死の理由なのではないか。死者は答えない。だからこの呪いは本質的に解かれることはありえない。忘却というものがいかに頼りないか、誰でもそれを知っている。夜、寝入りばなに突如襲いくる恥の記憶。完璧に思い出さずにいられるような忘却を、ぼくらの脳は持ち合わせていない。ひとは完璧に憶えていることも、完璧に忘れることもできない。

そういうわけで、母は父に呪われたのだ。

父に関して、母に最後まで訊かなかったことがひとつだけある。天井に叩きつけられた父の脳漿《のうしょう》と血とを掃除したのはだれなのだろう、ということだ。警察がやったのだろうか、そういう業者が来たのだろうか——壁の汚れになったあなたの愛する人を拭き取ります、と。

いずれにせよ、ぼくはまったく憶えていない。鼻持ちならない映画マニアになっていたティーンエイジャーのころ、深夜に「エンゼル・ハート」という古い映画——どれくらい古いかというと、レーガン時代の作品だ——を観ていてぼくはぞっとした。壁についた赤いぬるぬるを、喪服を着た老婦人が拭き取っている、という場面が出てきたからだ。おそらく彼女は自殺した人間の奥さんという設定だったのではないだろうか。映画にはそのへんの説明が一切ないどころか、そのカットそのものが物語にはまったく絡んでこなかったのだけれど。

父を拭き取ったのは、もしや母だったのではないだろうか。

仕事上のストレスが原因です。

まいっていたアレックスがカウンセリングにかかっていたら、カウンセラーはそう答えただろうか。

殺して、殺して、殺し続ける。殺すために綿密な計画を練る。殺す相手の姿を生々しく頭のなかに思い浮かべる。殺す相手が次にどのような行動に出るか予測する。殺す相手に妻はいるか、子供はいるか、寝る前にマザーグースを娘に読み聞かせてはいないか。

そんな仕事でもなお、ストレスという言葉がふさわしいのだろうか。カトリックのアレックスが誰かに相談するとしたら、カウンセラーではなく神父だったろう。アレックスは今日の葬儀に立ち会った神父に相談したのだろうか。告解室で、自分がこれまで殺してきた男たちについて許しを請うたのだろうか。そうだとしたら、あの神父は自分がアレックスを救えなかったことに、アレックスを救う言葉を紡ぎ出せなかったことに、罪の意識を抱いているのだろうか。

仕事上の罪が原因です。

神父がカウンセラーのようにそう答えるさまを、なんとなく想像してしまう。あなたは仕事上、どうしても罪や地獄を背負いがちなようですね。上司に相談して配置換えをしてもらってはいかがでしょうか。罪や地獄から逃れるために、暖かい場所で休暇をとるのもいいかもしれませんね。

たしかに、この二年は忙しすぎた。仕事上の罪や地獄を抱えすぎて、ぼくらがそれを処理しきれなくなるほどにワシントンは暗殺許可証を発行しすぎた。

もちろんそれはワシントンだけが悪いわけではなく、二年前にあの某国の元准将を殺してからというもの、どうやら世界は発狂しようと決意したようなのだ。アフリカで、アジアで、ヨーロッパで、つまり世界のありとあらゆる場所で内戦と民族紛争が立て続けに起こり、そのほとんどで、ある国連決議いわく「看過すべからざる人道に対する罪」、が行われた。

まるである日突然、虐殺が内戦というソフトウェアの基本仕様と化したかのようだった。この二年間で殺された非戦闘員の数は、二十一世紀に入ってからの内戦やテロで犠牲になった人々の六割を占めている。あまりに数が多すぎるので、ジャーナリストたちもそのすべてをフォローしきれてはいない。

そういうわけで、ジャーナリズムからスルーされた虐殺の悲鳴は、ネットの海に埋もれてしまっていた。取り上げられる主要な残虐行為以外は、さして注目もされないウェブページとしてアーカイヴされているにすぎない。情報を発信するのは容易だが、注目を集めるのはより難しくなっている。世界は自分の欲する情報にしか興味がなく、それはつまり情報そのものは普通に資本主義の商品にすぎないということだった。

ぼくら首狩り部隊は二年にわたって文字通り世界を飛び回り、あまりに高速の航空機で長時間移動し続けたものだから、平均的なアメリカ人に比べて相対論的な時間の遅れが生じているに違いない、とウィリアムズが冗談を言ったほどだ。

　ぼくらは仕事をしすぎた。

世界はぼくらの介入を求めすぎ、ぼくらは誰かに責任を被せすぎた。虐殺の指導者、というが、ヒトラーとて民衆から選ばれたのだ。ひとりの人間に虐殺の責任があるわけでもなく、結局のところ、ぼくらは罪人にそうあるべき審判をくだしているのではない。

　この人物を殺せば、この武装勢力の求心力は失われる。

この人物を殺せば、お互いが和平を受け入れやすくなる。

　虐殺の進行を止めるのに最も効果的な殺害対象をワシントンが選び出し、ぼくらがそれを始末する。アメリカに殺された第一階層《レイヤー・ワン》の人物たちは、ある意味で平和のための殉教者とすら言えるかもしれない。

　殉教者たち。あれから二年のあいだに、ぼくは自分自身の手で二人を殺し、暗殺を旨とする作戦にはその二回を含めて五回も関わった。侵入鞘《イントルード・ポッド》で国境を越えることもあれば、観光客やジャーナリストとして旅客機や陸路で入ることもあった。さまざまな作戦があり、さまざまな標的がいた。しかし、変わらぬものがひとつだけある。

　五回のうち四回の作戦オーダーに記載されていた標的の名前。

　二年前、その人物はヨーロッパ某国の内戦で、虐殺を行っていた武装勢力の「文化情報次官」をつとめていた。いつの間にか、その人物の名前が作戦指令書に記載されるのがお決まりになっている。異様だった。まるでこの人物は内戦から内戦を渡り歩く旅行者のようだ。

しかし、ワシントンがこれだけしつこく殺せと命令してくる以上、この人物がただの旅行者であるはずがない。作戦オーダーに記載された人物像《プロファイル》は、作戦のたびにディテールが詳細になっていく。やつは捕らえたいが、その人物についての全部を現場に教えるわけにはいかない。最初から全部の情報を現場に下ろせばいいものを、とウィリアムズはおかんむりだったが、作戦が失敗に終わるたびに情報を逐次公開していくという、なんとも官僚的な発想そのものが、この人物の機密のヴェールに悪魔的、あるいは神話的な雰囲気を付け加えている。

ジョン・ポール。

この恐ろしいくらい素っ気ない名前が、あれから二年間ぼくらが取り逃がしてきた人物の名前だった。

「ジョン・ポールは何者か」

ウィリアムズが芝居めかして言う。

「アメリカ政府に付け狙われるアメリカ人。同胞から逮捕命令でなく暗殺命令を受けた逃亡者。死体の山を見て回る虐殺のツーリスト。果たしてジョン・ポールの正体は」

人間だよ、ぼくらと同じように。

そう答えると、お前はわかっていないというようにウィリアムズが首を振り、

「つまらんことを言うな、お前も。重要なのはその先じゃないか」

「やつとて人間だ。それがぼくたちにとって重要なすべてだよ。人間だからいつかボロを出

す。そのときやつはぼくらに捕まるのさ」

「そして殺す、と」

かみさんのいるウィリアムズが、どうしてせっかくの休日に男やもめのぼくの家に来て、あまつさえドミノ・ピザを勝手にオーダーし、憂鬱なことを言って悦にいるのか、さっぱりわからない。昨日のアレックスの葬式が少なからず影響しているのだろう。

リビングの日が射しこまない壁面は、テレビや映画を表示するために空けてあった。ぼくらはソファに腰掛けて、バドワイザーを片手にだらだらと「プライベート・ライアン」の冒頭十五分、オマハビーチでミンチにされる連合軍の阿鼻叫喚をリピートして流し続けている。なぜかというと、この十五分がライアンでいちばん面白い部分であり、なによりペイムービーのプレビューである無料の冒頭十五分以内だったからだ。

これでぼくらは三十だ。ぜんぜん大人になれていない。少なくともこのアメリカで消費サイクルに組みこまれているあいだは。

「あいつ、悩んでたんだな」

ウィリアムズがぽつんともらした。

「そうだな」

「相談くらい、してくれても良かったんじゃないか」

「アレックスに言ってくれ」

とぼくは返す。そらそうだ、とウィリアムズは溜息をつき、

「なあ、あいつは地獄にいたのかな。あの戦場にいるときも、俺たちと訓練しているときも、基地で馬鹿話しているときも」

「馬鹿話するのはお前だけだ」

ぼくがそう言うと、ウィリアムズは驚いたような顔になり、

「お前、アレックスのジョークを聞いたことがないのか」

思わずウィリアムズをちらりと見やる。確かにそのとおりだ。

「あいつはけっこう、冒瀆的なジョークをかましてくれてたんだぜ」

「エンタメ小説を読みたがってたお前さんに、聖書を渡した話かい」

「ちがうよ、そんなもんじゃない。カトリックの習慣とか、教皇に関するジョークだよ。旧約の神様の身勝手さをネタにしたやつなんて、リーランドも俺も腹を抱えて笑ったもんだ」

意外だった。アレックスは厳格なカトリックだとばかり思っていた。

「ぼくは……あいつとはそういう話をしたことがなかった」

ウィリアムズはぼくをしばらく見つめていた。ドイツ軍のMGの連射音が部屋にこだましている。ややあって、ウィリアムズは空になったバドワイザーの缶をゴミ箱に投げやった。十フィートは離れていたが、ホールインワンだった。

「ちぇっ、ピザが来る前に一本空けちまった」

思い返せば、アレックスとは神様の話ばかりしていた気がする。ぼくは神はいない、という立場ではあったが、それを信仰者に無理やり押しつけるような気力もエゴもなかった。ア

レックスもそれは同様で、ぼくを宗教の道に引きこむような無粋はせず、お互いがお互いの考えを守りながら、神について、地獄について、罪について話すことはよくあった。

　地獄はここにあるんですよ。その話をアレックスがしたのは二年前の作戦の夜がはじめてではなかった。基地でくつろいでいたとき、ぼくはすでにそれを聞いている。あのときもアレックスは自分のこめかみを指差して、地獄はここにあるんですよ、シェパード大尉、と言っていた。ぼくらは地獄に堕ちるように構成されているんです。ここのアーキテクチャがそうなっているんですよ、と。

　アレックスがどのような地獄を頭のなかに開拓していたのか、いまとなっては知るすべもない。ともあれ、アレックスは逃れがたい己のなかの地獄から逃れるために自らの命を断ったのだろう。地獄に堕ちないために先手をうって死ぬ。恐ろしく倒錯した考えにも見えるが、あのときのアレックスの真剣さを思うに、ぼくにはそれがありうる話に思える。

　玄関のブザーが鳴る。

「おっと、ピザだ」

　ウィリアムズが出ていって、クーリエからピザを受け取った。クーリエボーイの差し出した携帯デバイスの表示面に親指を押しつけて、受取の本人認証をする。ウィリアムズやぼくが個人情報をアーカイヴしている軍のデータベースから返事が返ってくると、どうも、と言ってクーリエは帰っていった。

「軍にいると、情報のセキュリティに気を使わなくていいから楽だよな」そう言いながらソファに戻ってきたウィリアムズは、すでにハラペーニョをパクついており、「民間じゃ個人情報をキープするのだって金がかかる」

「社会保険料にだいたいは含まれてるし、厳密に言えば俺たちの個人情報を保管しているのは軍じゃない。情報軍に委託された民間の情報セキュリティ《インフォセック》会社さ。軍がコストを払ってる」

「自分で金をやりくりする年齢になったころにゃ、すでに軍人だったからな。カタギ経験がないからよくわからんのだよ」

「医療記録とか、個人認証に必要な指紋網膜脳波顔紋の類、信用状態、そういうもろもろをセキュアサーバにしっかりしまいこんでおいて、しかも認証に必要なときはいつでもアクセシブルな状態にキープしておくっていうのは、それなりにコストがかかるからね」

「それだ」とウィリアムズは指差し、「俺たちのジョン・ポールだが、やつはいったいどうやって認証の類をパスしてるんだ。こうやってハラペーニョにありつくのだって親指の判が必要だ。俺が十歳のときはサインで済ませていたが、いまやあらゆる場所で、やれ指紋だ網膜だ顔紋だとくる。なのにジョン・ポールは、いったいどうやってユーロからアフリカ、アフリカからアジアへ移動してるんだ」

　確かに、それを考えたことはなかった。航空機のチケットを買うのだって認証が必要だ。というよりも、認証がすなわち支払いなわけだから、これを回避することは口座を持っている限りできないはずだ。

ジョン・ポールはいったいどうやって内戦から内戦へと渡り歩いているのだろう。

と、ウィリアムズの携帯端末《モブ》に呼び出しが入る。信じられないことに、ハラペーニョの油でぬるぬるした指先のままポケットに手を突っこみ、いささか躊躇《ちゅうちょ》することもなく通話ボタンを押した。自分のモブだからどうしようと勝手だが、ぼくはこれが生理的に受けつけない。ウィリアムズらしいデリカシーのなさだ。

「はい」と油にまみれた指をしゃぶりながら通話している。「ええ、はい。すぐですか……一時間以内に」

ウィリアムズは通話を切った。まだ油でぬるぬるする人差し指で、壁に呼び出しコマンドを描いたので、ぼくはその無神経にうんざりする。壁面の薄膜ナノレイヤーのコーティングを高速で伝うようにして、コマンドパッド表示がどこからともなく現れ、油まみれの手許に滑りこんできた。

コマンドパッド表示の停止ボタンにウィリアムズが触れると、「プライベート・ライアン」のストリーミングが中断される。どうしたんだい、とぼくが尋ねるとウィリアムズは溜息をついた。

と、同時にぼくのモブが振動しだす。尻のポケットからモブを取り出した。司令部だ。

「召集だとさ」

ウィリアムズが言った。

2

とにかくＩＤ《アイディーイング》られないようにすること。

国防総省《ペンタゴン》からのお達しに従って、ぼくとウィリアムズは私服でワシントンにやってきた。ネームプレートや勲章でＩＤを推測されうる第一種軍装はもってのほかだ。ようするに普段着で来いということなのだが、お偉いさんに会うというのに、制服を着てないと落ち着かん、とウィリアムズは言う。窮屈な制服に体を押しこんで、胸にたっぷり勲章を飾っているかぎりは、ファッションに気を使う必要などまったくない。制服は制服でしかないからだ。それが私服となると個人の価値観が入りこんでくる。それを見ず知らずの他人に見られるのが嫌だ、ということなのだそうだ。

ぼくらは軍用機でなく、民間の便でワシントンに向かった。とにかく外部からも身内にも、ぼくらが召集されたということを大っぴらにはしたくないようだ。ジョン・ポールが組織で動いているとしたら、諜報機関や特殊部隊の動静を把握するための監視網を持っているかもしれないし、なにより身内にもあまり知られたくない何らかの事情があるのだろう。

そういうわけで、ぼくらは極力一般人のふりをしてワシントンにやってきた。ナショナル空港に着くと、タクシーも使うなと言われていたので、ぼくらは空港から地下鉄に乗りこみ、ペンタゴン駅で一般職員や見学者たちとともに降りる。

ペンタゴンは初めてではなかったが、おのぼりさんのような気分が湧いてきて、どうにも恥ずかしい。

ペンタゴン駅で降りる人間を見ていると、だれが一般見学者でだれが連邦職員なのか、判別がつきづらい。生体認証のおかげで、ファッションによって人を判別する必要性は、ある程度ではあるが薄れてしまった。

わたしのアイデンティティーはこの服にも靴にもない、情報セキュリティ会社《インフォセック》のセキュアなサーバにしまってあるから、そういうことらしい。

というわけで、ここに勤務する連邦職員も軍人も、ラフな格好になりがちな傾向がある。一般見学者はといえば、流行のファッションはペンタゴン・スタイルなわけで、前世紀、ふたつの世界が核爆弾を突きつけあってにらめっこしていた時代の軍事的な官僚臭のパロディがもてはやされている有様だ。だから民間人は味も素っ気もない（ように見える）スーツを着ているし、国防総省の職員もペンタゴン・スタイルか、さらにラフな格好をしているから、もはや外見でここの職員か否かを判別することはできない。

制服や、私服や、鳥脚たちとすれ違いながら、目指す場所へと歩いていく。鳥脚ポーターはまるで人間の下半身だけが生き生きと歩いているようで、ぼくは気味が悪くてたまらない。

人工筋肉のロボット下半身はここ数年、広めのオフィスでは当たり前の風景になってしまった。このペンタゴンはといえば、その敷地は広めどころの騒ぎではなく、エンパイア・ステートビルの三倍の床面積がある。にもかかわらず、五角形の構造のおかげで移動そのものは短くてすむ。ただし、指定された会議室へたどり着くまでに、いくつもの保安ゲートで掌を押しつけ、指の静脈を撮影され、網膜をスキャンされ、耳と鼻と目の形のマッチングを判定されなければならない。

会議室が集合しているエリアに入ると、ほとんどすべての部屋が使用中のようで、さまざまなプレートがドアに掲げられていた。

曰く「リビア自由化委員会」
曰く「東ヨーロッパ安定化委員会」
曰く「スーダン問題道徳的介入準備会」
曰く「対テロ情報集約会議」

世界中の問題が、ここペンタゴンの会議室が集中する一角で話し合われ、決められている。ある国を「自由化」するなんて、普通に考えたら完全な内政干渉、大きなお世話というやつだ。だが、ここにはそんな外交的「倫理」などはじめから存在していないようで、他国の内政をどうするかについて、きわめてナチュラルに話し合いが行われている。

そのなかにひとつだけ、単に「立入禁止」とだけ表示された会議室がある。

「ここだ」

ウィリアムズが言い、振り返って他の部屋の扉を見渡しながら、

「『立入禁止』——他の部屋に比べてずいぶんとシュールな話題だな」

「世界の立入禁止に関する諸問題を解決するのは、覇権国家の義務だからな」

ぼくの言葉にウィリアムズもうなずき、

「なんだかこういうの、カフカっぽくないか」

お前、カフカなんか読んだことあるのか、と訊くと肩をすくめ、

「いいや。言ってみたかっただけだ」

ウィリアムズがノックすると、部屋のなかから男の声がした。

「指認証したまえ。デバイスは扉についている小窓だ」

ドミノの駒ほどのちいさな黄緑色の窓に親指を圧《お》し当てると、ロックが解除され、扉が奥に少しだけ開く。

真っ暗な部屋で、男女たちがポルノクリップを観ている。

というのが、部屋に入ったときの第一印象だった。壁面スクリーンに映っているのは拘束衣を着せられた黒人で、壮年の男女たちが見入っていたのだが、ぼくたちが入ると一斉にこちらを向いた。暗い部屋にぼんやりと浮かび上がる顔と顔と顔のなかには、ぼくらの上官、情報軍特殊検索群i分遣隊のボスであるロックウェル大佐がいた。

「ああ、彼らがユニットGの連中です」

とボスが言い、空いている椅子に座るようぼくらを促した。テーブルについている男女はいずれもそれなりの年齢で、ここではぼくらがいちばんの若造のようだ。男がひとり、立ち上がって自己紹介をはじめる。

情報担当の国防次官だ、と言った。それがなにを意味するかというと国防情報局《DIA》の親玉ということで、そうするとここには文民のお偉いさんが雁首《がんくび》そろえているということになる。CIA、NSAなどアメリカの情報コミュニティを構成する各機関の次官級、院内総務を含む上院情報活動監視委員会の議員数名。そんな連中が暗い部屋に秘密めかして集まって、拘束衣を着せられた黒人の映像を見つめているというのは、正直言って変態じみていた。

「これは一週間前に撮影されたものだ」DIAは説明をはじめた。「第四次国連ソマリア活動《UNOSOMⅣ》の最新の成果だ。去年十月の『ブラック・シーの虐殺』に関して、われわれはこの男を第一階層《レイヤー・ワン》の人物だと見ている」

「逮捕したのですか」

ぼくはいささか驚いて訊ねた。第一階層を暗殺しないなんて、最近のアメリカ首狩り合衆国らしくない。

「そうだ。それにはいささか事情がある」

とボスが言う。DIAはうなずいて、

「この映像の男を逮捕したのは、ここにいるエリカ・セイルズ女史だ」

　DIAの隣にいた女性が軽く礼をする。ウィリアムズが首をかしげ、

「軍人ではないのですか」

「人類の歴史においてはきわめて稀な部類に属する、国家が独占する組織された暴力のみを『軍』と呼称するならば、そうですね」

　その女性は立ち上がり、主役を譲ったDIAは着席した。民間人らしく、流行のペンタゴン・ルックに身を包んでいるようだ。

「わたしはユージーン&クルップスの第三企画部長です」

　逮捕したのですか、という言葉を使った自分のささやかな幸運を喜んだ。暗殺しなかったのですか、では民間人を前にあけすけすぎる。少なくとも公式には、アメリカ合衆国政府は海外のいかなる要人も暗殺していないことになっているのだから。

「UNOSOMⅣは、展開当初から外注《アウトソーシング》化を前提として計画された」DIAがセイルズ女史を補足して、「現地に展開している軍事力はほぼ民間のものだ。赤十字や武装解除にあたる国連とNGOの連中の警備だけでなく、現地の武装勢力と実際に交戦し制圧する戦争遂行業務も、彼女の部隊をはじめとする民間軍事請負業者《PMF》に委託している」

　戦争遂行業務。

　とても不思議なことばだ。ある種の人々は嫌悪感すら抱くかもしれない——平和活動家や、リベラルの人々は。ぼくはその言葉に今まで想像したこともなかった未来を予感して、不謹慎にもわくわくしてしまった。ぼくはいつもことばに敏感に反応しすぎる。

ピザ屋がピザを作るように、害虫駆除員がゴキブリを駆除するように、戦争もまたある立場からは、民族のアイデンティティーを賭けた戦いでも、奉じた神々への殉教でもなく、単なる業務にすぎないのだ、とDIAの話を聴きながら、ぼくは考える。業務であるから、予算を立てることもできるし、計画することもでき、業者に発注することもできる。戦争はもはや国が振るう暴力から、発注し委託されるものに成り果てた。

人々の血まみれの戦いを、戦争業務という言葉は嘲笑《あざわら》っているかのようで、そこではこのぼくもまた笑われている。戦争を遂行する業務、ということば。戦争が単なる仕事であるということ。予測も統御も可能な「作業」であるということ。

この種の言い回しを考え出したのは、冷戦時代のシンクタンクの連中だ。核戦争という世界の破滅を思い描くとき、そこではこのような、ある意味冷酷ですらある言い回しが必要とされたのだ。ハドソン研究所のハーマン・カーンは、熱核戦争を分析してレポートということばの連なりに定着させていくことを「思考し得ぬものを思考する」と言ったのだが、これなどはほとんどウィトゲンシュタインだ。

百万単位の死《メガデス》を思考するための文学。

聖書の黙示録を戦略戦術レベルに落としこむためには、ことばの技巧《アート》が要請された。そのやりくちはいまやすっかり定番となって、おかげでぼくらはそうした官僚的な言葉の裏にある、家族を失った子供や穴だらけにされた死体を、いちいち思い浮かべずに済んでいる。

「食料調達および輸送、現地のカフェテリアで調理するコック、職員の衣服のクリーニング、新政府の庁舎の建設、元民兵たちの社会復帰訓練キャンプの建設、戦争犯罪者を収容する刑務所の建設および警備運営。かつて現地にわれわれが出向いてGHQを立て、工兵隊を呼んでやらなければならなかったすべては、すでにPMFや国連認定のNGOに委託されて久しいが、UNOSOMⅣでは作戦そのものを全面的に民間に任せている」

そうDIAが解説してくれてから、ちらりとエリカ・セイルズを見やる。PMFの女性はあとを引き継いで、

「UNOSOMⅣにアメリカ政府の連邦給与等級《ペイ・グレード》をもつお方は、軍人の方を含めても三人しかいません。われわれの判断を管理し承認するために常駐していただいております。われわれユージーン&クルップスは、アメリカやイギリス、ドイツやフランス、トルコ、そして日本政府から委託を受けまして、赤十字やボランティア、NGOの皆さん、そしてもちろん他の同業さん――兵站《へいたん》を維持していただいているハリバートン社さんなどですが――と協力し、ソマリアの地に平和を取り戻すべく活動しております」

そこでエリカ・セイルズは営業的に微笑み、

「当社は元特殊作戦要員を多く人材として抱えておりますし、去年立ち上げた専門計画執行業務はこちらにも非常にご好評いただいております」

「わたしらと同じ、蛇喰らい《スネークイーター》のことさ」

ボスが淡々と言う。PMFによる人材の引き抜きには苦々しい思いを抱いているはずだが、それをこういう場で吐き出すような人ではない。ぼくはエリカ・セイルズの顔をちらりと見

やるが、ボスが語った蛇喰らいという自嘲的な語にこめられた皮肉に気がついているのかいないのか、それを窺うことはできない。

「われわれユージーン&クルップスは九月下旬、調査部から受けた情報をもとに、アメリカ政府にある企画をプレゼンさせていただきました。第一階層のアフメド・ハッサン・サラードの逮捕業務です。われわれの調査部は、現地の武装勢力内にかなり要度の高い情報源を複数確保しており、本企画は充分実現可能性のあるものだと、上院国防予算歳出委員会の皆様にご説明させていただきました」

有能な営業らしく淀みない説明を重ねるのだが、ぼくにはセイルズ女史の言葉が、現実に被せられたもうひとつの層、別の現実として見えている。

元准将の喉許《のどもと》を切り裂いたとき壁に飛び散った、赤いペイント。

撃たれたあと穴のなかに捨てられて焼かれる男女たち。

後頭部に紅《あか》い花を咲かせた少女の骸《むくろ》。

そうした生々しいすべてに重ねられた、企画だとかプレゼンだとかいう、一見戦争を語るにふさわしくない言葉が織り成す層。そうした生々しいものがあたかも存在しないかのように、まるで戦場では誰も殺していないし殺されてもいないかのように、戦争をビジネスとして、民間の通常の仕事として語るレイヤー。

そのような言葉で、誰もが殺し誰もが殺される戦争というものを語ることができるという驚き、感動、新鮮さ。

「歳出委の国防予算小委員会から国防総省に話が行って、最終的に国防総省は特殊作戦司令部《SOCOM》に相談した」

DIAが経緯を説明するとボスはうなずき、

「プレゼン資料を見て、じゅうぶん行ける戦闘計画だ、と回答したよ。悔しいがね」

「歳出委の方々に臨時予算を承認していただきましたので、われわれは部隊を編成し、執行しました。実行にあたっては弊社員に被害もなく、予定外の要素の介入もありませんでした。ほぼ順調に進行した、と言ってよいでしょう」

ぼくはあらためて画面の男を見た。左上には停止状態にあるタイムコードと、撮影カメラのGPSによる緯度経度が記されている。簡易取調室は素っ気無い白壁で、われらがアフメド氏はその中央にひとつだけ置かれた椅子に座らされている。逮捕直後の状況のようだ。

男は怯えていた。

「この男、ほんとうに武装勢力の重要人物なんですか」ウィリアムズが映像を指差し、「こういう猿山のボスは、不当逮捕だとか帝国主義の横暴だとか言ってわめき立てこそすれ、こうやって拘束されて怯えてるってのはないでしょう」

「ええ、アフメド・サラードはオックスフォードで教育を受けています。われわれ先進資本主義国が、捕らえた捕虜を拷問しバラバラにするようなことはない、と知っているはずです」

「じゃあなぜ、このアフメド君はひどく不安定に見えるんですかね」

「この続きを見てもらおうか」

DIAが指示するとタイムコードが走り出したので、映像が流れはじめたのだとわかった。なにせ拘束服で身じろぎひとつしない囚人が映っているばかりで、映像が流れているのか止まっているのか判別しづらい。画面外の質問者が、英語でアフメドに話しかけている。

質問者：……あなたはアメリカ合衆国の委託を受けた軍事代執行者であるわれわれによって拘束されています。われわれがアメリカ政府とのあいだに交わした契約内容には、ジュネーブ条約を遵守する項目も含まれております。われわれがあなたをアメリカ合衆国に引き渡すまでのあいだは、あなたが暴力的状態に陥らないかぎり、あなたに不当な暴力が加えられることはいっさいありません。

アフメド：……これはすでにして不当な暴力ではないのかね。

質問者：われわれのクライアントであるアメリカ合衆国は、ソマリアの各武装勢力に対する戦闘停止の勧告、国連決議第五六〇〇九七号に従ってこの業務をわれわれに発注しております。これは国際的に承認された武力の行使であります。

アフメド：……正当な武力の行使、か。暴力の正当性を裏付けるものとは、いったいなんだろうね。

質問者：より多くの人々に承認されているということではないでしょうか。

アフメド：われわれの行為も、この国の多くの人々に承認されていた。皆が望んでやったことだ、あれは。

「挙動も声も怯えているわりには、ずいぶん開き直った物言いじゃないか」とウィリアムズは安心したようで、「なんのことはない、やっぱり普通の虐殺者だ。『正しさ』の狂信者ですよ」

「もちろん、そうだ」とＤＩＡは肩をすくめ、「しかし、ここからいささか文学的になる」

質問者：民衆も時には間違うでしょう。ドイツの国民が選挙でヒトラーを選んだように。

アフメド：では、あなたがた『世界の民衆』が間違っていることもありうるわけだ。

質問者：あなたは同胞国民を大勢殺したんですよ。

アフメド：そうしなければならなかったからだ。

質問者：この半年だけでこんなにも多くの人々が、この国には殺すべき人間が大勢隠れていると信じこむようになった、そのことがわたしには信じられない。人間はそんなに簡単に、昨日まで笑って付き合っていた友人を殺せるようになるものでしょうか。

アフメド……だが事実、そうなってしまったのだ。

質問者：なぜです。

アフメド：なぜだろう。彼らを殺さなければならなかった理由はわかる。

質問者：しかしその観念は、一年前のあなたの心には存在していなかったのではありませんか。
アフメド：そうだ……おそらくそうだろう。
質問者：人を殺すにいたる観念を、半年などという短い時間で育てられるものでしょうか。一人ならともかく、多くの国民がその観念と憎悪とに、あっというまに花を咲かせてしまった。
アフメド：……育てられるのだ、現実に。それをわれわれが証明してしまった……。

映像が終わった。

「『ブラック・シーの虐殺』では四万六千人が犠牲になったと言われています」

とエリカ・セイルズが淡々と語り、

「ここでわれわれが覚えておかねばならないのは、このアフメド某が一年前まではソマリアにおける平和の使者だったということです。ついこの前まで、ソマリアは非常に安定した状態にありました。二千ひと桁年代まで続いていた内戦の歴史に、幕を下ろしたかのように見えたからです」

どこかの軍隊が介入したのですか、とぼくは訊いた。恥ずかしながら、ソマリアのことは最近になるまでほとんどなにも聞いたことがなかったのだ。ぼくらは仕事をこなしたりピザを食べたり「プライベート・ライアン」の冒頭十五分を見るのに忙しく、任務に際して仕入れた知識以外となると、CNNや「実話の映画化」で知ることができた世界がせいぜいだ。

「いいえ、ソマリアの人々は自力でそれを成し遂げました。あの国の惨劇は一九七〇年代にはじまり、九〇年代に激化して、国際社会はその惨状に一度は手を差し伸べようとしましたが、湾岸戦争のあと、あなた方の先輩——特殊作戦群が介入で大きな失敗をし、その作戦要員の死体がモガディシュじゅうを引き回されるのをテレビで目の当たりにしたクリントン大統領は、この厄介なアフリカの地域から撤退することを決めました。あの九・一一のあと、アル・カイーダの温床になっているのではないか、と疑いをかけられたこともありましたが、アフガンとイラクへの介入でそれも忘れ去られました。世界は最近になるまで、ソマリアを徹底的に忘れ去り、その悲惨から目を背けてきたのです」

世間の関心から「こぼれた」地域。ネットの海へ発信しても、あふれる波音のなか、その悲鳴はあまりにか細すぎ、誰の耳にも届かない。助けてください。助けてください。そうやっていくつもの国々が静かに死んでいく。誰に顧みられることもないままに。

「しかし、一〇年代前半から、ソマリアは自力で文明を再構築する道を歩みだした」

唐突にボスが語ったので、ぼくはいささか驚いてその顔を見やった。大佐ははにかむような笑みを浮かべ、

「わたしも九三年のモガディシュにいたのだよ。わたしはデルタの一員だった。ブラックホークが墜落する無線を、バカラ・マーケットで聴いていたからね。セイルズさんの言う『失敗した先輩』のひとり、だよ」

「それは失礼いたしました」

とエリカ・セイルズが頭を下げる。ボスは構わないというように手を振って、

「いやいや、あれは確かに失敗した作戦だったのだよ。ただし軍事的にではない。政治的に失敗しただけだ。それはともかく、わたしはその後もソマリアの情勢について関心を持って注目し続けたのだ。ときおり寄付を送るぐらいしかできることはなかったがね。わたしの知りうる範囲だと、ソマリア国民は一〇年代に入って、自主的にAKやロケット弾《RPG》を回収し、警察や学校を再建し、裁判所や行政府を構築し、自らをカオスから救い出そうとした。万民の万民に対する闘争、そんなホッブスの言葉は嘘っぱちだということを証明してやる。そう静かに、だが熱意をもって語っていた男を中心にして」

「それがこの、アフメド・ハッサン・サラードでした」

それを聞いても、驚きはなかった。ただ少し悲しかっただけで、ぼくの感情はほとんどからっぽだった。子供のために、女性のために、貧しく飢えた者たちのために、弱き者すべてのために戦ってきた男たちが、権力を握ったのちに独裁者と化すのは、よくあることだ。よくあることに驚くことはできないし、大げさに嘆き悲しむこともできない。

「平坦な道ではありませんでしたが、アフメドらのグループは、ソマリアに平和を打ち立てたのです。貧しくとも、飢えていようとも、捨ててはいけないものがあると国民全員が強く認識したように一時期は思えました。子供たちは学校に通い、文字を勉強しました。もう機銃をつけたトラックが街中を走り回るようなことはない、と皆が安心して眠れる国になったのです。

そうなると、つぎは貧しさをなんとかする段階になりました」

「ソマリアの資源は」

とウィリアムズが訊いた。エリカ・セイルズは首を振り、

「ほとんどありません。見つかっていないだけかもしれませんが、最後に調査が行われた前世紀末までに、石油、鉱物、農作物など、外国に買ってもらえるような資源は一切ないと烙印を押されています」

「どうしようもないな」

「人がいるかぎり、そんなことはありません」エリカ・セイルズは肩をすくめ、「人がいれば、労働力を売ることができます。国際貧困対策機関である国連ミレニアム計画は、そんな資源もなく農業にも適さない国々をいくつも建て直してきました。アフリカの風景というものが存在するかぎり、観光という選択肢だってあるはずです。問題は」

「長きにわたる内戦で、誰もそんな国に投資したくないし、観光に訪れたくもなくなっちまった、ってことだな」

エリカ・セイルズの言葉をさえぎって、ウィリアムズが言う。

「その通りです」

そう言ってから、エリカ・セイルズはＤＩＡに伺いをたてる視線を送る。ＤＩＡはうなずき、立ち上がった。

「ご説明ありがとう、セイルズさん。ここからはわれわれ内部の話になる」

「承知いたしました。ではみなさん、失礼いたします」

一礼すると、PMFの代表は会議室から退出していく。扉が閉まるまで、全員がそのペンタゴン・スタイルの後姿を見送った。

「ここからはわたしが説明する」

DIAが言い、あまりに芝居がかった咳払いをしたので、ぼくはこみ上げてくる笑いをこらえなければならなかった。

「ソマリアは清く正しく仲良く生きようと銃を捨てたが、困窮は極まるばかりだった。だから、いままでの内戦で世界に与えたネガティブなイメージを覆《くつがえ》さねばならなかった。ここは投資に値する場所であると、ここには教育を施された働く意思のある文明人がいると、さらには、観光に来てもまったく安全であると。それらは一年前までのソマリアではまったくの事実だったのだが、しかし事実であるというだけではどうしようもない。それを世界に知ってもらわなければどうにもならないのだ」

「PR会社ですか」

ぼくは言った。DIAはうなずき、

「そうだ。国家のイメージはPR会社によって大きく左右される。アフメドはオックスフォードで国際政治を学んでいたから、ボスニア・ヘルツェゴビナの紛争におけるようなPRの必要性を強く認識していた」

希望という軍勢は、それに忠誠を誓うのはとてもたやすいが、実際に動かすのは困難である。そうなにかの本に書いてあったが、その希望とやらを実際に動かすためにはアメリカの国民に知ってもらわねばならない。ワシントンの政治家に、そしてネットワークのジャーナリストに知ってもらい、ロビイストを動かさねばならない。そこで登場したのが、国をクライアントとするPR専門家だった。

ワシントンで記者会見を開く。閣僚をアメリカのネットワークに出演させる。アメリカ政府の要人と会見させて、困窮を訴えると同時にメディアの記事にしてもらう。そうやって「希望という軍勢」ははじめて動く(かもしれない)ように世界はできているのだ。

「とにもかくにも、世界にソマリアの状況を知ってもらわねばならない。わたしたちは戦いをやめ、前へ進む意思を持つ優秀な国民を抱えた、しかし貧しい国だと知ってもらわなければならない。そこでアフメドは、元PR会社の男を文化宣伝顧問として、ソマリア政府に雇い入れた」

ぼくにはもう話が見えている。

「それが、ジョン・ポールだったのですね」

全員が、ウィリアムズも含めて、ぼくのほうを見た。注目を集めるつもりはなかったのだが、みな、ぼくの話を先取りする能力に驚いたらしい。

「そうだ。ジョン・ポールがソマリアに入ってどうなったか、シェパード君にはもうわかっているようだね」

国家が人格的な「犯人」である殺人事件、というものを想像してほしい。

ニュースリポーターが隣人にインタビューすると、彼女はこう答える。とても親切でまじめな方で、ゴミ出しもきちんとしていましたし、そんなことをするような人にはぜんぜん見えなかったんですけど。

ようするに、そういうことだ。ぼくはうなずいて、ＤＩＡの言葉を引き受ける。

「ええ、つまり現在の状態になったんでしょう。あっという間に国中が混沌に還った。万民が万民に対してのホッブス的な闘争を開始した。混沌。殺す側と殺される側に、国民たちが分かれていった。そして――」

「ブラック・シーの砂浜に、道に迷ったイルカの末路のごとく、無数のソマリア人の骸が転がることになった、と」

ウィリアムズが話をしめた。会議室が重苦しい沈黙に包まれる。

ジョン・ポール。

いまや、この男は内戦地帯をうろつく奇特な観光客ではないことが判明した。暗殺指令が出た当初から、それを立案し承認した人間たちにはわかっていたことだが、実行するぼくらにそれが教えられることはなかった。

ぼくらが幾度も殺そうと試みては失敗しているこの男が、世界各地で虐殺を引き起こしているということを。

この男が入った国は、どういうわけか混沌状態に転がり落ちる。

この男が入った国では、どういうわけか無辜《むこ》の命がものすごい数で奪われる。

「それだけのことが、わずか半年のうちに起こった」ＤＩＡが続ける。「平和になっても注目しなかった国々が、この殺戮には運よく反応してくれた。世論、大統領選、お決まりの流れだ。しかし、アメリカの即応軍は世界各地で立て続けに起こった内戦やテロや民族紛争で出払っていた。近代の軍政はじまって以来の大規模アウトソーシングが行われたのは、そういうことだ」

「いまや米軍はてんてこまいだ。ここ数年の、世界各地における紛争および残虐行為の増加は異常すぎる」と議員団の誰かが発言した。「苦い過去を持ってはいるが再建に向けてどうにか歩みをはじめたはずの国が、あっという間にもとより悪い状態に転がり落ちる。騒乱の予兆がまったくなかった国に、突如として民族の軋轢《あつれき》が噴出する。われわれが分析を依頼した各大手シンクタンクは、この異常状況に回答を出すことができていない」

ぼくは言った。

「しかし、あなたがたは答を知っていたんでしょう」

「ジョン・ポールの暗殺指令を、わたしが最初に受け取ったあの作戦の前から」

口を開く者はいない。

ぼくは首を動かさず、目だけで会議室のテーブルにつく男女を見渡す。

無表情に固まった皆の視線が、生贄《いけにえ》の羊を探すかのように、こまかく動いているのが可笑《おか》しくてしょうがない。この種の空気のなかで再び口を開くというのは、ワシントンの力学にあっては、命取りになりかねないほどの大きな意味を持つのだろう。

ややあって、ブルーのスーツを着た女性が、ワシントン流の隠微な沈黙を破った。

「そうです。特殊作戦司令部に暗殺作戦を依頼するまでに、われわれはジョン・ポールを拘束しようと何度か試みました」

「われわれと言うが、あなたは」

とウィリアムズがその女性を指差す。そのいささか不躾《ぶしつけ》な態度に女性は驚いたようだったが、ボスも会議を仕切っているDIAもなにも言わない。

「CIAです。海外となると、われわれの庭ですから」

「海外はCIAの庭ではないし、アメリカの庭ですらない。魑魅魍魎《ちみもうりょう》が跋扈《ばっこ》する、世界という名の混沌だ。そういう意識だからあなたたちはドジを踏むんですよ」

ウィリアムズは激昂するでもなく、そう冷酷に言い放った。アマチュアが大嫌いなのだ。

そんなウィリアムズをボスが諫《いさ》めて、

「口を慎みたまえ」

「失礼しました。だけど失礼と言うなら、彼女は世界に対して失礼だし、われわれに対しても失礼ですよ」

悪びれた様子もなく、ウィリアムズは肩をすくめる。アメリカの外で実際に戦ってきたのはぼくらであって、「準軍事活動」と称して戦争のままごとをしているCIAではないし、そんな連中に世界を「庭」と呼ばれたくない。ウィリアムズはそう思ったのだろう。

DIAに促され、CIAは表情を変えることなく話をつづけた。

「おっしゃるとおりです。われわれはジョン・ポールの拘束に何度か失敗しました。ただ、その段階ではかれが世界各地で虐殺を扇動しているとは、はっきりわからなかったのです。紛争地帯で起きたいくつかの残虐行為に関して、かれが何らかの形で関係しているらしい。その程度の容疑がもたれていただけです。

そうこうするうちに、世界の混沌の深化は加速度的になり、われわれは入手したさまざまな情報に照らして、ジョン・ポールこそこれらの虐殺行為の原因であると、確信を得たのです」

ＣＩＡが手をこまねいているあいだに、ジョン・ポールのプロデュースした戦争と虐殺は、どれだけの命を飲みこんだのだろうか。

ぼくらがこの男を殺し損ねた二年間に、どれだけの命が奪われたのだろうか。

たったひとりの人間が、世界中を駆け回って、大量殺人の手引きをしている。ちいさな国々や内戦を繰り広げる武装勢力の中枢に食いこんで、ひとびとの耳許でそっとささやくと、魔法のように死体の山ができあがる。

そんなことがありうるのだろうか。

思い出す。二年前、あの元准将の「国防大臣」を殺したときのことを。なぜだ、なぜだ、この国はなぜこうなってしまったのだ。それは悔恨から発した修辞的な疑問形ではない。あの元准将は本気でなぜと問うていた。自ら引き起こした虐殺であり、動機も目的も明確でありながら、それでもなおなぜだ、と問わずにはいられないようだった。

それと同じ表情を、さっきの映像のなかで、アフメド某は浮かべている。

「それで、本題は」

ぼくはボスに訊く。ベレー帽を直しながら、大佐はテーブルの人間に確認を求める視線を送った。皆が同意を示すと、ややあって穏やかな声で語り始める。

「ジョン・ポールの暗殺だ」

「いままでもそうでしたよ」

ウィリアムズが眉をひそめる。なにをいまさら、という表情だったが、ウィリアムズと違ってぼくにはその意味がわかった。

「追跡行《トレイル》ですね」

「そうだ」

追跡。ジョン・ポールを追跡し、狩り出す。いままでは米諜報機関群《インテリジェント・コミュニティ》がつかんだ情報に従って、紛争地帯に最新装備満載で潜入し、行動もチーム単位だった。

「ジョン・ポールは現在ヨーロッパに潜伏しているものと思われる。われわれ情報軍の暗殺作戦は、唯一ジョン・ポールを除けばすばらしい戦績をあげている。とくにきみたちユニットGの星の数は見事なものだ」

「われわれにスパイの真似事をやれと」

「そういうことです」CIAが言う。「悔しいことに、われわれはあなたがたほど殺し慣れていませんし、あなたのようにタフな要員も抱えてはおりません。暗殺ならば現地で接触のある過激派にやらせるという手もありますが、これは機密性の高い作戦で、確実性も求められている。この種の作戦は一昔前でしたらグリーンベレーかデルタの仕事でしたが、いまやあなたがた情報軍特殊検索群i分遣隊がこの部門ではエキスパートです」

「そしてなにより、これが予防的作戦であるということが重要だ」

大佐が再び口を開き、ぼくたちの方に向き直った。

「いままでの作戦はすべて、虐殺が起こってから情報機関がそこにジョン・ポールがいると判断し、われわれを送りこむというものだった。こう言ってよければ手遅れになってからしか動けない、事後的で警察的な任務だった。

しかし、今回は追跡行ではあるが、機会目標《ターゲット・オブ・オポチュニティ》ではない。発見し、暗殺の機会だと判断しても、そこで殺さずに、かれがいまどこかで大量殺戮の芽を育てているのかどうか、つきとめねばならん」

「きみたちを情報参謀《J2》に任命すると同時に、一時的ではあるが統合参謀本部情報部付とする」

ＤＩＡが後を受けた。統合参謀本部の情報部はＤＩＡの一部局である参謀情報部と統合運用されている。

「つまり、あなたの指揮下に入ると」

「きみの所属はＪ２だが、指揮は情報軍とＤＩＡの共同作戦となるから、全面的にサポートできる。重要な任務だ。われわれは信頼されているのだよ」

ボスはそう言ってぼくの肩に触れ、

「新たな虐殺を止められるのは、きみたちしかいない。いまこうしているあいだにも、ジョン・ポールはこの地球のどこかの国を、地獄に叩きこもうとしているかもしれないのだ」

3

死体たち。

地面を大きく穿《うが》つクレーターは、まるで巨人の鍋のようで、そのなかにこんがり焼けた人人が、豆のように隙間なくぎっしりと敷き詰められている。

ほかの哺乳類に比べても人間は皮下脂肪が多いほうで、それをこうした鍋状の空間できちんと熱すれば、皮はぱりぱりになり香ばしさを醸し出す。人の焼ける臭いがおぞましいのは、もっぱら肉以外の部分も一緒くたになっているせいだ。靴やシャツだけでなく、髪の毛が熱せられる臭気。それさえなければ、人間が焼けるときの臭いは、肉汁したたる他の獣肉の香気とたいして変わらないはずだ。

ぼくはそんなことを考えながら、まだ熱を放つ穴の縁に腰掛け、眼下に重なり合うヒト肉の焼けるさまを見つめている。これは誰かが食べるためのものなのかな、とぼんやり考えていると、死体たちのなかのひとつが、焦げてパリパリになったまぶたを持ち上げる。頭蓋骨も皮膚も筋肉も、焼けて収縮しきっているので、その奥から覗いた瞳はノスフェラトゥのようにぎょろりとしていた。

「わたし、焼けてる」

母は自分の手を見つめながらつぶやいた。ぼくはうなずいて、

「うん、なんだか北京ダックみたいだよ」

「食べたらおいしいかもね」

と母は笑った。焼けて硬化した頬まわりの皮膚にひびが入る。まるで劣化した塗装が剝げるように。ぼくはそれを面白がって観察し、

「こうして見ると、母さんはほんとうに物なんだなあ、って実感するよ」

「あら失礼ね、あなただって立派に物質じゃない」母はむくれて見せ、「死体が物質に『すぎない』っていうなら、生きている人間だって物に『すぎない』わよ」

「そうなのかな。普通に生活していて、ウィリアムズをマグカップとして扱うのは難しそうだけど」

「そうね、でもどこかで受け入れなくてはいけないわ」

黄色い空を、軍用機がひどく低空で、ゆっくりと飛び去っていく。まるで鯨の腹がすぐ近くを通りすぎていくようだ。乾いた砲声が散発的に響き、火薬の臭いが一帯をうっすらと漂っている。

「自分が物質だということを、かな」

「自分が肉だということを、よ。わたしの息子さん。無神論者だとか言ってるわりには、肝心なところの受け入れができていないんだから、もう」

ぼくは笑った。わたしの息子さん。懐かしい呼び方だ。母が生きていたころ、よく言われたものだ。お前は詰めが甘い子だねえ、と。

「ぼくは肉で、肉の仕組みに支配されているということ……」

「肉であるということは、どんな牢獄も意味しないわ、安心なさい」

ぼくはうなずいた。母の言うことはいつでも正しかったからだ。母さんがそう言ってくれるなら、ぜんぜん心配ない。

「ほら、あなたの迎えが来たわよ」

キイイイ、という音。旅客機がゆっくりと垂直に降り立つ。穴の縁に生えている木々が、風圧でぐにゃりとしなった。ぼくは手をかざし、飛んでくる埃やゴミを防ぐ。飛行機のハッチが開くと、ウィリアムズが手を振ってぼくを呼んでいた。

「じゃ、またね、母さん」

「またね」

ぼくは腕を大きく振って、焼け焦げた母に別れを告げる。

母さんも、焼けて針のように細くなった腕を振ってくれる。

飛行機が上昇をはじめ、ぼくがリクライニングを倒して眠りに落ちるころには、死体の鍋も眼下に小さくなり、死者の国ははるか彼方にあった。

死者の国の旅客機で眠りに落ち、生者の国の旅客機で目覚める。

アレックスが死んでこのかた、「死者の国」が頻繁に見えるようになった。あまりに頻度が増えてきたので、軍のカウンセラーに相談したほうがいいかもしれないと考えたこともあるが、いまのところ任務に支障をきたしているというふうでもない。そういうわけで、ぼくは夜ごと死者の国に誘われるままにしていた。

母が自分に何かを告げるという物語の構造自体は、子供時代の家庭の風景にすぎない。父を失ってから、母は再婚することなく女手ひとつでぼくを育てた。母さんはいろいろなことを話してくれた。ぼくが一時期映画にはまったのも、文学に関心を持ったのも、ぜんぶ母の影響だった。だから「死者の国」自体は、ぼくと母さんの夕食の風景なり居間でくつろいでいる時間なりの空気を、そのまま写し取ったものにかなり近い。もちろん、その風景の異様さを別にすれば、ではあるが。

母さんはぼくのことをいつも見ていた。それは、そうしていなければ目の前からいつぼくが消えてしまうかわからない、という怖れのためだったのだろう。父が消えたように、人間は、完全に理解を拒む状況でいなくなってしまうことがある。母はそれを怖れていた。

ぼくは比較的幼い時分に、そんな母さんの怖れに気がついていたから、できるだけ母さんに心配をかけないようにふるまった。注意深い子供になり、揉め事に巻きこまれないよう、話す相手の言葉やしぐさの隅々にまで注意を払うようになった。何かまずいことがあっても、母には絶対に知られないように動き回った。母さんを怖れさせないこと。ぼくはある日突然いなくなってしまわないと証明しつづけること。幼い頃から大学に入るまで、それが一貫したぼくの優先事項だった。

軍隊に入って、特殊部隊に志願したのは、そんな自分に飽きてきたからだった。情報軍という設立間もない軍種の、出来立てほやほやの特殊部隊に志願して、五十倍の選抜テストをパスした。不思議なことに、母はそんなぼくの選択になにも言わなかった。あなたのやりたいようにやりなさい。そう微笑んでくれただけだった。

結局、父のようにある日突然いなくなってしまったのは、危険な任務についているぼくのほうじゃなく、ぼくが消えてしまわないように気を使い続けてきた母のほうだった。そしていま、母の体はワシントンの墓地にあって、その魂が夜ごと「死者の国」からぼくに語りかけている。

目蓋を持ち上げると、死者の国は消え去り、機は着陸態勢に入っている。

窓から見える機の翼面が、侵入鞘《イントルード・ポッド》と同じように、くにゃくにゃと微妙に波うっている。翼全体もかすかに折れ曲がったりねじれたりして気流のゆらぎを吸収し、機体をスタビライズさせているようだ。

ジャンボジェットの巨大翼面を覆う肉の量はどれくらいになるのだろうか。この肉旅客機《ミートプレーン》の表面のコーティングを全部はがして、その筋繊維でびっしり覆われた翼を見てみたい。刃物で裂いて翼からほとばしる血液を見てみたい。

ぼくは時間帯同期剤《リージョンシンク》を飲み、睡眠のリズムをリセットする。女性がピルで排卵を調節するように。時差ボケで隙だらけの面をさらしたまま、先に入ったウィリアムズに会いたくはない。

肉旅客機がふわりとルズィニエ空港の滑走路に降り立つ。不安になるほど翼がしなり、推進ベクトルを大きく吸い取った。まるで鳥が枝に降り立つとき、包みこむように翼面を前方に向けるかのごとく。そんな制動でけっこうな短距離着陸をやってのけるものの、乗客にかかるG負荷は驚くほど少ない。シートの高分子素材が通電によって材質変化し、衝撃緩衝用モードになってくれたからだ。乗客の体がマッシュルームのようなシートに大きく沈みこみ、またもとの質感に戻るころには、アテンダントがにこやかな笑みを浮かべて、タラップへと誘導してくれる。シュールな形のステルス輸送機とは違うなと、ぼくは一般観光客としての空旅を満喫した。

プラハ。文化の都。百塔の街。

ぼくはルズィニエから地下鉄で曇天の都に入っていった。

ブルダヴァ河にのしかかる黄色い雲を見つめながら、カレル橋で待ち合わせしたのは失敗だった、とウィリアムズが言う。こんなに人が多いと、お前を見つけ出すのも一苦労だったよ、と。

遅刻に関して、言い訳というよりも開き直るウィリアムズに、ぼくは呆れもせずうなずく。実際、カレル橋は観光客でいっぱいで、まるで地上すべての人間がこの橋を加重で落とそうと一斉に決意したかのような有様ではあった。

しかし、ウィリアムズはぼくと同じ特殊部隊員であり、武装勢力の有象無象の兵士たちのなかから暗殺目標を見つけ出す「ウォーリーを探せ」を、長いあいだつづけてきた人間だ。人探しは人殺しと同じくらいお手の物であって、ウィリアムズが遅れてきたのは単なる怠惰《たいだ》のせいだと見るのが一二〇パーセント正しい。ただしそれはいつものことなので、こんな開き直りにいちいちリアクションを返していたら二人コントになってしまう。

状況はどうだい、とぼくは訊いた。ウィリアムズは先刻の開き直りに突っこみを返してもらえなかったのがいささか不満らしく、眉をひそめる。

「まあ、な。ぼちぼちやってるよ」

「ぼちぼちってお前、ぼくより二日早く入っただけじゃないか」

「さっきもそういうリアクションを待っていたんだがな」

ぼくは呆れた。

「お笑い《スケッチ》をやりにはるばるプラハくんだりまで出張ってきたのか」

「そういう側面もある。ここに来てみたら、ジョン・ポールはいなかったからな」

今度こそ。少なくともお偉いさんたちはそう意気込んでいた作戦だけに、驚きがないとは言えないが、ぼくらにとってはいつものことだ。言うまでもなく、繰り返しはギャグの基本である。

「最初からか」

「俺が着いた日、スターバックスでラングレー《CIA》の連中に会った。すみません、見失いました、と言ってたよ。ハーバード出たばっかで、チェコ語の新聞も読めないくせに大使館付のラングレー要員になったアホタレだ」

「そいつを標的に張りつけたラングレー《CIA》のほうも、相当なもんじゃないかな」

そう溜息をつきながらも、別段驚きはしなかった。ラングレーなど冷戦の遺物にすぎないということが、今また証明されてしまっただけのことだ。いまやラングレーの業務の相当部分を、ぼくら情報軍が肩代わりしている。

「やたら有能な官僚組織が出てくる軍事小説、あるだろ。俺はああいうの、片っ端から発禁処分にすべきだと思うんだ。こういうことがあるたびに」

　ウィリアムズの口調は本気で怒っていた。ラングレーの人材不足も来るところまで来たな、とぼくは思いながら、橋に列をなすカトリックの聖人像を見る。傍らにある像は他の聖人といささか趣が異なっていて、クロサワ映画に出てくるような、奇妙な髪形をしたサムライたちによって足許を支えられている。カレル橋にはイエズス会の像が多い。おおかた、この像も日本にカトリックを布教した宣教師のものだろう。

　この聖人は、ことばの通じない国で、どのように自分の崇《あが》めるものを日本人に説いていったのだろうか。そこでＧＯＤはどんな言葉に訳され、それは本来彼らにとってどういう意味を持っている単語だったのだろうか。

「なんだよ、俺の話を聞いてないのか」

「いや、ことばの通じない国で仕事していたそのＣＩＡの若者は、どんな気持ちだったろうな、と思って」

「ことばが通じる人間をよこすべきだ。ったく」

「で、どうしようか」

ぼくが言うと、ウィリアムズは肩をすくめて、

「ジョン・ポールの女がいる。そいつを張るしかあるまいよ」

「女がいるのか」

「そいつの家に、ジョン・ポールが現れた。それでアメリカの諜報網にひっかかったんだよ」

「もっと前から張っていれば、とっくに捕捉できたんじゃないのか」

「CIA曰く、ずっと張ってたそうだ。本当のところがどうなのか怪しいもんだが。やつらが言うには、この女の許にジョン・ポールが現れたのは、張りついてから初めての出来事だそうだ」

「ジョン・ポールがチェコ国外へ出た可能性は」

「わからん。なにしろ、どういうわけか今までどの空港のIDにも引っかからなかった男だ。出たのかもしれないし、出ていないのかもしれない。女を張って、やつが戻る可能性に賭ける、か」

そう言うウィリアムズは憂鬱そうだ。それしかやることがなくなってしまったのは確かだが、ぼくもウィリアムズも気乗りしない仕事だ。

「ジョン・ポールを待ちながら、か。カフカみたいだよな、これって」

ウィリアムズが柄にもなく文学的になったので、ぼくはふたつ指摘する。お前が言っているのが「ゴドーを待ちながら」なら、それはカフカじゃなくベケットだ、というのがひとつ。もうひとつは、その物語ではゴドーは劇中最後まで現れず、待ち人がゴドーについて延々と語るという内容だ。つまり、縁起でもないことを言わないでくれ、ということ。

「不条理なもんは全部カフカだ」

ウィリアムズは言った。

4

ある朝グレゴール・ザムザは、自分が一匹の巨大な毒虫になっていることに気がついた。カフカはこの文章を、ドイツ語で書いた。

かつてハプスブルク家は、チェコの言語をドイツ語にしようとした。公用語政策によって政治中枢で用いられる言語をドイツ語と決めたのだ。それはオーストリア＝ハンガリーの二重帝国が没落するまで続き、ついで共産主義下でチェコはスロバキアと一緒の国ということにされてしまった。

だからこの国ではドイツ語の地図が売られているし、スロバキア語を用いる住民だって残っている。スロバキア語とチェコ語はそっくりの言語なので、お互いが自分の言葉で会話しても通じてしまうほどだ。年寄りなどはチェコ語にドイツ語の名詞混じりで喋ることもある。

そういうわけで、この国にはいまだ三つの言葉が残っている。公用語はもちろんチェコ語だが、様々な名所にそれぞれの言語によるまったく別の名前がついていたりして、観光客はオペラハウスの場所について大いに戸惑うことになる。

いろいろな国の言葉で示される、ひとつの建物。

複数の言葉で語る老人。

ただでさえ、外国人がチェコ語を聴き取るのは難しい。そのうえドイツ語やスロバキア語まで入ってくるとなれば、なおさらだ。

「確かに、チェコ語を習得するのは他の言語に比べてすこし難しいと言えるかもしれませんね」

ルツィア・シュクロウプは説明しながら、ぼくに紅茶を差し出した。

「チェコ語は基本的にロシア語やクロアチア語と同じ、スラヴ語圏に属しますが、そのスラヴ語の特徴である、それぞれの単語の、置かれた状況による語形変化のバリエーションが極端です。二百以上の語形変化を見せる単語もありますよ」

「それじゃ、ひとつの単語を勉強するだけでひと月はかかってしまいますね」

ぼくは紅茶にレモンを入れながら訊く。

「それはいちばん派手な例ですね」ルツィアは微笑み、「チェコ語の難しさは、そうした語形のバリエーションというよりも、自由な語順や発音しづらいアクセントのほうにあるようです。ここへ勉強にいらっしゃるのは、外国から赴任してきた方々の御家族がほとんどですが、みなさんやはり発音で苦労なさっているようですね」

「なるほど」

「こういう、語学を含めた対人コミュニケーション関連の教育というものは、やはりウェブプレゼンスでは難しい部分がまだあります。発音のテクニックなどは、いまだリアルに講師を前にして学ばねば辛い面が多々残されているのです」

実際、ウェブアーカイヴで現地語を学ぶのはあまり効率がよいとは言えない。語学はあくまでもコミュニケーションスキルであり、最近ではすっかりオルタナティヴな現実感《プレゼンス》によるシミュレーション訓練が多くなったぼくらでも、語学領域はきっちり対面の授業が組まれている。

ルツィア・シュクロウプは外国人にチェコ語を教えることで生計を立てている。彼女の自宅兼教室はプラハの中心を離れた古い建物のなかにあって、このすこしばかり広い居間で、生徒たちはこの女性からチェコの言葉を学ぶ。

「そうですね。それに先生は英語がとてもお上手です。われわれ生徒の使うことばがおぼつかない先生もいらっしゃいますから、とても安心しました」

「英語はいまや覇権言語ですからね」

そう言ってルツィアは笑ったが、不思議と腹は立たなかった。外国にいてアメリカの覇権云々されることほどうんざりするものはないのだが。

「そんなことはない。最近ある代理店のトラフィック分析に目を通したんですが、ウェブでいちばん勤勉に日記を書いているのは、日本人ですよ。その量といったら、あの国の国民はリアルで抑圧された感情を、ウェブに解放してるんじゃないかと思うくらいに」

ぼくは広告代理店の人間で、最近ここに赴任してきたという設定になっている。ネットワークのなかに広告を貼りつける空間を開拓する仕事。美しく調和の取れたサイトの隙間にダイエット・ピルを飲む奇妙につやつやした肌の女性の画像をねじこみ、映像と映像の隙間にクリニックの人気カウンセラーが最大公約数的な慈愛を謳うさまを押しこむ手合いだ。日本人の書く日記にも、アメリカ人の書く日記にも、それは等しく貼りつけられている。

「ええ、そうね。わたしは自分の過去をそうやって記録する習慣がないものだから、いまひとつピンとこないけれど、それが一番多いトラフィックだとすると、ウェブは人間の人生についてのことばで埋め尽くされているのね」

「日記をつけたことはおありですか」

　ぼくはルツィアの過去話になんとか繋げられないかと話題を振る。

「そうね。だいぶ昔には」

「英語はどこで勉強なさったのですか」

「アメリカです。言語学を勉強していたの」

「へえ。じゃあ、ことばのプロというわけですね」

「いいえ、そうだったらもっと対人関係に役立てて、わたしもいまごろは男の一人や二人虜《とりこ》にして、くっついたり別れたりしてるんでしょうけど。わたしが勉強したのはもっと骨の部分ね。文法的《グラマー》な肉の部分じゃなく」

「チョムスキーの話は確かに、肉感的《グラマー》とは言いがたいですからね」

「ごく普通の感性の持ち主にとってはそうでしょうね。でも世の中には、チョムスキーの話にセクシーさを感じる人もごくまれにいるのよ。わたしのような人間が」

　またルッィアは笑った。よく笑う人だ、とぼくは思った。にこりと微笑むだけだが、会話上出てきた儀礼的な笑いではないように思える。心からコミュニケーションを、ことばを使うことを楽しんでいるようだ。笑うときのルッィアの顔は三十三歳とは思えないほど若々しく見え、暗い場所ならばティーンエイジャーと言っても通りそうだ。

「アメリカでは、どちらに」

「マサチューセッツに」

「工科大ですか。すごい、それじゃエリートだ」

　すでに知っていることに白々しく驚いたことを、相手に悟られないようにしなければならない。このへんの嘘をうまくつくのがスパイのスキルというやつなのだろう。それがうまくできたかどうか、正直な話、ぼくにはまったく自信がなかった。

「あそこでしか勉強できないことがあった、だから行った。ただそれだけのことです」

「マサチューセッツでは、どんな研究を」

　それまで淀みなく流れていた会話が、そこで停まった。ルッィアは露骨な警戒感は見せなかったものの、そんなことに関心を抱くのはなぜだろう、と訝《いぶか》ったかもしれない。

　ややあって、ルッィアは慎重にことばを選びながら、

「そうね……言うなれば、言語が人間の行動にいかに影響を及ぼすか、その研究ね」

「言語が人間の現実を形成する——エスキモーは雪を二十通りの名詞で形容する、ってあれのことですか」

「昔懐かしいサピア＝ウォーフの話ね。いいえ、それとは違うわ」

その顔にふたたび微笑みが戻ったので、ぼくはどういうわけかほっとした。疑われなかっただろうかと心配していたからではなく、ルツィアが眉をひそめたりするのを見たくなかったからだ。笑っているときに美しい女性だった。

「あれは一種の都市伝説に近いわね。話が伝わるたびに単語の数は増えていった。ボアズが最初にその話に触れたときは、四つだった。ウォーフが書いた論文では七つになって、そのあと雑誌やラジオ、テレビで触れられるたびに、イヌイットが持つと『言われる』雪を表す語根の数は増えていったの。けれど、実際に調べてみると一ダースもないというのが本当のところ。それだったら、英語だってイヌイットに劣らないくらい雪を表すことばを持っているわ」

知らなかった。そういう話はあまりにも有名な一行知識《トリビア》と化していて、気の利いた会話のなかで使いたがる気取り屋たちがいる。イヌイットはね、雪を表すのに百の語を持っているんですよ。それはイヌイットが雪に囲まれて、雪を中心にした生活を営んでいるからでしょうね。かれらの現実はぼくらのそれとはまったく違うんですよ。カクテルパーティからカクテルパーティへ、そうしたミームが気取り屋を運び屋《クーリエ》として伝達され、エスキモーの雪の語彙はものすごい数に膨れ上がっていったのだ。

この気取りの連鎖の末端では、エスキモーの雪に関する語彙は幾つということになっているのだろうか。

「実際にはね、ヒトの現実認識は言語とはあまり関係がないの。どこにいたって、どこに育ったって、現実は言語に規定されてしまうほどあやふやではない。思考は言語に先行するのよ」

「でも、ぼくはいま英語で思考していますよ」

「それは、思考が取り扱う現実のなかにことばが含まれているからね。思考が対象とするさまざまな要素のなかに言語が含まれていて、それを取り扱っているだけのことよ。言語は思考の対象であって、思考より大きな枠ではないの。それは、ビーバーは歯が進化した生き物だから、歯で思考しているに違いない、と言っているに等しいわ」

「そうなんですか」

ぼくは素直に感心してしまう。ほんとうのところ、ことばによって現実が規定されていて、人間にはそれぞれのことばによる別の現実があり、ぼくらはことばというフィルタを通してしか物事を認識できない、という考え方は魅力的ではある。とはいえ、それはぼくにとっていつも違和感をおぼえる説のひとつだった。高校の英語教師はエスキモーの雪の話を得意げに語ってくれたものだが——そのときの数が二十だった——ぼくにとってことばは、実体としてぼくの外にある塊であり、確かな実在物として感じられるがゆえに、それがぼくという人格に影響を及ぼしているとはどうしても思えなかったのだ。

「数学者や理論物理学者は、どうやって思考していると思いますか」

そう訊かれたので、数式によってじゃないですかね、とぼくは答える。ルツィアはかぶり

を振って、

「アインシュタインは、イメージが浮かぶ、とはっきり語っているわ。天才的な科学者の多くが同じことを言っている。頭のなかでイメージとして想定し、その映像をいろいろ捏《こ》ね繰《く》り回したあとで、最後に数式として『出力』するのよ」

「想像できないな。虚数とか無限《アレフ＝ヌル》とか、どうやって具体的にイメージするんだろう」

「それこそ、わたしやあなたとは違う『現実』がある、と言うべきね。現実は思考によって規定される。ことばではなく」

「ではあなたは、ことばをどんなものとして見ているのですか。人間の現実を規定するものではないとしたら、ことばにはどんな意味があるんですか」

「もちろん、コミュニケーションのツール。いいえ、違うわね……器官、と呼ぶべきかしら」

　ぼくはそこでやっと気がつく。ルツィアがいつの間にか同僚や友人と話すかのような打ち解けた口調になっていることに。最初は、レッスンの内容について説明を受けに来た生徒候補との、いわゆる『お客』会話でしかないはずだった。

　ぼくとの会話を楽しんでいる。

「器官、というのは、つまり腎臓や腸、腕や眼と同じような意味での『器官』ですか」

「そう」

「しかし、言語は人間特有の抽象概念ですよ」

「抽象概念は実体から発生しない、とでも……。魂が脳なんていうちっぽけな器官に宿るはずがない、と考えているのかしら……失礼、宗教はお持ちかしら」

ぼくはふと、アレックスのことを思い出す。

地獄はここにあるんですよ。

指差した先の、アレックスのこめかみ。

「いいえ、無宗教です」

アレックスは宗教を持っていた。神の存在を信じていた。

そのアレックスが、地獄は頭のなかにある、と言う。脳の襞に地獄は宿っていると言う。

「よかった。この話をすると怒る人もいるから」

「そうだとしても、もう手遅れな一言をさっき言ってるじゃないですか」ぼくは笑いながら指摘する。「魂云々、って」

「そうね。わたし、手遅れなことが多いから」

ルツィアも笑って、話を続ける。

「ことばは、人間が生存適応の過程で獲得した進化の産物よ。人間という種の進化は、個体が生存のために、他の存在と自らを比較してシミュレートする——つまり、予想する、という思考を可能にしたの。情報を個体間で比較するために、自分と他人、つまり自我というものが発生した。そもそも『自分』がなければ『他人』もないし、そんな自他の区別がなければ『比較』もできないでしょ。そうすることで、人間はいろいろな危険を避けられるようになり、やがてそれぞれの個体が『予測』した情報を個体間で交換するために、ことばは発生し、進化したの。自分が体験していない情報のデータベースを構築して、より生存適応性を高めるために」

「ことばは、純粋に生存適応の産物だ、ということですね」

「ほかの器官がいまそうあるのと変わらないような、ね」

こうしてルツィアと会話することのできる脳の機能は、進化の過程で発生した純粋な適応の産物だ。象の鼻やキリンの首がそうであるような。

そう考えると、たしかに機能としての言語は驚くべき精妙さを備えてはいるものの、人工筋肉や神経系が旅客機の翼に用いられるいまだって、腎臓や肝臓のフィルタリング機能は小型化できていない。精妙さでは似たようなものだ。完璧な人工器官はまだ遠い。内臓がまだまだ神秘を秘めているというのに、ことばだけがどうして神から与えられた人間唯一の神秘だといえるだろう。

ぼくがぼくを認識すること。ぼくが「他人」と話すためにことばを用いること。それは進化の過程で必然的にもたらされた器官にすぎない。ぼくの肉体の一部である、自我という器官、言語という器官に。

「だとしたら、生物が進化すると必然的にことばを持つとか思うのは、人間の思い上がりということになるんですね」

「カラスが築いた文明があったとして、進化した生物はすべからく鋭いくちばしを持つ、というようなものね」

ことばも、ぼくという存在も、生存と適応から生まれた『器官』にすぎない。鳥の羽と同じような。

しかし、とぼくは思う。言語が人間の思考を規定しない、というのはわかる。とはいえ、言語が進化の適応によって発生した『器官』にすぎないとしても、自分自身の『器官』によって滅びた生物もいるじゃないか。

長い牙によって滅びた、サーベルタイガーのように。

5

「ずいぶんと文化的な会話を楽しんでいたようで。さすが文学部出」

ルツィア・シュクロウプの住居兼教室の、真向かいのアパートの一室に構えた拠点に裏口から戻ったぼくが、ウィリアムズにかけられた第一声がそれだった。

「会話の流れでそうなっただけだよ」

ぼくは窮屈なスーツを脱いでハンガーにかける。ウィリアムズはモニタに目を据えたまま、

「そうかぁ。自分からそういう流れにもっていったように見えたんだがぁ」

「妻帯者の僻《ひが》みかな」

「言うね。これでもけっこうもてるんだぜ。あの先生だって、俺が行ったらイチコロだって」

「お前に文化的な会話ができるとでも……」

「エスキモーの雪の話をする」ウィリアムズは言い、「あるいは、カフカの話を」

「お前、『不条理なもんはみんなカフカだ』ってものすごいこと言ってたじゃないか」

「隙は重要だ。アクセントとして。女性に突っこまれる可愛げを残しておかないとな」

「隙というよりクレーターだ、それは。自分がモテると思いこんでて、その実、女性にいちばんウザがられるタイプだぞ」

ぼくはいつものウィリアムズ節にうんざりする。

そもそも、チェコ人にカフカの話というのが間違っている。フィッシュマーケットの人間に魚の話をするようなものだ。ぼくたちに特殊作戦をレクチャーするＣＩＡの絵ヅラを思い浮かべ、やられたほうはたまったものではない、とげんなりした。

「家の中に、ジョン・ポールを匂わせるようなものはあったか」

ぼくはそのことについて思い返す。ルツィアの部屋にいるあいだ、指輪、写真立て、雑誌、散らかり具合、掃除の程度、男の臭いを探ったものの、ついにそれを見つけられなかった。

しかし、ヒトという種の鈍磨した器官しか持たないぼくとは違って、センサのほうは男性の痕跡を発見していた。鼻腔にあらかじめ貼りつけておいたパッチが、部屋の空気中にただよう分子を記録している。正確に言うと、鼻のシールはあくまでもセンサで、記録分析はシャツ下の地肌に貼りつけたデバイスによる。そのデバイスと、無線入出力を持たない鼻の薄膜とのあいだは、人体のもつ塩分を伝導体にした転送によってつながれていた。

ベンハリガンのオード・トワレ。男性向けの香水だ。

「彼女の前じゃ、ジョン・ポールもかっこつけようと思うのかね」

ウィリアムズが皮肉る。ジョン・ポールがルツィア・シュクロウプの部屋から消えて以降、部屋に入った生徒など何人かの人間に男性は含まれていない、と照会したＣＩＡは断言している。亭主について引っ越してきた奥方など、女性ばかりだ。

ジョン・ポールの残り香。ぼくの鼻はそれを感じていなかったが、拾ってはいたというわけだ。

「残念ながら精液の匂いはなかった」デバイスの分析結果を見ながら、ウィリアムズが言う。

「久しぶりに恋人に会ったってのに、淡白なもんだ」

ぼくは椅子に座ってオニオンクリームをなめながら、ルツィア・シュクロウプの人物像《プロファイル》に眼を通そうとする。他人の人生を覗き見する。仕事だ、と自分に言い聞かせていても、ウィリアムズと同じくらい下品であることには変わりない。しばらくするとうんざりして、ファイルを閉じてしまった。

USAにアクセスする。そんな覗き魔たちの馴れ合いの場に。

ネットワークがぼくのアカウントを承認する。USAのインデックスページが開く。

トピックスには、最近更新されたインテリペディアのページや、最新のニュース群が並んでいた。ホットエントリの欄を見ると、この時間、キーホール衛星が捉えたインドの虐殺風景で話題沸騰だ。画像に対し、USAにログインしている情報関係者たちのコメントがものすごい勢いでついていく。核戦争後のインド情勢については、各国の情報機関が熱いまなざしを向けていた。

ウィンドウのサブベイには、ぼくの機密レベルに応じたトピックスやディスカッションボードやディクショナリ群が表示されている。ユ《U》ナイテッド・ス《S》プーク・ア《A》ソシエイションというのはもちろん関係者用の隠語であって、ネットワークの正式な名称は国家防衛情報共有空間という。なぜそれがUSAと呼ばれるようになったのかはよくわからない。

会社や役所の中で、それを統合してデータを共有したならば煩雑な手仕事が圧倒的に減るはずなのに、開発陣の人間関係やらシステムの発注先やらの歴史的経緯で、リンクされないままになっているインフラがあったりはしないだろうか。そんなあほらしい非効率を国家単位――それも世界最大の――にまで拡大したのが、かつてのアメリカ合衆国の情報システムだった。

仕事がかぶっていることも知らずに、現場で出会いがしらにパニックに陥る。デジタルデータがあるのにファックスで送らせて手打ちで再入力する。あの機関が知っていれば作戦が成功したはずの情報を別の機関が持っていることに気がつかないで、悲惨な状況へまっしぐら。おのおのが自分の機関の殻に引き籠もって矮小な「社会」を築きながら、てんでばらばらに動く。それが情報機関の日常風景だった。

とはいうものの、WTCがニューヨークから消えたあとの世界では、そういうわけにもいかなくなった。

ここに至って、アメリカは本気でネットワークを構築しはじめた。腰の重い情報官僚の首をぽんぽん挿《す》げ替えて、諜報機関の統合情報環境を構築しはじめた。全地球情報認知のような誇大妄想はさすがに頓挫したが、アメリカの情報機関は少なくとも世間より五年程度遅れているレベルにはネットワーク化されたのだ。

現時点でジョン・ポールについて知っている人間はごく限られている。お偉いさんか、ぼくたちかだ。他にも数名、i分遣隊の仲間たちが知ってはいるが、ＵＳＡに書きこむ習慣を持った人間の頭数が少なければ情報活性は望みようがない。

しかし、出発前にぼくが立てたジョン・ポールについてのトピックスに、同じく暗殺作戦に関わったことのある同僚たちが書きこみを入れてくれていた。

「プラハについて、ドナルドがなんか書いてくれてる」ぼくはウィリアムズに知らせた。「ＵＳＡを見てみろよ。ぼくが立てたトピックス。『プラハ』で検索すれば一番先頭に出てくるはず」

ウィリアムズもアクセスし、インデックスページの検索窓を叩く。

「おっと、三分前の書きこみだぜ。ＵＳＡのエンジンは索引化《インデクシング》が速えなあ」

プラハで消える人間が多いらしい、とドナルドは書きこんでいた。欧州の諜報畑では、プラハで消えた人間の追跡可能性《トレーサビリティ》はゼロ、と言われているらしい。

少なくとも、アメリカやヨーロッパ、シンガポールや日本に住んでいて行方不明になるような贅沢は、今のご時勢だとかなり難しい。買い物も移動も、自分が正当なる自分であることをつねに証明しつづけなければ、まともに行うことができないからだ。ホームレスですらそうなのだから、本気で行方不明になろうと思ったら人知れず死ぬか、カスパー・ハウザーよろしく誰かに監禁されるかするしかない。

フランクフルトで行われたＮＡＴＯの対テロ情報集約会議に参加した国務省の作業グルー

プにいた友人から、ドナルドが聞いた話ということなのだが、その国務省の友人は作業部会に参加していたオランダ人から聞いたと言い、そのオランダ人はフランス人——仏対外情報《DGS》局《E》の知人が、ここ数年で行方不明になった工作員や情報源、監視対象や追跡対象の履歴を洗った結果、そういう傾向があると結論づけた「らしい」と言っていた。とまあ、そういうややこしい言い方をしたそうだ。

推測の又聞き。諜報畑ではよくあることだ。噂話が一人歩きして、都市伝説の類も真っ青な根拠ゼロの情報がまことしやかに囁かれる。ニューヨークの下水道にはワニが隠れ住んでいるとか、国連がアメリカを制圧するための黒ヘリをひそかに隠し持っているとか、政府とＵＦＯが密約しているだとか、そういう与太の同類だ。問題は、情報畑ではそんな膨大な与太の海に真実が混じっている場合もありうるということ。コントラゲートをみてもわかるように、陰謀論だってときには事実だったりするのだから厄介だ。

プラハで消える人間がいるという噂。それをあやふやな情報として一蹴するのは簡単だ。しかし、ジョン・ポールは確かにこの街で消えたのだ。

それも、数年前に世界から忽然と姿を消したときと、数日前の二度もだ。

認証し、認証し、認証する。

ルツィア・シュクロウプを尾行しているあいだ、ぼくは幾つもの認証を抜けていった。地下鉄に乗るとき、路面電車に乗るとき、ショッピングモールに入るとき。

九・一一のあと世界はテロとの戦いをはじめた。当時の大統領は自国民を盗聴する許可をNSAに与え、軍隊が街頭に立つようになり、他の国もそれに倣《なら》ったが、いくら厳しく締めつけてもテロは起こり続けた。そうした流れが何年にもわたって続き、結果としてモスレム原理主義の手作り核爆弾でサラエボが消えることになる。

もはやヒロシマもナガサキも、その特権を有してはいない。サラエボの町は巨大な穴を穿たれて、死の呪いを撒き散らす不浄の大地と化した。

こうして幾つもの認証をくぐるのは、その結果だ。ぼくらは自分の存在を分刻みで証明し通知することで、日々の安全を得ている。政府による市民の監視。プライヴァシーの侵害。そういう言葉で不自由を叫ぶ人もいるにはいるが、ぼくを含めて、ごくごく普通の人々は、認証を通りすぎるたびに自分がより安全な場所へと近づいているような感覚を日々体験しているはずだ。

もちろん、それは妄想にすぎない。それら一つ一つは通過点でしかなく、どんなに認証を通過したとて、その行動自体はある場所からある場所への移動にすぎない。それでもほとんどの人は不平不満を言うこともなく、日々認証の森を通過し続ける。

この認証の果てに、無限に安全な場所があるとでもいうように。

広場では、自由を求める市民団体がデモ活動を行っているものの、人々の視線は冷ややかだった。ルツィア・シュクロウプはプラカードの変化するナノディスプレイに一瞬視線をやっただけで、歩みをいささかも止めることなく通りすぎていく。そこから、ルツィアが自由に対してどのような考えを持っているかは、判断できなかった。

　ぼくは任務で多くの国を見てきた。

　捕らえた反対勢力を、昔ながらのロープで首くくりにする男たちを見てきた。文明国家において、それは捕虜であり、ジュネーブ条約の拘束力があれば、彼らは処刑されるようなことにはならないはずだ。法の拘束がない場所で、彼らは死の拘束に捕らえられてしまった。

　腕にＩＤタグを埋めこんで、兵士になる子供たち。その大地に法はなかった。原理的に考えれば、そこではすべてが許される。政府は崩壊し、ホッブス的な混沌を律する権威はなにもないのだから。

　そんな自由が許された場所で、実際には少年たちは死ぬか、兵士に徴発されるしかなかった。自由のある場所で、彼らに生きる自由はなかった。

　ある自由を犠牲にして、別の自由を得る。ぼくらは自分のプライベートをある程度売り渡すことで、核攻撃されたり、旅客機でビルに突っこまれたり、地下鉄で化学兵器を撒かれたりすることなく生きていける。

　自由はバランスの問題だ。純粋な、それ自体独立して存在する自由などありはしない。

　その意味で、自由は愛に似ているかもしれない。愛もまたそれ自体としては存在せず、ぼくら人間の関係性のなかにしか居場所がないからだ。

　ルツィア・シュクロウプはその日、いくつものプライベートをぼくらと同じく犠牲にして、買い物をする自由を得ていた。おもに食料品と衣類の買出しだ。ウィリアムズと支援のＣＩ

A要員とでシフトを組んで尾行しながら、ぼくはルツィアの顔を遠くから眺めていた。けっして美しい女性ではなかったが、その顔立ちは奇妙に魅力的ではある。頬にはティーンエイジャーの頃のそばかすのあとが残っていた。鼻はやや尖っていて、鼻頭がやや割れ気味になっている。

そうした顔の特徴のなかで、際立ってぼくを惹きつけたのが瞳だった。大きな瞳ではあるのだが、その目蓋がいつも物憂げに垂れ下がって、眼の半分を覆っているのだ。ぼくはこのヨーロッパ的な瞳に大きく惹かれた。アメリカ人の女性にはこういう憂鬱は望みようがない。ブライアン・イーノも「パルプ・フィクション」を観てこう言っていた。カリフォルニアの女性は、生き生きした女《ファム・ヴィタール》にはなれても、運命の女《ファム・ファタール》にはなれない、と。ルツィア・シュクロウプはカリフォルニアの女ではなかった。紛れもなくヨーロッパの女性であり、突き抜けるように生き生き《ヴィータル》したところは少しもなかったけれど、冷たく世慣れた《ファム・デュ》女性《モンド》にも見えなかった。

「では、とりあえずひと月ということでよろしいですね」

とルツィアが確認してくる。ぼくは頷いて、

「ええ、そのあとどうするかは、レッスンを受けさせていただいてから決めようと思います」

ぼくは白々しく答える。定期的に、しかも怪しまれずにルツィアとコンタクトし、部屋の

なかに入るには、それがいちばん単純で手っ取り早い方法だったからだ。

「わかりました。じゃあ契約ということで、認証をいただけますか」

ルツィアがデバイスを差し出したので、ぼくはその黄緑色のプレートに触れる。代理店のビジネスマンとしてのぼくのIDと、ルツィアのチェコ語教室のあいだに契約が交わされた。

「いつかチェコ語で、カフカを読めるようになりたいな」

ぼくはウィリアムズよりもうちょっと高度なやり方で隙を見せた。もっとも、あの男にはこれが隙だということすらわからないだろう。

「あら、カフカは小説をドイツ語で書いたのよ」ルツィアはぼくの「隙」にうまく乗ってくれて、「カフカのお父さんは息子にドイツ語を教えたの。そのほうが当時はいい職に就けたから。この国が昔、オーストリア＝ハンガリー帝国の一部だったのは知ってるでしょ」

「一応、ね」

「カフカはユダヤ人でもあったわ。ただ、ユダヤ社会にも溶けこみきれなかったし、チェコ人でありながらドイツ語で喋るしかなかった。そのドイツ語にしても『借り物のことば』だと感じていたようね」

その帰属感のあいまいさが——というよりも、自分がどこにも所属できない人間であるという意識が——「城」や「アメリカ」といった作品に投影されることになったのかな、ぼくはそう言って、ルツィアの出してくれた紅茶を飲んだ。

「自分はいずこにも所属しない者であり、使う言葉は借り物の音の連なりである。そうカフカは思っていたのかもしれないわね。『城』の周辺をうろつく測量士のように」

「それこそ、ことばは思考をフレーミングしない、ということの証明なのかも。ナボコフも『ロリータ』を母国語で書かなかったわけだし」

「文学に詳しいのね、ビショップさん」

ルツィアがぼくを偽IDの名前で呼ぶ。

「代理店は文学部出か経済出か、どっちかですからね」

「単に勉強しただけではないでしょ。あなたを見ていると、ほんとうに文学が好きな人なんだな、というのがわかるわ」

そう言いながら、ルツィアは肘掛に立てた手に顎をついて、ぼくのほうを見つめている。その仕草にすこしどきりとした。この女性はジョン・ポールの前でこういうふうに、文学の話をしていたのだろうか。

あるいは虐殺の話を。

「ほんとうに本が好きなわけではないんですよ。代理店は口から出まかせの商売でしょう。それなりにスノビッシュでディレッタントな知識も持ってないとやってけないんです。いわば商売上の道具ってわけです。でもまあ、あなたのような魅力的な女性に好かれるなら、そういうことにしておいてもいいけど」

「お世辞がうまいのね、ビショップさん」

世辞ではなかった。少なくとも三分の一は本気だ。だが、お世辞ではないと返事をする代わりに、ぼくは眉を吊り上げて微笑み、お調子者を装う。

「本を読んでくれるような人はいないんですか」

「いないわよ」ルツィアは首を振る。「いまはね」

「いつ別れたの」

「ずいぶん立ち入った質問じゃない。確か奥さんとお子さんがおありでしょ」

ぼくは腕を広げ、

「妻子がいるから、立ち入った会話を楽しめるんですよ。間違ってもあなたを口説こうとは思わないでしょ」

「そうじゃない人だって、たくさんいるわよ」

「ぼくはそうじゃない。自由意志で古風な倫理道徳を自分に課していますからね」

「そう……」ルツィアは少し迷ってから、「昔はいたわ。わたしと同じで、言語を研究する学者だった」

「ＭＩＴで……」

「ええ。とはいっても、その人はもっとすごい学者さんで、国防総省の言語プロジェクトに関わっていたらしいんだけど」

「国防総省が言語学に投資するのかい」

「国防高等研究計画局《DARPA》からお金が出てる、って彼が言ってたわ。どういう研究かは知らないけれど」

それは初耳だ。ぼくが読んだジョン・ポールの人物像《プロファイル》には、国が援助する言語プロジェクトに従事していたとしか書かれておらず、その詳細はわからなかったからだ。ただ、言語学とその後のジョン・ポールの活動がつながるとは思えなかったし、どうでもいいこととしてぼくもウィリアムズも特に気にしてはこなかった。

「すごい人なんだね」

「MITで知り合って、しばらくは付き合ってたけど、ある日いなくなってしまった。ある日突然消えてしまったの。そのあと、わたしは故郷のチェコに戻ってきて、この仕事をはじめたってわけ」

「大学で働くとかはしなかったの」

「ええ、なんとなく、だけど。研究者ではあるから、ほんとうは大学に残ってたほうがよかったんでしょうね。けれど、どうしてもそういう気にはなれなくて……」

ルツィアは肩をすくめる。ぼくは曖昧にうなずいた。

「彼も本が好きだったの」

「そうね、よくバラードを読んでいたわ。『太陽の帝国』ってご存知……前世紀の映画だけれど」

「スピルバーグの作品だよね。ぼくは古い映画が好きなんだ」

「その原作。J・G・バラード、って人が書いたの。映画よりももっとドライで、世紀末的で幻想的なタッチが印象的だった」

「映画とはずいぶん違うみたいだね」

「そうでもないの。ストーリー自体はけっこう小説に忠実よ。だけど……バラードの作品はもっと乾いてて、残酷なの。よく廃墟や世紀末を題材にした小説を書いていたわ。SF作家なの」

「ぼくはSFは詳しくなくて……ごめん」

「いいのよ。ジョンはよくバラードの本を読んでいたわ。核実験場の廃墟を描いた小説や、誰もいない巨大な宇宙ステーションを彷徨う話を」

「そのジョン、って人は、終末に惹かれているように聞こえるね」

ぼくは言って、ジョン・ポールの好んだ風景を想像しようとする。ひたすら屍体の山を築き上げながら世界を移動するこの男が好んだ、廃墟の物語。

ジョン・ポールが夢見ているのは、そんな廃墟と化した地球の姿なのだろうか。無人の宇宙ステーションとして太陽の周りをぐるぐる回り続ける、宇宙船地球号。異星人が立ち寄って、かつてここに文明があった痕跡を認めるも、その主人はすべて死に絶えて、ただ整然とした建築だけが地上に突き出ている。

ぼくは、その光景を想像して、不思議な安らぎに包まれている自分に気がついた。

それは、ぼくが見る死者の国の夢と、そう変わらない風景だったからだ。

6

ルツィアのアパートメントを出た瞬間、即座に気がついた。

最低でも二人はいる。ぼくを見張っているのか、ルツィアの部屋を張りこんでいるのか。とはいえ、ここ数日ルツィアの部屋の真向かいに構えた拠点から監視していながら気がつかなかったのだから、ぼくを張っている尾行のほうだとみて間違いないだろう。

ニヤニヤしそうになるのをこらえながら、ぼくは街路に歩み出る。

アドレナリンが血中に放たれるのがわかったので、過剰反応にならないよう、テンションを調整する。

一歩、二歩。地面の感触が靴の裏に鋭敏に感じられる。感覚が鋭くなりすぎて、くすぐったいくらいだ。

拠点にまっすぐ帰るわけにはいかない。ルツィアに気づかれないよう裏に回ってはいるものの、いくらなんでも真正面の建物に入ったら、ついてきた尾行者に笑われてしまう。尾行者はすでに、ぼくらがルツィアの家の前で覗きをしていることに気がついているだろうか。

もちろん、想定された事態だ。ジョン・ポールのものかどうかわからないが、組織的存在を相手にすることを想定してはいたから、チェコにも時差をおいて入国したし、ルツィアの部屋にいるときでも、身に着けた各種センサの情報を無線でリアルタイムにデータ転送することは避けてきた。

ぼくは後頭部を掻いた。尾行があるということをウィリアムズに知らせるためだ。ぼくはプラハの街中に出て、尾行の正体を確かめることにする。

人気の多い通りに出ると、視界が唐突に騒がしくなった。存在しない看板で副現実《オルタナ》が溢れかえったのだ。

観光都市であるプラハは、とにかくオルタナが充実している。店という店に、街路という街路に、これでもかというくらいの情報が貼りつけられている。それら溢れかえった文字情報が、百塔の街であるプラハの景観に、香港のネオン群か、リドリー・スコットが創造したロサンゼルスのような混沌を付け加えてしまっていた。存在しないネオンによる、現実の風景への膨大な注釈の山。店の種別、営業時間、ミシュランの評価。代替現実《オルタナティヴ・リアリティ》は観光客むけの広告が幾重にも折り重なるカスバと化していた。

計画を立てなければならない。

ぼくはタッチボードを探した。オルタナを充実させているプラハの歩道は、そこらじゅうボードだらけだ。キーボードのイラストが書かれた合成樹脂の板が、いたるところで観光客に顔を向けている。ぼくはボードの前に立って、それを三秒間見つめると、コンタクトが絵をインターフェースとして認識した。キーボードを叩くようにイラストに描かれたキーに触れていく。キーを「押した」手ごたえのような贅沢を求めない限り、本物のキーボードは必要ない。赤い線で抽象化されたキーが描かれた板でじゅうぶんだ。

視線検出で文字を見つめるだけで入力可能なデバイスも一時期もてはやされたが、一文字一文字視線を移動させるより、指でキーを押したほうが断然スピードが速かったために、視線入力はあっという間に廃《すた》れてしまった。

プラハの観光情報をカットアウトするフィルタを起動させて、USAにアクセスする。

プラハ、交通量、地図、で検索したものの、めぼしい情報を手に入れることはできなかった。事前に調べておくべきだったな、と舌打ちしながらも、万が一と思いプラハの交通量を示すマップを求む、とトピックを立てておく。レスがあったら転送するように設定し、ついでにウィリアムズにも同様の連絡を入れてから、ぼくはボードを離れた。

めぼしい街路——返り討ちに適した寂しげな街路を自分で探すしかない。

昔ながらの反射物を使って後方を確認しながら、ぼくは路面電車に乗った。一緒に乗りこんできた男が二人、女がひとり。それぞれが車内でぼくと適度な距離を置いている。ラフな格好をした若者はその距離のとり方があまりに適切すぎて逆に怪しかったのだが、いまのところは判断する材料に乏しすぎた。数駅乗ってプラハの中央部にやや近づいたところで、ぼくは市電を降りる。一緒に乗ってきたあの男たちや女性は追ってはこなかった。

万が一拉致されて、二度と太陽を拝めなくなったときのために、ぼくは爪のなかに仕こんでいたフェロモンを少しずつ路上に滴らせる。こうしておけばウィリアムズか誰かがこのフェロモンをマーカーにして、追跡犬《トレース・ドッグ》で追跡してくれるだろう。最悪の場合、この香りがぼくの墓標になってくれる。

百塔の街の、石と石からなる建築のあいだを縫うように進む。この古さはヨーロッパの都市のなかでも珍しいほうで、それは前世紀の大戦で、この街が戦場にならなかったことに起因している。ナチスドイツやソ連軍にも破壊されることなくほとんどの建築がきれいに残ってしまったために、かえって保存意識が突出する結果になったのだ。

この古さと曲がりくねった道、そしてカフカのイメージが、ぼくにこの街を迷宮のように見せている。ボルヘスが描いたラテン・アメリカ的なそれとは違う、ヨーロッパの青く暗い光にうっすらと浮かび上がる、冷たい迷宮に。

尾行は依然としてついている。

ぼくはプラハの尖塔のあいだを、大聖堂の前を、石畳の上を歩き続けた。念入りにフェイントをかけながら歩くうち、尾行者のグループが特定できるようになってきた。あの市電に乗ってきた若者のほかに、ペンタゴン・スタイルの無味乾燥なクールさをまとった男がもうひとり、ヴィンテージもののジャージを着た女性がひとり。

皆、若かった。ぼくより年上はひとりもいない。

ジョン・ポールを崇拝する若者たちの組織だろうか。注意深く尾行者を確認しながら、ぼくはいろいろと想像をめぐらせた。誰かひとりを捕まえても、サポートがすぐに現れるだろう。ここはやはり、撒くのが得策だろうか。とはいえ、ぼくが再びルツィアの家に現れれば、そこからまた尾行がはじまるだろう。チェコ語会話教室へ通うたびに、正面の家に一時間遠回りして帰らなきゃならないのか。

馬鹿げている。

そのとき、オルタナに情報が飛びこんできた。誰かがUSAのぼくのトピックにコメントをつけてくれたのだ。手近なボードを探して再びUSAを展開してコメントを見ると、過去一ヵ月にわたるプラハのトラフィックが色分布になった、まさにどんぴしゃのマップを、誰かがチェコ運輸省のオープンソースから見つけ出してくれている。高度二万をぐるぐる回りながら人々の行き来を計測する、プラハ交通量観測飛行船の統計データだ。

マップを眺めると、手近に恐ろしく人通りの少ない路地があることに気がついた。

ジョン・ポールがいなくなったところに、この尾行者はむしろ、願ってもなかった手がかりだと言える。ぼくは歩きながら、肩をまわして腕を曲げ伸ばし、公然と暴力の準備運動をはじめる。いま尾行しているのは最初に市電に乗ってきた若造で、この突発的な挙動にいささかとまどっているようだ。まさか尾行の対象が、自分を殴る準備体操をしているのだとは想像できまい。

そういうわけで、ぼくはこの哀れな若造に完璧な不意打ちを喰らわせることができた。

人がまったくと言っていいほど通らない脇道に入って、あわてて追ってきたそいつの鳩尾《みぞおち》に一発くらわせる。うぱぁという奇妙な声を出して、男は最初の一撃で情けなくもダウンしてしまった。期待通りになったとはいえ、期待通りすぎていささか落胆した。

「びっくり」

ぼくはつぶやき、さらに殴り続けた。とりあえず戦力は奪っておくに越したことはない。意識が失われてしまわないよう、しかし抵抗力は完全に叩き潰すよう、そのはざまの暴力を探るのはなかなかに難しいところではあるのだが、今回はうまく行ったようで、主に顔面に打撃と蹴りを集中させることで、それを達成する。

さて、とぼくは言った。まず訊きたいのは、お前は誰だ、ということだ。

誰が言うか、と若造は腫れ上がった唇で答える。ぼくは石畳に横たわる若者の腎臓に、容赦なくつま先を叩きこんだ。

さて、とぼくはもう一度言う。訊きたいのは、お前は誰だ、ということだ。それを話すまでお前を帰さないからな、と。

俺は誰でもない、と若造は言った。

腎臓へのもう一撃。微妙にずれて胃へ入ったようで、若者が口から吐瀉物《としゃぶつ》を溢れさせる。

さて、とぼくは三度言う。お前は誰だ。今度は、ついさっきの訪問でルツィアに教えてもらったチェコ語でも併せて訊ねた。チェコ語を話すときは、疑問文だろうと普通の文だろうと、強調したい重要な語をいちばん最初に持ってくること。

俺は誰でもない、信じてくれ。本当に誰でもないんだ。

チェコ語の成果が芳《かんば》しくなかったぼくは、会話によるコミュニケーションをあきらめて、若者の生体情報を取りはじめた。腫れ上がった目蓋をこじ開けて網膜の血管を撮影し、指紋をデバイスの読み取り面に押しつけていく。適切な環境なら、もっと痛みを加えて情報を引き出してもよかったのだが、さすがに街中となるとそうもしていられない。

これだけやっておいて言うのもなんだけれど、ぼくはサドではない。あくまでも職業的な対応というやつだ。ぼくの仕事は暴力だ。ぼくの仕事は人の生き死に、というか主に死だ。ぼくの仕事は痛みと叫びと吐瀉物だ。

そろそろ、不審に思った若造の後続が追いついてくるだろう。ぼくはさっさとその場を立ち去った。


入手した情報を見て、ぼくは若者に謝りたい気持ちに襲われた。もう一度会えたら、男らしく謝るべきだろう。

若者の網膜と指紋は、それぞれが別の人間であることを主張していた。ウィリアムズはチェコにもあったドミノ・ピザのハラペーニョをパクつきながら、

「お前はひどいやつだ」

と嬉しそうに言った。俺は誰でもない、ということばは、少なくともデータベースに関するかぎりその通りだ。網膜と指紋のどちらかが本人である可能性は、考慮すべきものにはまったく思えなかった。

「ぼくはひどいやつだ」

そう返して、ぼくもウィリアムズが調達してきたピザに食いついた。ルツィア・シュクロ

ウプもまた夕食をとっているところだ。監視モニタにときおり目を配りながら、ぼくは若者の生体認証のグロテスクな結果について、想像をめぐらせた。

事故か何かで指を失って、他人のそれを移植されたのだろうか。とはいえ、これだけナノマシンがあって、これだけ人工筋肉が普及しているこの世界にあっても、免疫系の問題はいまだ完全には解決していない。自分の指ならともかく、他人の指を移植するような大事なら、確実に記録に残っているはずだ。

あるいは、単純なデータベース不整合だろうか。一昔前ならともかく、現在の個人情報管理は——保険会社が契約している情報セキュリティ《インフォセック》会社のランクにもよるのだが——人的ミスが起こらないよう充分なコストが投じられている。認証がいつでも確実にできるような状態でなければ、どこに移動することもできない、ということになりかねず、つまり個人情報の保全は現代にあって航空管制や医療システム並みの致命的《クリティカル》な業務とされているからだ。

そういうわけで、どちらの可能性もありそうにない。

俺は誰でもない。

あの若者はそう言って泣いていた。泣いていたのはもちろんロマンチックな理由ではなく、ぼくが腎臓に加えた一撃のせいだったのだが、涙を流しながら言ったそのことばが嘘であるとは考えにくかった。

だとすれば、データベースに変更を加えることのできる闇の人脈が存在する、ということも考えられる。実際、この作戦におけるぼくのＩＤである『ビショップ』氏だって、どこにも存在しない架空の人物だ。ただし、そんなことが可能なのは、ぼくが政府のエージェントだからで、軍は一般の保険会社とは切り離された独自のＩＤ管理を業者に委託しているからだ。実はそれだけではまだ充分ではなく、ＩＤ管理された先進国で展開される軍やＣＩＡの作戦に関して偽ＩＤを立てる際には、上院の情報セキュリティ委員会の委員長ほか二名に、事前の承認を得る必要がある。

そうなると、あの若者がどこかの政府のエージェントである可能性、というのが強力に残されてきた。

ジョン・ポールに関して、どこかの国が動いているということだろうか。もしかしたら、どこかの国が動いているからこそ、国防総省はジョン・ポールの殺害を急いでいるのではないだろうか。

「ありうるな。なんせジョン・ポールは国際的に活動しているようだからして」

ウィリアムズがうなずく。そうならば、ルツィア・シュクロウプのもとに現れたぼくを、ジョン・ポールの関係者だと思って尾行した、ということだろうか。他の国の情報機関が介入してきたとなると厄介だな、とぼくは暗澹《あんたん》たる気持ちになった。

いずれにせよ、確証のない推測であれこれ思い悩むのはよくないことだ。可能性を洗い出すのは重要ではある。ルツィア・シュクロウプとの会話でも触れたように、可能性を洗い出し、予測し、生存可能性を高めることこそが、人間の自我と言語とを生み出したのだから。が、可能性ばかり考えて時間を消費していては、実際に行動することもできなくなってしまう。

そういうわけで、ぼくはそこで考えるのをやめ、確たる情報のほうを見ることにした。

ジョン・ポールの人物像《プロファイル》は、いまや完成に向けて埋まりつつあるクロスワード・パズルだ。二年前はぜんぜんしっくりこないものだったのが、暗殺に失敗し、さらなるミッションに臨むたびにその欠落が埋められていき、いまや完成までもう一歩だ。

通常なら、これはあってはならない情報開示の仕方だった。戦争を遂行するにあたって、状況が悪くなるにつれてなし崩し的に次々に兵隊や武器を投入していくこと、いわゆる「戦力の逐次的投入」というのは、最もやってはならないこととされている。それはすなわち、初期に見積もった戦力が目標を達成するに甘すぎたということであり、最初に投入したものが無駄だったということだからだ。

情報軍にとって、情報は軍事物資にほかならない。かつて戦場をサポートするものだった情報という存在は、ぼくらにとっては実弾と同じ武器であり、兵站だった。だから、秘密めかした官僚の及び腰——どんな後暗いことがあるのかは知らないけれど——が招いた「情報の逐次的投入」は、ぼくら情報軍の軍人にとっては間違った戦略だったとしか言いようがない。最初からすべての情報を開示してくれていれば、こんなことにはならなかったというのが、ぼくとウィリアムズの共通した見解だ。

ジョン・ポールはサラエボで妻子を失っていた。

純粋に観光で訪れたその町で、ジョン・ポールの妻と六歳になる娘は、一瞬でクレーター大気の底に焼きつけられてしまった。その美しい街の住民と多くの観光客が一瞬で蒸発し、大気のなかに放射性物質とともに拡散してゆく。ヨーロッパにキノコ雲が立ち上り、ヒロシマ・ナガサキ以後の世界は終わりを告げた。

IDトレースによればそのときジョン・ポールは、学生ルツィア・シュクロウプのアパートメントにいた。もちろんこんなふうに過去にさかのぼって他人のプライベートを覗くというのは、国の軍事行動や諜報作戦でなければ許されないことだ。ジョン・ポールの不義そのものにはぼくはなにも感じなかったけれど、その悔恨は生々しく想像できるよう訓練されている。妻子が核で吹き飛んだとき、自分は彼女たちを裏切っていた——それがどんな苦痛を、罰を、ジョン・ポールにもたらしたか、それは想像するに余りある。

事件から一ヵ月後、ジョン・ポールは犠牲者の親族として、サラエボのクレーター近くに赴いている。まだかろうじて枠をとどめていたNATO軍と、それ以外の各国の軍隊が駐留する対策キャンプで、ジョン・ポールはほかの被害者と同じく、放射能防護服の貸し出しを黙々と待った。ここで「消えた」犠牲者の数はあまりに多く、その大半は死んだのか行方不明なのかもわからない。熱核反応というのはそうしたもので、当時は個人の生体認証も遺伝子マーカーまで記録するほど仔細にとられてはいなかったから、運よく残ったわずかな遺体も、その大半は個人を識別されることなく埋葬されたのだ。

三週間ののち、ジョン・ポールはサラエボのクレーターの縁に立った。そこで妻と子を失ったこの男がどのような感情に襲われたのかは、当然ながら記録からは想像するしかない。

しかし、とぼくは思った。自分が魅かれていた小説の風景が、そこに現前しているのを見たとき、人はなにを思うのだろうか。かつて街であり、いまは核の高熱でガラスのようになめされた平坦な荒野に、大きく穿たれたクレーター。その縁に立って、まるでそのすり鉢の底に自分の親族がペーストとなってすり潰されているとでもいうかのように、じっとグラウンド・ゼロを見つめる、真っ白な放射能防護服を着たひとびと。

帰国して間もなくジョン・ポールはMITを辞め、半年のあいだ家に閉じこもっていたようだ。買い物はほぼウェブのオーダーで済まし、文字通り家から出ることはほとんどなかったと言ってよい。その半年のあいだ、地下鉄やバス、ハイウェイのゲート、ショッピングモール、雑貨店、そのどれにも認証が行われた記録はない。ウェブの支払い記録は購入した物すべてが食料品であることを物語っている。ジョン・ポールは外界とのアクセスを遮断したのだ。

家に引き籠もっていた半年のあいだ、ジョン・ポールはどんな絶望を育てていたのだろうか。何度自殺を図り、幾晩眠れぬ夜をすごしたのだろうか。そんな不気味な沈黙ののち、ジョン・ポールは突然有名PR会社に入る。国家や大手企業のイメージ戦略をコーディネートする会社で、当時とある後進国のPRをつとめ、その国に国際社会からの投資を集めて経済を軌道に乗せたとして、一躍名を馳せた会社だった。

MIT時代の国防総省やホワイトハウス周りへのコネと、言語の才能をかわれたのだろうか、ジョン・ポールはそのPR会社において、国家をクライアントとする案件の担当として、複数の国を掛け持ちした。

ワシントンの有名官僚や議員に向けたレセプションを行い、国の窮状を知ってもらう。クライアントの国からメディア受けしそうな閣僚を選別し、アメリカに招いてニュース・プログラムに出演させる。海外の記者が訪問しやすいようにプレス・センターをつくり、報道しやすさという見地から好ましい国という印象を持ってもらえるようにする。

そうしたさまざまな仕事をこなしながら、やがてジョン・ポールはその実績を認められ、いくつかの国の文化宣伝担当閣僚の補佐官になった。

そしてここから虐殺が始まる。

ジョン・ポールが担当したすべての国が内戦状態へとあっという間に転がり落ち、そのすべてで、あるときは武装勢力、あるときは正規軍、またあるときは市井の人々による直接の残虐行為が次々と発生した。ジョン・ポールの担当案件はある程度成功しているものと社内ではみなされていた。それはつまり、アメリカ国民の関心と同情をかうことに成功したということだ。そして、アメリカが介入した暁にはそれらの国は立ち直り、民主的で文化的な状態へ移行するという希望もPRされていたから、この事態にアメリカ国民は落胆をおぼえた。

まるで国家の殺人者だ。当時、この事態がジョン・ポールのせいだと思った人間はおそらく誰もいなかっただろう。所属していたPR会社の上司や同僚も含めて、たった一人の人間が意図的に内戦や虐殺をコーディネートしているなどと想像することのできる者はいない。とはいえ当然ながら、担当していた案件のすべてでそうした虐殺が発生してしまっては、社内にとどまることは難しかっただろう。ぼくは断言できるが、ジョン・ポール自身は面の皮厚くそこに居座ることができたに違いない。この男が社内の空気など一切意に介していなかったことは確かだ。なにせ、最初から虐殺に至る道筋をつけるために、その会社に入ったのだから。

ジョン・ポールは強制されて会社を辞めている。それからというもの、この男の足跡は世界からぷっつりと消えてしまった。どの国の交通機関にも、どの国のウェブコマースにも、その認証が行われた形跡がいっさいなくなってしまった。ジョン・ポールの最後の認証は、このプラハのあるショッピングモールで途絶えている。

ここは、ぼくらの標的が数日前、データ的に消失した街でもある。

PR会社の辞職から現在に至るまで、ジョン・ポールが登場するのはぼくらの受け取った作戦指令書のなかだけだ。あの内戦地帯にジョン・ポールがいると言われ、ぼくらが飛んでいくとそこに男はいない。あの虐殺の穴の縁にジョン・ポールが立っていると言われ、ぼくらが国境を越えるとやはり彼はいない。この男を見失ったCIAの若造はその顔を見ていたはずだが、なぜかこの街でジョン・ポールのID確認が行われた形跡は一度もなかった。

ぼくらは幽霊を追っている。おそらくはサラエボのクレーターで生まれた幽霊を。

ゴドーを待ちながら、か。それもあながち間違ってはいないような気がしてきた。

第三部

1

台風の混乱がプラハの街を通りすぎていったかのようだ。

暴徒が警官隊に投げつけたせいで、石畳のところどころが剥がされている。むき出しになった歴史の下には、びくんびくんと人工筋肉の赤身が脈打っていて、その表面を血管が網のように覆っていた。

ぼくはぼんやりと、無人の街路を歩いた。歴史的な建築物の壁面にある、代理店が開拓したナノレイヤー表示の広告は暴徒によって剥がされ、燃やされている。街のところどころから黒煙が立ち上っているのだが、暴徒たちの姿は影も形もない。皆ひとしきり暴れたあと、ハーメルンの笛吹きに誘われ消えていったかのように。

街路にむき出しになった筋肉の赤みが、灰色の街に彩を与えている。ぼくはその表面を靴で踏みつけてみた。硬いが、いかにも生物らしい弾力がぼくの膝を押し返す。

剥がれた石畳の段差に足をとられないようにしながら、ぼくは郊外を目指して歩いた。暴徒がすぎ去ったあと、この街には文明の残滓だけが残されて、ぼく以外の人間は完璧に消え去ってしまったように思える。この街でぼくはひとりだった。もしかしたら、ヨーロッパでただひとりかもしれない。

プラハの街並みが終わり、郊外には赤い草原が地平線のかなたまで広がっている。

「どうしたの、息子さん」

上のほうから声がした。見上げると、草むらから大きくそびえ立ったオブジェがある。ジャンボジェットの翼だ。白い翼面が剝がされて地面に塔のように突き立ち、紅鮮色の人工筋肉が露わになっている。

「ここよ、ここ」

ぼくは声の方向に目を凝らした。翼の人工筋肉と同じく真っ赤になっていて一瞬わからなかったが、それはまぎれもなく母さんだった。翼と同じように皮膚を剝がされて、真っ赤な筋肉が全身むき出しになっている。

そこでぼくははじめて気がついたのだが、地平線のかなたまで続く真っ赤な草原は、よく見ると侵入鞘《イントルード・ポッド》がびっしりと地面を埋め尽くしたものだった。それらもやはり表面の黒いステルスコーティングを剝がされて、中身の人工筋肉群が空気にさらされている。筋肉の一端がそれぞれポッドから剝がれ落ちて、紅《あか》く細い繊維が風にはためくさまを観ていると、まるで真っ赤な海草がゆらめいているように見えた。

「母さん、むき出しだよ」

ぼくが言うと、母さんは肩をすくめて、

「核爆弾に灼かれちゃってね」

「母さんはワシントンで死んだはずだよ。ぼくが殺したから」

「殺したのは車だよ。終わらせたのは医者。お前が殺したわけじゃないよ、息子さん」

「でも、機械さえ動かしていれば、母さんはまだ生きていられたんだ」

「あの状態を生きているっていうのかい……冗談はよしてくれ」

「でも、心臓は動いていた」ぼくは泣きそうな声で言い、「古臭いと思う……母さん。心臓が生きていれば、内臓がいくらかでも機能していればまだ生者だなんて」

「ええ、じゅうぶん古臭いわね。とっても前世紀的よ」

母さんは悲しそうに微笑む。こうして見ると、人間の筋肉がどうやって動いて、微笑とぼくらが呼ぶ顔面の状態を形成するのかがよくわかる。

「でも、お前が思い悩んでいるのは人の生き死にの境界線なんかじゃないでしょ。違うかしら……」

ぼくは首を振った。

「知りたいんだ、ぼくは、ぼくは母さんを殺したのかな。ぼくが認証したとき、ぼくがイエスと言ったとき、母さんは死んだのかな。教えてよ、母さん」

「罪の話ね」母さんはうなずき、「お前はよくやったわ。わたしのためにとても辛い決断をしてくれた。自分の母親の生命維持装置を止める。自分の母親を生かしているナノマシンの供給を止める。自分の母親を棺桶に入れる。それはとてもとても辛いことだけれど、でもあなたはわたしのためを思って、そうするしかないことをしたの」

「本当に……母さん」

「いいえ」

母は冷たく言い放ち、

「そう言ってほしかったんでしょ、お前は。本当のことなんて、誰にもわからない。だって、当のわたしは死んでしまっているのだし」

ぼくは怖くなった。母は突然、おそろしく残酷になり、

「あなたはこう思っているんでしょう。いつも自分は、他人の命令に従っていろんな人間を殺してきた。それがさらなる虐殺を止めるためだなんて言われていても、自分は銃だ、自分は政策の道具だ、と思うことで、自分が決めたことじゃない、そういうふうに責任の重みから逃れられた」

「やめてくれ、母さん」

ぼくは泣いて懇願する。

「でも、自分の母親を殺したとき、それは自分自身の決断だった。母さんは苦しがっている、母さんは生きているのが辛い状態に置かれている、と想像はできても、ベッドの上に横たわっているわたしはなにも言ってくれなかった。それは自分の想像にすぎなかった。だからあなたは、医者に迫られてわたしの治療を中断するとき、自分自身の意思でそれを決めたとい

う事実を背負わなくてはならなかった。国防総省が、特殊作戦司令部《SOCOM》が決めたのではない、自分自身の殺人として背負わなければならなかった」

　母さんが次々にことばで追い打ちをかけてくる。ぼくは耳をふさいだが、それでも残酷なことばの奔流は止まることがない。

「けれど、息子さん、わたしだけじゃないわ。いままで殺してきた将軍や大佐や自称大統領だって、あなたが自分で決めて、自分で殺したのよ。あなたはそれについて考えることをやめてきただけ。自分が何のために殺しているのか、真剣に考えたことなんて一度もなかったでしょ」

　ごめん、ごめんよう、とぼくは叫びながら、無人のプラハの街に駆け戻る。

「わたしを殺したのがあなた自身の決断なら、いままで殺してきた人々の命もあなたの決断よ。そこに明確な違いはない。あなたは、わたしの死にだけ罪を背負うことで、それまで殺してきた人々の死から免罪されようとしているだけよ」

　どんなに遠くまで走っても、母さんの声は容赦なく響いてくる。まるで魔女の声のようだ。ぼくは頭を抱えて、周りの風景を自分から閉め出そうとした。

「頭を抱えたって、どうすることもできませんよ」

　若々しく、まっすぐな響き。ふと見上げると、アレックスがにこやかに微笑んでいる。死者は自分の頭をとんとんと指差して、

「地獄はここにあるんですから」

「やめてくれ」

「人間は脳細胞だし、水だし、炭素化合物だ。とてつもなく長いけれど、ちっぽけなＤＮＡの塊だ。人間は生きているときから物質なんですよ。その人工筋肉と同じように、ね。この物質以外に魂を求めたって、そこから倫理や崇高さが出てくるように思うのは欺瞞ですよ。罪も地獄も、まさにそこにあるんです」

石畳が吹き飛んだ。

まるで植物の急速な成長のように、紅い人工筋肉がプラハの歴史のレイヤーを突き破って生えてくる。天へと伸び上がる肉の奔流が、プラハの街を覆いつくした。

津波のようなその流れのなかで、ぼくは上へ上へと突き上げられていく。

どこまでも。

罪も地獄もなくなる場所まで。

「大丈夫か、ずいぶんうなされていたぞ」

ウィリアムズがぼくを落ち着かせてくれている。よく冷えたタオルを渡してくれた。寝ているあいだにずいぶんと汗をかいてしまったようだ。

ぼくは頬に触れた。泣いていたのがはっきりわかる。

「死者の国、か」

ウィリアムズが訊いてくる。ぼくはしばらく戸惑っていたが、正直に頷いた。

「アレックスの自殺からこのかた、特によく見るようになった」

「俺もだ」

意外なウィリアムズの返答に、ぼくは驚いた。

「お前のように死者の国なんて名前はつけちゃいない。単なる夢さ。アレックスについての夢だ。内容は憶えちゃいないが、起きてからたいそう嫌な気分になるのだけは一緒だよ。そう言ってよければ、悪夢なんだろうな」

「カウンセラーにかかるべきかな」ぼくは溜息をつき、「作戦で子供らを殺す前みたいにさ。アレックスなら神父に相談していたんだろうが、ぼくに宗教はないから」

「俺はカウンセリングにかかったことがあるぜ」

そうウィリアムズは言って、冷たい水を持ってきてくれる。

「夫婦の危機、ってやつでね。倦怠期さ。娘をベビーシッターに預けては、夫婦そろって軍のカウンセラーのところへ通ったよ」

「それで」

「効き目はあった。夫婦の問題程度ならな。アレックスの死について、あのふやけた男が適切な助言をしてくれるかどうかは、怪しいと俺は思う」

「アレックスのことだけ――じゃないと思う」

「他になにを抱えてるんだ」

ぼくはどう答えたものかとことばを探すけれど、うまい説明が思いつかない。ウィリアム

ズは呆然としたぼくの顔を見て答をあきらめ、

「まあ、ならなおさらだな。あそこで何とかなるようなことじゃねえよ。自分でうまいことケリをつけるしかない。神様を信じていない以上、カルマだとか赦しだとかいう言葉で酔ってるわけにもいかんだろ」

それはわかっている。最初からわかっていることだ。

ただそれを夢のなかで、母さんやアレックスの姿をした自分自身に指摘されるというのは、どうにもたまらないものがある。

「交代するよ、起きてしまったことだし。もうなかなか眠れないと思うから」

ぼくはウィリアムズにシーツを渡す。お前の汗がびっしりついたシーツとは、あまり気分がよくないな、とウィリアムズはぶつぶつ文句を垂れたものの、それがぼくの心を紛らわせるためのものだというのはわかっていた。

駅の周辺にはオルシャニイ、ジドフ、ヴィノフラド、の三つの墓地がある。

カフカの墓はそのうちのジドフにあり、地下鉄を出てすぐに見つかった。入口の管理事務所で、ぼくは小さな帽子を渡された。読めないヘブライのことばが書かれている。ヘブライのアルファベットというのも奇妙な形をしたものだな、とぼくは思った。まるで異星人のコンピュータが生成した文字のように、奇妙に人工的な感じがする。帽子自体はやや小さく、被るというよりは本当にちょこんと載せる感じだ。

「お墓のなかではこれを被らなくちゃいけないの」ルツィアが説明してくれる。「ユダヤ教のお墓だから」

またルツィアの家に行って尾行され、たっぷり時間をかけた回り道や、直接的な暴力で追っ手を撒くのも面倒くさかった。ウィリアムズはそこで、いっそのことルツィアと外で会ったらどうか、という案を出してきたのだ。もしルツィアに尾行がついていたなら、敵はぼくだけでなくルツィアにも関心があるってことになる。監視の対象になっているのがぼくだけなのか、それともルツィアと二人して監視対象になっているのか、もしくはルツィア自身がグルなのか、外で会うことによってその可能性を限定できるかもしれない、というのだ。

そういうわけでぼくは、カフカの墓が見たいのだけど、プラハを案内してくれないか、とルツィアに頼んだ。オルタナがほとんどすべてをフォローしてくれる世の中で、こいつはかなりギリギリの嘘だ。ルツィアはしばらく迷っていた様子だったが、結局はうなずいてくれて、ぼくはルツィアと一緒に地下鉄に乗って、プラハ郊外の新ユダヤ人墓地までやってきたのだ。

鬱蒼と樹々が生い茂った墓地内は、枝が天蓋を成していて、黄色い雲を通した弱々しい日光は地上までたどりつくことができないようだ。

観光客たちが他にも数名いて、カフカの墓に小石を置いている。ユダヤ人の墓には花ではなく、石を捧げるのが礼儀だからだ。

「カフカの妹さんかな」

　ぼくはそう言って、墓碑のたもとに添えられた金文字の石板を指差す。そこには三人の墓碑銘が刻まれていた。みな女性の名前のように思えたからだ。

「ええ、そうね」

「みな同じ時期に亡くなってる。一九四二、一九四三……そうか」

「ええ、アウシュビッツね」ルツィアはうなずき、「みな、ホロコーストで死んだわ。ドイツ人と結婚していた三番目の妹オットラも、夫と離婚して自らゲットーに入っていったの。オットラの夫は離婚に反対したわ。アーリア人の妻だったら、ユダヤ人認定を免除されたから。それでも彼女は行ったのね。娘を夫に託して」

　知らなかった、とぼくが言うと、そう、結構有名な話よ、とルツィアは言った。カフカ家の末娘オットラは、兄のフランツにいちばん可愛がられた妹だったのだそうだ。

「カフカに詳しいんだね」

「カフカというよりも、ホロコーストね、わたしが詳しいのは。よくジョンに聞かされたから」

「ジョン……前に付き合っていたひとだっけ」

　ぼくは白々しく言う。ルツィアはうなずいて、

「ジョンはよくホロコーストの話をしていたわ。大学の研究対象だったんでしょうね。彼自身はユダヤ人でもなんでもなかったし」

「国防高等研究計画局《DARPA》のプロジェクトで歴史を研究してたのかい……。不思議な話だね」

「くわしくはわたしも知らない。でもあなた、変なところに興味を持つのね」

そうかな、とぼくは言い、

「軍でホロコーストの研究、っていうのがどうにもピンとこない。ロボットとか人工知能とか新素材とかいうならともかく」

「そう言われれば、そんな気もするけれど」ルツィアは考えこみ、「でも、ホロコーストだけを扱っていたわけじゃなかったみたい。スターリンの話。カンボジアの話。スーダンとかルワンダの話。ジョンはいろんな残虐の歴史について関心があるみたいだった」

「ホロコーストも、そのひとつだったのかな」

「そう思うわ」

ぼくはルツィアと一緒に小石をカフカの墓に捧げた。フランツと、その三人の妹に。フランツと違って、三人の妹は死んだ時期がはっきりしていなかった。あの時代、運命をともにした多くのユダヤ人たちは、皆そうだ。その死は今となっては、ホロコーストという大きな言葉の一部でしかなく、ディテールは歴史の闇のなかに埋もれている。

「でも、輸送された時期は、明確だった。記録が残っているから」というルツィアの声はささやくようで、「わたしたちは移動するとき、地下鉄で認証し、店の支払いで認証し、市電に乗っては認証する。どこへ行くにも、なにをするにも追跡される可能性は残っているわ」

「そうだね。サラエボやニューヨークみたいに、テロリストが入ってくるのを防ぐとともに、万が一テロが起こったときは、それを証拠に足跡を追跡できるようにしておくためだよ。その追跡可能性《トレーサビリティ》が同時に、やったらバレるぞという警告となって、抑止効果を生む」

「別に説明してくれなくていいわ。わかってるわよ。わたしだって、やれ管理社会だ、オーウェルだ、ビッグブラザーだ、とか言う気はないから」ルツィアは微笑む。「ただね、歴史的な事実としてなんだけど、当時の政府はそんな正確に国民のことを知っているわけじゃなかったの。十年以上前の国勢調査がすべてだった。そんな状態から誰がユダヤ人かを効率的に記録し、分析し、分類し、集合させることができるようになったのは、パンチカードのおかげね。ユダヤ人を強制収容所へ運ぶというのは、人類の歴史始まって以来の大規模集団輸送だったし、ナチスはそれを可能にするために、計算機による運行管理と記録を導入していたわ。IBMの大型計算機よ。当時はまだコンピュータはなかったけれど、すでに計算を行う大型機械は産業用に存在していたから」

「IBMの計数機なくしては、ユダヤ人の大量輸送は成しえなかった、と」ぼくは確認するように語る。「コンピュータは暗号解読のために生まれ、弾道計算によって育てられた、というが、コンピュータの父親もどうやら戦争の影から逃れられないらしいね」

「IBMが吐き出したユダヤ人の輸送管理表を、あの人はいちどわたしに見せてくれたの。研究自体は機密だったけれど、そういう表はオープンソースだから」

「ホロコーストの記録をいっしょに見るカップルか。なかなか変わった光景だね」

「そうね。確かに変わってる」ぼくの軽口にルツィアが笑う。「彼がよく言っていたわ……虐殺には、独特の匂いがある、って」

「匂い……」

「ホロコーストにも、カチンの森にも、クメール・ルージュにも、ぜんぶにそれは張りついてる、って。虐殺が行われる場所、意図された大量死が発生する国……そういうところには、いつも『匂い』があるんですって」

虐殺の匂い。

ジョン・ポールは過去の虐殺を調べているうちに、その匂いにたどり着いた。

「死体の匂い、とかそういうものじゃなさそうだね」

「そうね。彼なりの詩的表現なのだと思うわ。研究のなかで見つかったものを、機密に触れないようわたしに話すため、そういう表現を使ったんじゃないかしら」

「それで、そのジョンがどういう研究をしていたのかは、結局わからずじまいだったわけだ」

「そうね。誰にも言わなかったんじゃないかしら。少人数のチームはあったみたいだけど、実際には彼がほとんどひとりでやっていたらしいし。奥さんも知らなかったと思う」

「奥さん、って。じゃあ、きみは、その……」

とぼくはうろたえたふりを、自分なりに精一杯してみせた。知っていることに驚くのはなかなか難しい。

「ええ、子供がいることも知っていたわ。わたしは最低の女ね」

そう言って、ルツィアは地下鉄の駅に向かって歩き出した。

ぼくはその後をあわてて追いかけて、

「その、ごめん。立ち入ったことを訊いてしまった」

「いいの、わたしがうっかり言ってしまっただけだから」

そう言うルツィアの瞳は、とても悲しそうで、

「ごめんなさいね。嫌な気分にさせてしまって」

「いいんだ。ぼくのほうこそ、すまない。過去のことをずけずけと訊きすぎた」

そう言いながらぼくは、同時に自分の最低さを笑っている。

ルツィア・シュクロウプさん、ぼくはあなたが妻子ある男と付き合っていたことを、すでに知っているんだ。

ぼくはあなたたちがどの店で食事したかを知っているし、どの雑誌を買ったかも知っている。どのスターバックスでいっしょにコーヒーを飲んだかを知っているし、ジョン・ポールが買ったコンドームの数まで知っている。

知っていながら、ぼくはああいう白々しい対応をしているんだ。ぼくにとっては白々しいが、あなたにとっては自然な対応を。

「すまないと思っているんだったら、もう一箇所付き合ってくれるかしら」

ルツィアは言う。依然として、悲しそうな笑みで。

ぼくはその顔を堂々と覗きこめる程度にはずうずうしい男であることを、そのとき強く実感した。

2

そのクラブは若者たちで騒々しかった。音楽の流行を追わなくなって久しいぼくには理解不能のダンスミュージックが大音量でかかり、プラハ的とはとても言いがたい、若々しいモードで満ち溢れている。

「こういう場所、苦手なんだ」

ぼくが戸惑いの表情を浮かべると、

「ごめんなさいのついでなんだから、付き合ってよ、お願い」

ルツィアはぼくの腕を引っ張った。

正直な話、ルツィアには似合わない場所だと思った。こういう生き生きとした場所は相応《ふさわ》しくない。本の話をしているときがいちばん美しかったたし、教室のインテリアにもこういう派手なところは一切ない。

ルツィアに引っ張られて店のなかに入っていくとき、ぼくはなんとも言えない違和感を覚えた。いったいなにが奇妙なのか、はっきりと理解することはできない。言い知れぬ不安を抱えたまま、ぼくらはカウンターについた。

フロアでは多くの若者たちが、体を寄せ合ったり、キスし合ったりして、ホルモン分泌を楽しんでいる。フロアの床には奈落が映し出されていた。そこに落ちたら無限に落下していきそうな闇だ。若者たちはその上空の虚無で踊っている。

なかでもひときわ目を引くのが、スキンヘッドにホログラフィック・ナノレイヤーをコーティングした若者だった。スプレーされた薄膜が形成するディスプレイフィールドが、その頭蓋の中身、脳髄が透けて見えるかのようなパターンを頭皮に表示している。肌に映し出されただけの、単なるグラフィックだったけれど、ぼくはそれを見て、あそこに地獄があるんだな、とぼんやり考えた。

ルツィアが早速オーダーした。

「この国に来てからビールは飲んだかしら。混じりっ気なしの、この国のビールを」

「いいや、バドワイザーしか飲んでないよ」

「ブドヴァイゼルかしら。ここのビールだけど」

「いいや、いつもアメリカで飲んでるやつ」

「それはいけないわね。あれが悪いとは言わないけれど、ここの本物を飲まなきゃビールについて語っちゃだめ」

と、タイミングよくビールが運ばれてきた。

「バドワイザーは、このビールの名前をいただいた商標名なのよ。バドワイザーの缶をちゃんと見れば、そこに書かれた商標名が『ブッシュ』だったことに気がついたはず。ヨーロッパではあなたの国のバドワイザーは、バドワイザーと名乗ることを許されてないの。ブドヴァイゼルはここ、チェコの、醸造所がある街の名前だから。まあ、それはともかく、ブドヴァイゼル・ブドヴァルをはじめとするチェコのビールは世界一おいしいビールね」

ルツィアがジーンズから財布を出したので、ぼくはびっくりした。ここ数年、財布なんてものにはお目にかかったことがなかったからだ。さらに驚いたのは財布から紙幣を取り出したことだ。ルツィアはその紙幣をボーイにわたす。チップ。認証による支払いが市場を支配してから、すっかり消滅してしまった風景だった。

そこではじめて、ぼくはこの店に入ったときの違和感の原因を理解する。

入口で認証を求められなかったのだ。

驚いているぼくをよそに、ルツィアはビールを飲み始めた。その外見に似合わず、けっこう豪快な部類に入るかもしれない。が、その驚きはさっきの財布とチップの衝撃を上回るものではない。

ややあって、ルツィアはぼくの表情に気づいた。

「ビール飲まないの、最高だから、ほら」

「いや……ちょっと驚いたものだから」

「なにが……」

「いや、ほら、紙幣をいま、使っただろ」

ルツィアはうなずいて、

「そうね、いまや支払いは携帯端末《モブ》と認証ですべて済んでしまうから。紙幣を見なくなって久しいわね」

「じゃあ、あれは闇通貨かい」

「とんでもない。ちゃんとチェコ政府、ひいてはユーロ政府に認められた紙幣よ。まあ、使える場所は限られてるけれど」

「こことか」

「そう、これはチェコの一部の経済で流通している地域通貨ね。これを使って決済できる事業者の周囲だけで流通しているの」

「驚いた。地域通貨に関する試みは、一桁年代に壊滅したかと思ってた」

「そうね、当時の地域通貨の試みは、共同体の復権みたいな左翼的・地域主義的思考に寄りかかりすぎていたから。地方で職人になろう、畑を耕して地に足のついた生活を送ろう、みたいな、アニミズムに直結しやすそうなやつ。それに、前世紀に壊滅した社会主義イデオロギーへの憧憬的側面があったのも否定できないわね。でも、これは共同体というよりは、もっとパンクな運動なの」

「パンクな地域通貨、ってどういう意味」

「追跡されないお金、ってこと。だからチェコ政府もユーロ政府も、ほんとうはこういうの目の上のタンコブで、どうにかしてしまいたいはず。でも非合法化する法案はいまのところ国会を通過してないわ。どこかで人々は、情報社会に対するバランスをとりたがっているのね」

ぼくは店内を見渡した。よく見ると、ぼくらより年上の人間たちがそこそこいる。お前は誰だ、お前は誰だ、と世界が四六時中ひっきりなしに自己証明を要求しなかった時代が、骨身に染みている年代の人々だ。そんな客のなかにいるひとりが、こちらに向かって手を振っていることに、ぼくははじめて気がついた。紺の仕立てのいいジャケットを自然に着こなし、タートルネックのセーターを着ている。

「やあ、ルツィア《アホイ》」

「チャオ、ルーシャス」

二人は知り合いのようだ。ルツィアがルーシャスと呼ばれた男を招き、ぼくの隣に座らせる。

「ルーシャスはこの店のオーナーよ。とても頭がよくて、思索的な人なの」

「ぼくは明日のブドヴァイゼルの入荷量についてしか、思索をめぐらせてはいないよ」

ルーシャスは肩をすくめて笑う。低くよく通る声で、リズムに性急さがなかった。

「こちらはチャールズ・ビショップさん。アメリカからここの支社に転勤してきたひと」

「ビショップです」ぼくは偽名で挨拶した。「いいお店ですね」

「ありがとう」

ルーシャスは言った。型どおりの会話だったが、いまのところそれ以外に話すこともない。

「最近、ごぶさただったじゃないか、ルツィア」

「仕事のほうがね、忙しかったから」

そうルツィアは返したが、ぼくはそれが嘘であることを知っている。少なくともぼくとウィリアムズが監視し始めてからのここ数日は、それほど多忙ではなかったはずだ。

「ふむ、忙しいのは、いいことだ」ルーシャスは言い、「だが、みんな寂しがってたぞ。タイロンがきみを恋しがってるよ」

「本当かしら」

ルツィアが笑うと、ルーシャスは店の奥を指差し、

「ほら、会いに行ってやってくれよ。そこにぼうっと突っ立ってるだろ」

「あら、ほんと」

ルツィアは席を立ってタイロンと呼ばれた男のほうへ歩いていく。ぼくとルーシャスはカウンターに二人きりになった。すっかり泡のつぶれてしまったブドヴァイゼルに口をつける。本当に美味《おい》しかった。

「ルツィアとは、どういう……」

そうルーシャスが訊いてきたので、一瞬、ぼくはこの男はルツィアに気があるのだろうか、と疑った。が、その訊き方やイントネーションはあまりに自然だったので、そういう惚れた腫れたがらみの匂いはしない。おそらく、純粋に友人として訊いたものだろう。

「教室の生徒ですよ。チェコ語を教えてもらってます」

ルーシャスは目を大きく開いて驚いたふりをしてみせ、

「ルツィアが生徒を連れてくるなんて、はじめてだな」

「今日はぼくが、カフカの墓に案内してくれと、観光ガイドみたいなことを頼んでしまったんです。こんな失礼なお願いを快く引き受けてくださって」

「カフカの墓か。地下鉄の駅の真正面ですね。迷うような場所じゃない」

これは疑いのことばだろうか。ぼくはやや警戒する。

「そうですね。着いてみてからなんとやら、という感じで」

ぼくが微笑むと、ルーシャスも調子を合わせて笑う。

「それにしても、この店にはびっくりしたでしょう。ノーチェックの入口とか、地域通貨の支払いとか」

「チェコではこういうのは一般的なものなんですか」

ルーシャスは楽しげにかぶりをふり、

「いいえ、もちろん一風変わった店ですよ。政府からは疎《うと》まれていますがね。いまのところ非合法化はされてない。機械で監視できないから、警察は公安要員を客として紛れこませているかもしれませんね。美味《うま》いビールが売りの、こんなに健全な店なのに」

「アメリカにはもうこういう場所がないから、確かに驚きました」

「ヨーロッパはいいところですよ。かつてアメリカは自由の国といわれていたけれど、いまはヨーロッパのいくつかの国のほうが、ほんの少し自由なようですね」

ルーシャスは言い、バーテンにヴェルモットを頼む。

「テロに脅かされないためには、仕方のないことです。確かに、サラエボを失ってなお、こういう場所が残っているヨーロッパの度量の広さには感動しますが」

「自由の選択の問題ですね」ルーシャスはヴェルモットに唇を付け、「労働はその個人の自由を奪うけれど、見返りにもたらされる給料で、さまざまな商品を買うことができる。かつては自分で畑を耕し、収穫し、狩りに出て獲物を捕まえなければならなかったその時間を、農家に代行してもらって、収穫済みの野菜や、解体済みの肉、あるいは調理まで済んだ食べ物を手に入れることができる。ある自由を放棄して、ある自由を得る」

「アメリカはプライヴァシーの自由をある程度放棄して、テロの恐怖という抑圧からの自由を得ている、そういうことですね」

ルーシャスはしばらく考えこみ、

「そうとも言えるでしょう。そのバランスが、お国とこのヨーロッパでは、少しばかり異なるということです。とはいっても、こういう店がやっていける程度の差異ですけどね」

「あなたは、自由を守るためにこの店をやっているのですか」

ルーシャスの切れ長の目が、答を探るように内に向けられ、

「そんな大げさなものではありませんよ。ただ、最初からぎちぎちに縛りつけてしまっては、自由とはそうした様々な自由の取引なのだ、ということをあの若者たちに実感してもらうのは難しい」

ルーシャスはフロアで踊る若者たちを顎で指し示し、

「若者は絶対的で純粋な自由というものがあると思いこんでいる場合が多い。若者はそうした偽りの自由を通過し、謳歌する必要があるんです。大人になって様々な決断を迫られる状況になったとき、みずから選ぶ自由がより高度な自由だと、リアルに感じてもらうためにはね」

「あなたは教育的な人なんですね」

「ある意味では、そうでしょう。ぼくは啓蒙と言われることを好みますがね」

ルーシャスはなめらかな落ち着きを周囲に放射しているようで、ルツィアが言ったとおり思索的、そう言ってよければ哲学者の雰囲気を備えている。慎重に語を選んで話すさま。必ず思考を整理してから語るとでもいうように、話を受けて口を開くまでに空ける適切な間。

「啓蒙は、ヨーロッパの特産物ですからね。われわれアメリカ人には難しいもののひとつです」

「そんなことはない。かつてあなたがたのアメリカは、世界に自由と民主主義を輸出していたじゃないですか。あれは立派な啓蒙だ」

「皮肉を言われるとは思わなかったな」

「いやいや、皮肉ではありません」ルーシャスは真剣な表情で、「ハイテク機器と規模の拡大、あとは単純に人件費の増大によって、近代の戦争のコストは極端に膨れ上がった。戦争をやっても単純に言えば儲からないのです。それでどんなに石油の利権が確保できても、ね。では、それでもアメリカが戦争をしているのはなぜか。世界各地で、民間業者の手まで借りて火消しに走り回っているのはなぜか。正義の押しつけ、という人もいますが、コストを払っている以上、わたしはそれを、戦争をコミュニケーションとした啓蒙であると思っています」

「啓蒙……戦争が啓蒙」

「アメリカ人がそう意識しているかどうかにかかわらず、現代アメリカの軍事行動は啓蒙的な戦争なのです。それは、人道と利他行為を行動原理に置いた、ある意味献身的とも言える戦争です。もっとも、これはアメリカに限ったことではなく、現代の先進国が行う軍事的介入は、多かれ少なかれ啓蒙的であらざるを得ませんがね」

「それは誉めてもらっているんでしょうかね」

「いいえ」ルーシャスは正直に言った。「いいとか悪いとか、そういった価値判断は、いまの話のなかにはありません。啓蒙それ自体は、誰かの側からの独善的な啓蒙でしかないのですから」

ぼくはこの男の会話のなめらかさに呆気にとられた。ルーシャスは本当に、このクラブのオーナーというだけの人物なのだろうか。ぼくはそう正直に訊いてしまう。

ルーシャスは笑って、

「エリック・ホッファは港湾労働者でしたよ。あなたの好きなフランツ・カフカは小役人だった。職業に貴賤《きせん》なし、と言いますが、同時に思索は職業を選ばないのです」

「なにを話していたの、ルーシャス」

と声がして振り返ると、ルツィアが戻ってきていた。

「自由は通貨だという話と、戦争は啓蒙だという話だよ」

「わたしと話すときとたいして変わらないわね」

そう言ってルツィアは笑う。ルーシャスも微笑んだ。

「いや、こういう話ができる人は、なかなかいないからね。残念だが、わたしはちょっと事務所に戻らなきゃいけない。今日は実に楽しかった。よろしければまたお相手してください、ビショップさん」

「ええ、ぜひに」

ぼくとルツィアは店の奥に消えてゆくルーシャスの背中を見送った。

どことなく奇妙な緊張を感じさせる、そんな背中だった。

3

「きみの言うとおりの思索的な人間だったよ。そういってよければ、チェコ的というよりもフランス的だね」

ビールをちびちびやりながら、ぼくはルーシャスについての感想を伝えた。

「でしょ。あの人と話していると本当に飽きないわ」

「このご時勢じゃ、こういう店を続けるのは大変だろうね」

「そうね。だけど、いまほど認証がうるさくなかった時代を知っている人たちとか、いま、息苦しさを感じている若者には、こういう場所が必要だし、必要とされている限り、この種の空間は必ずどこかで生まれるものよ」

「ここに来ているのは、そういう自由を求める人たち、ってこと……」

「それはもちろん、わたしだってテロは怖いわ。情報管理によって安全を得ているいまの社会をまるごと否定したいわけじゃ、もちろんないの。あそこにいる若い子たちはまた違うかもしれないけどね。ただ、わたしの場合は、ちょっとした息抜きが欲しいだけ。なにを飲んだか、なにを食べたか、だれと踊ったか、どの店に何時から何時までいたか。そういうことを誰にも知られずに、ゆっくり落ち着ける場所が、たまに必要になるだけよ」

ここはいわば、ルツィアが本当の意味で自分ひとりきりになれる、大切な空間なのだ。誰にも記録されず、誰にも覗かれない、すべてが許される場所。

ルツィアはそんなプライベートな場所に、ぼくを連れてきてくれたのだ。

「そんな大切な場所に案内してくれるなんて……ありがとう」

「そういう気分だったの。どうしてかしらね」

ルツィアはビアグラスを眺めながらつぶやく。

「ジョンのことかい」

ぼくはグラスを置いて訊いた。

「ええ、わたしに宗教はない。カウンセラーも嫌い」

「じゃあ、ぼくと同じだ」

そう言うと、ルツィアの目が笑った。

「わたしには告白する神父もいないし、前にも言ったように日記を書く習慣もない」

「小説を書くといい。自分の人生を切り売りしているタイプの物語を書いているひとはたくさんいるよ。あれだって一種のカミングアウトだ」

「わたし、文才ないから。言語を勉強していたのに、情けない話よね」

「じゃあ、ぼくが聞くしかないみたいだね」

ルツィアの目がぼくを離れて、若者たちに踏みつけられている奈落を見据える。まるでその深淵に吸いこまれてしまいたい、と願っているかのように。

「わたしが彼と寝ていたとき、サラエボが消えたの」

ルツィアは物語をはじめた。さっきまでとはがらりと変わった、ささやくようなか細い声で。耳をそばだてていなければ、フロアの音楽にかき消されてしまいそうだったけれど、ぼくにはなぜかその声がはっきりと聴こえた。

「ジョンの奥さんと娘さんは、サラエボにいる姉に会いに行っているところだった。彼とわたしはそれを貴重な時間として、ふたりがいないマサチューセッツの街を楽しんだわ。奥さんを気にしなくていい時間。すごく楽しくて、幸せだった。幸福が罪悪感をすっかり洗い流してくれたわ。わたしは空いた時間をずっと、彼と過ごしていた」

ルツィアはそこで唇を嚙んだ。まるで、痛みで自分を罰しなければ耐えられないとでもいうように。


はっきりおぼえているわ。セックスが終わって、わたしはシャワーを浴びに行った。戻ってくると、彼はナノレイヤーに釘付けになって動かなかった。マイページのトップには、サラエボで核爆発が起きた、というトピックスが表示されていた。彼が見ていたのは、そこからたどった報道クリップだった。

わたしは恐ろしくなって、タオルを巻いたまま動けなかったわ。彼も同じクリップを繰り返し繰り返し見ていた。クリップのなかではキャスターが入ってくる情報を順次読み上げていて、サブベイにはそのクリップに対する関連リンクがものすごい数で次々に貼られていくのが見えた。でも、ジョンはどのリンクも見ようとはしなかった。それ以上詳細な情報を求めようとはせず、憑かれたようにずっとその第一報のクリップを見ていたわ。

ルツィアはそこまで話すと、ビールを口に含んだ。その声は淡々としていて、まるで誰か他人の物語をぼくに読んで聞かせているように思える。むかしむかしあるところに、ルツィア・シュクロウプという女がおりました、そんな印象だ。そして再びルツィアは語り始める。

あのひとはサラエボに飛んでいった、と。

わたしも行きたかったけれど、相手の奥さんと子供の安否を愛人が確かめについて行くなんて、これほど堕落したわたしにだってできることじゃなかった。あの人の奥さんと娘さんが核爆発で消えたとき、わたしたちはベッドで笑っていたの。あの人の奥さんと娘さんの体が塵も遺さず消滅したとき、わたしはあの人を受け入れて悦びにひたっていたの。もう、どうしたらいいのかわからなかった。サラエボから帰ってきたあの人と、どんな顔をして会えばいいのか、ぜんぜんわからなかった。最悪なことに、わたしはこんなことになってもまだ、あの人を愛していたのよ。あの人に逢いたくてたまらなかった。あの人にまた抱きしめてもらいたかった。そんなことを思う自分を消滅させてしまいたかった。

でも、そんな心配は結局無用だった。あの人はサラエボからこっそり帰ってきて、こっそり大学をやめて、どこか外国へ行ってしまったから。わたしはあの人を探そうともしなかった。あの人に逢うのが怖かったの。だって、いまやあの人の存在はわたしの罪と同義だったのだもの。自分の罪と向き合って耐えられるかどうか、わたしにはぜんぜん自信がなかったから。

ルツィアの物語が終わった。

ぼくはずっと黙って聞いていた。ことばを差し挟む余地がなかったからだ。ルツィアは語り終えると、じっと黙ってビアグラスを見つめていた。ぼくはなにを話していいのか、わからない。ルツィアの罪を、どう掬《すく》い取ってやればいいのか、見当もつかなかった。

だってそれは、ぼくが抱えていた罪に近かったから。

人物像《プロファイル》で見て、漠然と感じていた何かが、その言葉を音の連なりとして聴くことによって、はっきりと血肉を得たような気がした。ルツィアの声がそれを語ることで、データにはなかった理解が形を得たのだ。文字を読むことと、声を聞くことは違う。

耳にはまぶたがない、と誰かが書いていた。目を閉じれば、書かれた物語は消え去る。けれど、他者がその喉を用いて語る物語は、目を遮蔽するようには自我から締め出すことができない。

ルツィアの物語は音として語られたとき、はじめてぼくを貫いたのだ。

音が物語に付け加えた色。

それは懺悔《ざんげ》だ。乾いた血のようにくすんだ褐色で、マーク・ロスコの抽象画のように塗りこめられた、分厚い懺悔だ。

サラエボで、ある日突然消えてしまったジョン・ポールの妻と娘。裏切っていた彼女たちに、ルツィアが罪を償うことはもうできはしない。彼女らは死んでしまったから。亡骸《なきがら》も残らぬやりかたで消えてしまったから。

罪悪感の対象が死んでしまうということは、いつか償うことができる、という希望を剝奪されることだ。殺人が最も忌まわしい罪であるのは、償うことができないからだ。お前を赦す、というそのことばを受け取ることが、絶対的に不可能になってしまうからだ。

死者は誰も赦すことができない。

ルツィアが苦しんでいるのは、そのためだ。人は取り返しのつかないことになってはじめて、その不可逆性に痛めつけられる。ルツィアがジョン・ポールの妻と子に犯した罪を赦す者は、この世のどこにもいないのだ。

神は死んだ、と誰かが言った。そのとき罪は、人間のものとなった。罪を犯すのが人間であることは不変だったが、それを赦すのは神でなく、死に得る肉体の主人である人間となった。

だからこそ、ぼくはルツィアに惹かれているのだ。ともに、もはや赦しを得られぬ罪の主人として。死者に対する罪悪感に取り憑かれた者として。

そこで、ぼくは自分の罪の話をすることにした。

いま思えば、それは最も矮小なかたちでの好意の告白だったのだろう。

4

母は苦しんでいるのですか、とぼくは訊いた。
苦しむ主体が問題なのです、と医者は言った。

小銃弾に頭蓋を開かれた少女の骸《むくろ》と、背中から撃たれて腹から腸を溢《こぼ》すことになった少年の骸と、チキンのように焼けた村人たちと、ぼくが殺した「第一階層《レイヤー・ワン》」である虐殺指揮官の骸。

死体だらけの中央アジアからワシントンに帰ってきたときには、事故からすでに三日が経っていて、かといってそのときのぼくはあわてることもなく、奇妙に落ち着いて上官から教えられた病院へと向かったのだった。

母さんを轢《ひ》いたのは昔ながらのキャデラックで、人類が二十一世紀にはいってから講じたどの交通保安デバイスも付いていない代物だった。車体はピンク。冗談のようだが、事実は受け入れなければならない。母を轢いたのは馬鹿馬鹿しいピンク・キャデラックだ。たちの悪い冗談のようなそれを運転していたのはものすごい酔っ払いだったが、いまほとんどの車がそうであるような、エンジン始動にあたって運転者の明瞭な意識を要求する口やかましさは持ち合わせていなかった。そういうわけでこの車は、アルコール漬けの脳味噌を乗せて歩道に突っこみ、母さん以外にも三、四人の通行人を跳ね飛ばす自由を持っていた。

いまだそういう車がこの国に残っていて、堂々と道を走っていることの是非はともかくとして、そのキャデラックは最終的に、まじめに走行していた車に交差点で脇腹を激しくつつかれて停まった。運転していた酔っ払いの命も同じように停止した。

母さんはいちど死んだ。救急が着く前に自発呼吸が停止して、病院に到着する直前に心停止したのだ。

けれど、母さんはそこからよみがえった。適切な処置と、適切な機械。戦場でぼくらが傷を負ったときに施される戦闘継続性技術と同じものを母さんはほどこされ、ダメージを負った臓器は仮処置されて、微細な出血はナノマシン群が止め、心臓はふたたび動き出した。

なぜなら母さんは、ぼくにその生き死にを決めてもらいたがっていたからだ。危険な軍隊へ行ってしまったぼくへの復讐として。

そう、たしかにいま生死の境を彷徨《さまよ》っているのはほかならぬ自分の母親だ。とはいえ、息切らせてあわただしく病院へ駆けつけるには、ぼくの職業は死が日常すぎ、馴染み深い風景でありすぎた。身近な範囲に限っても、ある日突然いなくなってしまった父がいて、小児ガンで死んでしまった友達がいて、これだけ人がぼくの目の前から消えていってしまっているのに、いまさらどうしてあわてるなどという贅沢が許されよう。

ぼくは歩いた。自分の宿舎から、飛行機に乗ってワシントンへ飛び、タクシーを拾い、病院にたどり着くまでのあいだ、一歩も走ることはなかった。悲しみに胸を塞がれてはいたが、残酷なことにぼくにとってこれは突然の不幸などではなく、世界というものがそうあるべき唐突さを、またあらためて剝き出しにしたにすぎなかった。世界はいつも突然だ。いつもそうあるものに驚くことはできない。

夏だった。八月のうだるワシントンからひんやりした病院に入り、受付で認証する。オルタナによるガイドをお望みですか、と訊かれて、ぼくははじめてコンタクトを忘れてきたことに気がついた。空港でも、タクシーのなかでも、ぼくはオルタナのことをすっかり忘れていたのだ。デバイスをつけてこなかったと答えると、病院はぼくを誘導すべき人物と認識してくれて、足許の床に誘導マーカーが現れる。床を池とした魚のように、黒いマーカーは病院の圧力抑滑素材の床面を泳ぎ、ぼくをICUのほうに連れてゆく。患者たちを誘導するマーカーで、病院の床面はにぎやかだ。

すべてが見やすいよう抽象化され、あらゆる場所に、それぞれの空間なり物体なりの機能が迷いなく判るようになっている病院の空間を、床面を這い回る記号に誘導されて歩いてゆく。夢のような匂いがかすかに、ぼくの意識を通りすぎていった。

マーカーの誘導がなければ迷路のようだったろう、病院の複雑な構造のなかを歩いてゆくと、やがてICUに着いた。区画の入口で防疫服を着せられて、左右に開いて迎え入れてくれる扉のなかに足を踏み入れると、透明なカーテンでそれぞれのベッドが仕切られており、その向こうに横たわる患者たちの姿はおぼろげで、まるでいまにもこの地上から消えてしまいそうにも見える。

もちろん、ここにいる人々の大半は助かるのだろう。ぼくの母が助かるのかどうかは、まだわからなかった。

床面を這うマーカーが、とあるカーテンの向こうに滑りこんでいったので、ぼくはそこを開ける。

たくさんの管と、たくさんのモニタ。体内に入ったチューブからは、体の各部が不全になった母を生かすための代替ナノマシン群が注入されている。豊かな髪はすっかり刈り取られてしまっていて、開頭したあとホッチキス止めしてある縫合部には止血シートがぺたぺたと貼りつけてある。さらに医者が書きこんだのだろう、注入したナノマシンを電磁波の照射によって外部から誘導するため、丸刈りの皮膚面にペンでいろいろなガイドが示してあった。

まるで冷蔵庫の扉みたい、とぼくは思ってしまう。ウィリアムズの家で見た、乱雑に貼りつけられたメモ書きの山。忘れるな。忘れるな。そんな小さな「忘れるな」の断片が折り重なった台所の一角。あるいは刑事ドラマに出てくる主人公の机の上だろうか。

母の脳の機能局在やそれら個々の状態を医者が忘れないために、古めかしい骨相学の図版よろしく、つるつるの頭皮に書きこまれたリマインダー。

どれくらいのあいだ、母のそんな姿を見つめながら立ちつくしていたのだろうか。どこかの時点で、クラヴィス・シェパード大尉ですか、と穏やかな声で訊かれ、ぼくは振り返った。

お母様の担当医です、と男は言い、ついで自分の名を名乗る。

母の状態は、とぼくは訊いた。

多くの場所で骨が折れ、広範な皮下で出血がおきていた。いくつかの臓器はダメージを受けて機能を低下させている。しかしそれはとりあえず、テクノロジーが抑えこんで生命に影響を及ぼさないようなレベルにまで持っていっていた。

生命とはなにか、という問い詰めはしないでおいた。いまあそこで意識なく横たわっている母の存在は生命なのか、ということは。

「母の意識は……」

ぼくがそう訊くと、医者は唇をすこしばかり結んで眉を寄せたように見えた。ぼくはそのとき、希望を捨てなければならない兆候としてその表情を読んでしまったのだけれども、いまになって考えるとそれは間違いだったのだろう。あのとき医者が表情を曇らせたのは、ある分野の専門家が、その専門である複雑な現実を素人にどうやって説明したらよいものか、考えあぐねているときの躊躇《ためら》いだったのだ。なにかしらの専門職についている人なら、経験したことがあるだろう。友人や親、あるいは同じ職場の事務方や営業職と話したとき、技術的には簡単に割り切れるものではないある事柄を、どっちなんですか、と訊かれて答に往生したことが。

「意識があるかないか、というのはたいへん難しい問題です」医者は切り出した。「お母様は頭部を激しく路面に打ちつけました。損傷の種類としては、いわゆる脳挫傷というやつです。打ちつけた側の比較的狭い範囲と、その反対側である頭蓋骨の内側に叩きつけられた広範な部位が損傷しています。かなり深い部位でも数箇所、出血がありました」

「反対側……」

「不謹慎なたとえをお許しいただきたいのですが、つまりビリヤードのボールです。キューで打つ点は小さいですが、押し出された反対側はドーム状の頭蓋骨の内側に激突しますから」

母の頭蓋のなかで行われたビリヤード。とはいえ、その玉はマシュマロのように脆《もろ》い。

お母様の、新皮質をはじめとする脳の各部は大きく損傷しました、と医者は言った。自発呼吸も失われ、われわれはそれをなんとか回復させせましたが、機械で保たせているような状況です、と。

「ミスタ・シェパード、われわれはお母様の脳の機能モジュールのうち、どの領域が死んで、どの領域が生きているかを、示すことができます。お母様の脳には、生きているモジュールもいくらか残っているのです。しかし……」

と、そこで医者は言いよどむ。

「しかし、なんです……」

「どれだけのモジュールが残っていれば、それが意識と呼べるのか、われわれはそれを経験することができないんです。死というものが経験できないような意味で」

母さんの家。かつてはぼくの家でもあった場所。

ジョージタウンの一角に、それはある。すぐ近くには「エクソシスト」の階段があって、キルロイ参上の類がたくさん落書きしてある。ハイスクールの頃、階段の表面に誰かがディスプレイを塗りたくって、エンドレスで転げゆくカラス神父を映し出したことがあった。たちの悪い悪戯《いたずら》だったが、一瞬だけネットワークの話題になったのを覚えている。

扉を開けると、母さんの匂いがした。母さんの生活の匂い。母さんの空間の匂い。

「ただいま」

これといった意味もなく、そうつぶやいてみる。言葉が家の空間に薄まって消えていった。まるで刑事か泥棒のように、自分の家を歩き回った。まだぼくの部屋は残されていて、出ていった日のままになっている。机の表面を人差し指でゆっくりとぬぐう。ホコリはほとんど積もっていなかった。手入れされているのだ。

眼だ、とぼくは思う。

この家が眼だったのだ。父さんのように、ぼくがある日突然消えてしまわないように見つめる母さんの眼。ぼくはこの家でその視線を感じながら育ってきた。母さんが留守のとき、ぼくが一人っきりで居間でネットワークを観ているときにも、肩口に感じていたあの気配。

母さんはぼくが動き回った痕跡を、よくもまあと思うくらい細かく見つけ出したものだ。どの菓子を食べただの、友達をこっそり連れこんだだの、ぼくが子供ながらもがんばって証拠を隠滅した気になっていた細かい事柄をひとつひとつ、家の在り様を確認することで見つけ出し、ぼくを叱ったものだ。

ドメスティックな追跡可能性《トレーサビリティ》だ、とぼくは思い、かつて自分のものだったベッドに腰掛けて笑った。

母親の世界だ、とぼくは思う。

誰かが消えてしまわないように見つめ続ける母親の、複数の瞳。

どこかの時点で、ぼくはそれに息苦しさを感じたのだ。だから軍隊に入ったし、特殊部隊に志願した。お望みどおりだ、クラヴィス・シェパード。危険はたっぷりだし、屍体もうんざりするほど見れただろ。それでいてまだ自分は死んじゃいない。自殺ではあるけれど戦友だってちゃあんと失った。完璧な現実体験じゃないか。それ以上なにを望むっていうんだ。

ぼくはそこで考えるのをやめる。それ以上考えるのが恐ろしかったのだ。

キッチンに入ると、そこもまたきれいに片付いていて、恐ろしいことに冷蔵庫にはメモもマグネットもなにひとつない。

母さんは写真が嫌いだった。居間には写真立てひとつなかったし、今になって気がついたのだが、ぼくは父さんの写真を一度も見たことがなかった。この家には父さんの写真も、ぼくの写真も、それどころか母さん自身の写真すら一枚だってなかった。

母さんのウェブスペースにあるのだろうか。ログインすれば、そこには父さんも母さんもぼくもきちんと存在していて、保管されていて、アクセシブルな状態になっているのだろうか。

子供の頃のままの壁紙。黄ばんではいるが、きれいに手入れされている。指先でこつこつ叩くと、アクセスポートが手許に滑りこんでくる。母さんのアカウントを呼び出してみるが、あたりまえのこととして認証を要求された。

ここに母さんの人生は記録されているだろうか。ライフグラフを呼び出して、母さんの伝記を編集するよう指示すれば、いま、母さんがぼくにどうしてほしいのかわかるような、そんな物語を紡ぎだしてくれるだろうか。

そこでぼくは、記録ばかり捜し求めている自分に気がつく。

ログ。ライフグラフ。そんな外部記録なんかより、自分のなかの母さんはどうしてほしいと思っているのだろう。そしてぼくは気がついた。ぼくが母さんの望みを探ろうとこの家に帰ってきたのは、逃避にすぎない。だってぼくには、母さんならどうしただろう、ということがまったく想像できなかったから。

ぼくらは作戦に際して、標的の心理チャートを読みこむ。NSAや国家テロ対策センターがよこしたさまざまなログを読みこんで、これから殺す相手の行動パターンを予測する。それなのに、いま、ぼくは母さんの望んでいることがまったく想像できなかった。

たとえログにアクセスできたとしても、編集されていない生のデータなど、とうてい扱いきれるもんじゃないし、そこからソフトウェアが物語った母さんの人生など、どれほど役に立つというのだろう。なのに、ぼくは記録が欲しくてたまらなかった。自分の想像に根拠が欲しかったからじゃない。自分が想像すらできていないことを認めるのが怖かったからだ。

ぼくはすっかり怯えきって、ソファに腰を下ろした。

ぼくは母さんを愛していた。それは間違いない。

恐ろしかった。自分が母を嫌っているのではないか、という可能性が。女手ひとつで自分をここまで育て上げてくれた母を、自分が心のどこかで疎ましく思っているという、そのかすかな可能性が。

家の中を動き回るぼくを、部屋の向こうから、キッチンから、たえず見つめ続ける母の視線。階段を下りるとき、食事を終えて自分の部屋に戻るとき、ぼくの肩や背中にまとわりつく一対の瞳。

ぼくはたえず母に見つめられ続けていた。絶え間なく。

子供の頃の感覚がよみがえってきた。廊下にいるとき、キッチンにいるとき、トイレにいるとき、バスルームにいるとき、母の視線がどこを通ってくるのかを。この隙間を、この角をこの角度で。ぼくは家に張り巡らされた視線の矢印を思い浮かべることができた。母は過保護ではなかったし、どちらかといえばぼくは放任されて育ったほうだ。いろいろ無茶なことだって、普通の子供並みにはしたと思う。ただ、他の子供らと少しばかり違うのは、ぼくはどんなときにも、母の視線をどこか後頭部の漠然とした領域に感じていたことだ。

家。父親が消えた家。

母親の視線の家。

見つめられることの安堵は、息苦しさの表側にすぎない。
ここにいるのは、ここに泊まるのは耐えられないと思った。

ぼくはその日のうちに、モーテルを探し出してチェックインすることにした。医者には、母は遺書を用意するような人ではありませんでした、と伝えた。すると医者はこうぼくに告げた。

「終末医療に関する意志が不明であり、宗教をお持ちでない以上、お母様の治療を継続するか否か――はあなたに決めていただくしかありませんね」

ぼくは昼間、病院で母に付き添いながら、その顔をたえず見つめつづけ、そこから答をひねり出そうと静かに苦闘した。母さんならどうしただろう。母さんならどうしてくれと自分に望むだろう。

母は苦しんでいるのですか、とぼくが訊くと、苦痛を受けとる主体――「わたし」の存在が問題なのです、と医者は答え、さらに言葉を継いだ。いったい、どこからが「わたし」なんでしょうね、と。

いったいどれだけの脳の部位、どれだけの人格や意識を構成する機能モジュールが残存していれば、「わたし」と呼ぶに充分なのでしょうか。お母様の現在の脳の状態を、われわれは経験することができません。そこに「わたし」が残っていて、神経から流れこむ質感としての苦痛を受け取っているのかどうか、「苦痛として」受け取れているのかどうか、わたしにはわかりません。そう医者は正直すぎる言葉を告げた。

だれか、決めてくれてないんですか、とぼくは言った。正直に言うと、涙声だったと思う。ぼくは怖かった。そんな灰色の領域を放置しておいて、いまごろぼくに決断を押しつけるだなんて、医学はいったいなにをやっていたんだ、と思った。

もちろんそれは医学の責任ではなかった。たぶんそれは、哲学の仕事のはずだ。けれど、腹の立つことに哲学にとってテクノロジーは重要な要素ではなかった。テクノロジーが人間をここまで分解してしまっているのに、哲学はいまだ知らんぷりをきめこむばかりだった。

ぼくは決めたくなかった。いままで多くの人間の生死を決めておきながら、ずいぶんと身勝手な話なのはわかっていたが、それでも実際に愛する人間の生き死にを決めてくれと言われれば、うろたえるしかない。脳死、という言葉で白黒がついた時代はまだ、幸せだった。生と死のあいだに、これだけ曖昧な領域が広がっていることなど、誰も教えてはくれなかった。

モーテルに帰って、ぼくは泣き続けた。灰色の領域を増やし続けてそれを省みない世界に泣いた。恐怖。自分が決めなければならないという、その残酷さと恐ろしさ。あまりに泣きすぎて吐き気がしてきた。ぼくはベッドに突っ伏したまま泣き続け、ときおりトイレに駆けこんで、からっぽの胃からなにかひねり出そうと嘔吐の真似事をした。唾液が唇の端から糸をひいて垂れていっただけだった。

そしてその夜が明けたころ、ぼくはどうするか決めた。

問いがどれほど複雑であっても、つまるところ、二択でしかない。

治療中止の同意書は、ろくに読みもしなかった。

ぼくは要求された認証を行い、母さんの延命措置を停止した。お気持ちはお察しいたします、よろしければ当院契約のカウンセラーをご紹介いたしましょうか、と医者は言った。いまのご時勢、なにがあってもカウンセリングだ。夫婦の危機にも、作戦前にも、肉親の死にも。

結構です、とぼくはその申し出を丁重に断った。

要するに、疲れたのだ。

そう思ったのは葬儀のときだった。母さんのことでいろいろ思いあぐねることに疲れ果ててしまったのだ。だから自分はどうするかを決められた。疲れ果てなければ、いまになっても病院であれこれ思いあぐねていたかもしれない。

自分は母さんのことを考えて治療を中止したのだと、あのときは思っていた。デバイスに拇印《ぼいん》を圧《お》しつけたあのときは。こんな中途半端な状態に母さんは置かれたくないはずだ。生きているか、死んでいるか、はっきりさせてほしかったはずだ、と。そして、生きていれば苦痛を感じていたはずだ、と。

けれど、医者も言ったように苦痛を感じているかどうかを、ぼくらは知りようがなかった。苦痛を受け取ることができているのかどうかもわからない、希薄な「わたし」へと母は追いやられていたからだ。

そして、あの「気圧」だ。久しぶりに生まれ育った家を歩きまわったとき、かすかに感じた母の視線への息苦しさだ。

ほんとうに母のためを思って、この決断に至ったのか。葬儀が終わる頃には、ぼくのなかのどこを探しても、その愛しい根拠はまったく残されていなかった。

恐ろしいことに、自分は母を殺したのではないかという思いが、その頃からぼくの意識にとり憑きはじめた。

5

軍や任務まわりを抜いたヴァージョンの、この話をするあいだ、ぼくは四ロビールを含んだように思う。ルツィアはたぶん、一口もつけなかった。

「……あなたは正しいことをしたんだと思うわ。それについて悩むべきじゃないし、わたしみたいに罪として背負いこむべきじゃないと思う」

喉まで出掛かって、かろうじて職業倫理が止めているものが大きく膨れ上がっている。ぼくはそれで今にも窒息しそうだった。それを一部だけリリースしたのは間違いだった。そこに括られた他の幾つもの罪がぼくのなかで膨れ上がって、今にも吐き出してしまいそうだったが、職業意識が、プロフェッショナルとしての冷静な部分がしっかりと生きていて、それをかろうじて押しとどめている。

ぼくは母親を殺しました。

ぼくは元准将を殺しました。

ぼくは巡回していたパトロール兵を殺しました。

ぼくは虐殺されている人々を見殺しにしました。

ぼくを赦さないでくれ、ルツィア。ぼくはきみに話していない山ほどの罪を抱えている。きみが想像できないほどの人を殺してきたし、これから殺すのはきみの元恋人だ。だからぼくを赦さないでくれ。きみに赦されたら、ぼくは本当にどうしようもなくなってしまう。

「……そう言ってもらえると、うれしいよ」

かきむしられる心に麻酔をして、ぼくはきみにそのように答えることができるし、実際にそうする。ぼくはそうやって虐殺される子供を見殺しにしてきたし、銃口を向けてくる子供を殺してきたし、少女の後頭部に咲いた赤い花も、少年の腹からあふれ出た腸のぬらぬらした輝きも、心を素通りさせることができたのだから。

「あなたは、自分が傷つくのを知っていた。お母さんの延命治療を終える決断をして、自分が傷つけられるのを知っていた。それでもあなたは、お母さんのためにそれを決断した。罪なんかじゃない。お母さんの幸せのためにしたことだわ」

「そうなのかな」

「人間は地獄に堕ちるようにはできていない。わたしたち大半の人間は良き行いをするために生まれているの」

「ルツィア、きみは無宗教なんじゃなかったっけ」

話が抹香《まっこう》臭くなってきたように思えて、ぼくは思わずそう訊いてしまう。

「これは信仰の話じゃないの。わたしが言っているのは生物の進化の話」

「進化……」

「人間の基本仕様は、地獄モードなんかじゃない。いいえ、人間だけじゃないわ。生物の複雑性は、必然的に利他行為をとる傾向にあるの」

「ダーウィンの進化論は、適応と淘汰だよ。生き残りの戦略だ。生き残りが最大目標だとすると、自分を守ることが自然状態になるだろ」

「いいえ、昆虫の群れを考えてちょうだい。個のレベルを超えて、群れに貢献する昆虫は枚挙に暇《いとま》がないわ。巣を守るために毒針を一刺ししたあと死んでしまう蜂は、自分の生存を放棄して、群れあるいは種全体の保存のために行動しているもの」

「でも、それは遺伝子のプログラムによる、本能的行動だよ」

ぼくは反論する。それじゃ、ロボットとまったく変わりないじゃないか。ぼくはロボットのように母の死を決断したわけじゃない。自分の意思で、母を殺すと決断したのだから。

「人間の良心が、そのような遺伝的産物であってどうしていけないの」

逆にルツィアがそう訊いてきたので、

「だって、人のことをまったく考えていない悪党の存在が、それじゃまったく説明できないじゃないか。貧しい国と豊かな国じゃ、モラルの観念は明らかに違う。良心は社会的産物だよ」

「良心のディ、テ、ー、ル、は、ね。でも、良心そのものは、それと領域を接する宗教という存在も含めて、生物の進化の過程から生まれたものよ」

「進化論と、利他行為は両立するとでも……」

「ゲーム理論の実験で、どんどん複雑化していくあるシミュレーションがあるの。初期の単純な状態では、確かに個々は純粋に自分のためだけにしか動かない。他の個体を蹴落として、自分のいいほうにいいほうに持っていこうとするわ。こうした初期状態では、確かに裏切りや暴力的な収奪は個体の基本仕様よ。けれど、シミュレーションの個体が世代を重ね、そのディテールが複雑化——つまり、より現実に近くなるにつれ、そんな目先の利益を考えるよりは、集団を形成して行動したほうが、ずっと安定性を得られることがわかってくる」

「そうなのかな」

「かつて裏切っていた個体は、初期の単純な状態では確かに大きな利益をあげるけれども、安定を求めて集合した集団の増加につれ、圧倒的に分が悪くなる。だって、裏切る個体は他の裏切る個体と集合を形成したところで、結局はその内部で裏切ることになる。本質的に安定した集合を形成できないの」

「生物が群れるのは、良心の萌芽だということかな」

「弱い生物が厳しい世界で生存に適応するためには、安定した集合を築くことが重要だったのね。他の個体を利するというのは、純粋に生物的な根拠のあることだし、進化の適応なのだったら、遺伝子に刻まれていても、生まれたときから脳の機能として内在していても、ぜんぜん不思議じゃないわ」

「きみは、ぼくが母を殺すことにした辛い決断は、ぼくの魂とはなんの関係もない、遺伝子のせい、脳のデフォルト機能のしたことだ、っていうのかい」

「そうじゃないの」ルツィアはかぶりを振り、「遺伝子とか生物的に規定されているとか言うと、そう考えたがる人がいるのはわかるけど。でもあなたは特定の信仰を持っていない、そうじゃなかったかしら」

「まあ、そうだけど」

「ならどうして、魂とかいう形而上的なことばを持ち出すのかしら」

ぼくはそれについて考える。魂がある、と考えることにどんな意味があるのかを。魂がある、肉体を離れた人間の崇高な中枢がある、と考えたほうが、ぼくが見殺しにしてきた多くの子供たちや、手にかけてきた多くの独裁者やごろつき、そうしたものの命を奪ったという罪を軽減できる——そうした魂がしかるべき生を営むことのできる、天国とか地獄とかいうオルタナティヴな世界を想定すれば。

なんだ、宗教の最低の利用法じゃないか。ぼくはぜんぜん無神論者なんかじゃない。そのことに、いま気がついた。

ぼくは逃げたがっていただけだ。アレックスはたぶん、逃げなかった。あるいは逃げられなかった。ぼくと違って、宗教に真剣に向かい合っていたのだ。アレックスは宗教を利用しなかった。

だからアレックスは自殺した。ぼくはそのことが、いまわかった。

「進化が良心を生み出したの。わたしたちの文化も。親から子へ、人から人へ伝えられる情報の流れ。ミーム、ってことば、知ってるでしょ」

「ミームって文化の領域だろ。さっき、良心は生物的な進化の産物だって言ってたじゃないか」

「良心それ自体はね。良心のディテールは社会的産物よ。ミームとして世代から世代に伝えられ、あるディテールは淘汰され、あるディテールは生き残る。それが文化ということよ」

「じゃあ、ぼくらはミームに支配されている、っていうこと……」

「いいえ、違うわ。遺伝子とかミームとか言うと、それに支配されている、って方向に人は考えがちだけれど。ミームというのは、わたしたちを規定するものではないわ。ミームのほうが、わたしたちの思考に寄生しているんだもの。わたしたちが考え、決断する、そのこと自体にミームは乗って、人から人へ伝達していく。ミームも遺伝子も、自分が犯した罪の免罪符にはならないの。わたしたちが遺伝的に規定され、ミームに影響されて思考するとしても、良心も罪も、それらの責任にはできない」

「でも、ぼくのなかに女性を強姦してしまう遺伝子があったとして、きみをめちゃくちゃにしてしまったら、それは遺伝子のせいじゃないのかい。ぼくが子供のころ虐待を受けて、その結果、愛情や利他行為というものの価値をじゅうぶん認識できなくなって、シリアル・キラーになってしまった場合、それは育った環境のせいじゃないのかい」

「それは違うわ。人は、選択することができるもの。過去とか、遺伝子とか、どんな先行条件があったとしても。人が自由だというのは、みずから選んで自由を捨てることができるからなの。自分のために、誰かのために、してはいけないこと、しなければならないことを選べるからなのよ」

ぼくはルツィアの顔を見つめた。どういうわけか、ものすごく救われたという思いにとらわれた。自分がしてきたことが肯定されたわけじゃない。自分がしてきたことの罪が消えたわけじゃない。

ただ、自分がそれらを選んできたということを、誰かに罪を背負わされたのじゃなく、自ら罪を背負うことを選んだのだ、ということを、ルツィアが教えてくれたからだった。

「ありがとう」

ぼくは言った。ルツィアは黙ってそれを受け止めてくれる。


認証がこれだけ街のあちこちにあり、通過地点が逐一記録されるようになっていても、そうしたリスクを考えない自殺的、無計画的、突発的な犯罪は一向に減る傾向がない。情報管理社会は計画的犯罪に対する抑止力にはなっても、そうしたある種、追い詰められた者の犯罪を予防する力はまったくない。そういうわけで、女性を無事家に送り届けるという慣習もまた、すたれることはなかった。

ぼくらは地下鉄と市電を使った。ビール数杯だったので、アルコールの影響はほとんどないと言っていい。だから、ルツィアの家の最寄駅で市電を降りたとき、監視の目があるのが瞬時に感じられた。

どうすべきだろうか。単なる尾行ならば、ルツィアを部屋に送り届けたあとで追っ手を撒けば済むことだ。ただ、前回叩きのめした青年の仲間だとしたら、同じことを繰り返すとも思えない。

襲撃、という可能性を一応考慮する。距離のとり方が尾行にしては大胆すぎるくらい近いからだ。ここからルツィアの部屋までは人気の少ない道をたっぷり十五分は歩く。ぼくらの拠点にしてもその真正面のアパートなわけだから、かかる時間は同じだ。ぼくはエマージェンシーの信号をウィリアムズに送信した。これであいつが駆けつけてくれれば、なんとかなるかもしれない。

ぼくはルツィアの手を引いて早足で歩き出した。

予想が的中し、尾行者はぼくらに合わせて追いついてくる。素人だってこんなバレバレのリアクションはしない。ぼくは覚悟を決めた。ここからルツィアの家までの間のどこかで、ぼくらは襲撃されることになる。

人数は不明だったが、前回の失敗を糧にしているのなら、まさか背後についてくる尾行者ひとりということはない。

分が悪いな、とぼくは思った。いざとなったら銃を抜くしかないが、その瞬間、ルツィアに対するぼくの偽装は無駄になってしまう。銃を振り回す広告代理店のエージェントが、他にルツィアの知人にいるのならば別だけれど。

分が悪いというのは、この状況がぼくに銃を抜かせるタイミングについて誤判断をもたらさないか、ということだ。ぼくにとって銃は最終手段だったが、向こうが最初からやる気満々だった場合、それだけでぼくは一歩、敵方に遅れをとっていることになる。

「どうしたの、ちょっと速いよ」

ルツィアが不満を漏らす。ぼくは構わずその腕を引っ張って歩き続けた。通行人が通りかかる幸運を願いながら。

前方にひとり、男が現れた。あの日尾行してきたメンバーのひとり。ぼくは立ち止まらず、その男に向かってひたすら前進を続ける。同時に、後方の尾行者がダッシュしはじめた。

後方の男は走り始めるタイミングを誤った。

ぼくは前方を塞ぐ男に先に接触し、男が懐から抜こうとした銃のスライドをしっかりとつかんだ。銃の作動部を封じられて、男は引き金が引けずにうろたえる。ぼくはそのまま銃ごと男の手をひねって、引き金にかかっていた指をトリガーに絡めてへし折った。

痛っ、と言い、男は石畳にくずおれる。ぼくは男から奪った銃を後方の男に向け、引き金を引いた。

驚くべきことに、それはＩＤ登録された銃だった。

銃把《グリップ》がぼくの掌紋を拒否して、銃のセーフティをロックする。襲撃者であるにもかかわらず、その銃は正規に登録されたものだった。となるとやはり、いずこかの諜報機関だろうか。

ぼくは歯噛みして、銃を関係ない方向に放る。

ここまでがほぼ一瞬の出来事で、ルツィアはまだその場に立ち尽くしていた。

ぼくはざっと周囲を見渡したが、後方の男以外に人影は見当たらなかった。とはいえ、襲撃者が二人では少なすぎる。どこかから不意打ちを仕掛けてくると見るべきだろう。

いまのところ、ぼくは銃を抜かずに済ますことができている。この戦闘の技芸《アート》については、あとで釈明する必要があるだろうが、軍にいたことがあるとか適当に言ってごまかせるだろう。後方の男とコンタクトするまでに、ぼくにはそんなことを考える余裕すらあった。

その余裕が、唐突に終わりを迎える。

炎。

人差し指中指薬指小指親指。

電撃。

唐突な衝撃で意識が飛びかける。

両の手の指先が、足の指先が、瞳が、内臓のいたるところが、信じられないような痛みを主張し始める。末梢のあらゆる場所が、一斉に発狂しようと決めたかのようで、ぼくはその信じられない苦痛に気を失いそうになる。

「どうしたの、ビショップさん。チャールズ、ねえ、どうしたの」

身体が内側から燃え上がったら、こんな感じだろうか。

ルツィアが恐慌をきたしそうな表情でぼくの肩に触れる。気がつけば、後方から来ていた尾行者はもう、走ってはいなかった。携帯端末《モブ》をこちらに向けて、ゆっくりと歩いてくる。

逃げるんだ。ぼくは末端のすさまじい苦痛のなかで、ようやく声を絞り出した。逃げろルツィア。男の歩みは止まることなく、ぼくはようやくそれが、暴行を加えたあの若者だということに気がつく。

苦痛のせいで、ルツィアがぼくを置いて逃げ出す決断をするまでの時間が、ひどく長すぎ、じれったいもののように思えた。足先が石畳に触れているのも辛くなってきて、ぼくはごろりとプラハの歴史の層に横になる。

声にならない叫びを発しながら、ぼくは完全に敗北しつつあった。

「逃げる必要はないよ、ルツィア」

声が聴こえる。ぼくは苦痛に燃え上がる十本の指を花弁のように大きく広げながら、薄れゆく意識のなかでかろうじてその声の主を見ることができた。

作戦前に幾度も、書類のなかで見た顔。

この数年間、ぼくらの追跡を逃れてきた男。

ジョン・ポールを前にして、ルツィアは凍りついたように立ちすくんでいた。

6

目蓋をひらくより先に、頬に感じる石の冷たさを意識した。

あの燃え上がるような痛みを探したが、体のどこにも見当たらない。ぼくはゆっくりと目を開けて、あれほど痛んだ自分の指先をじっと見つめた。赤くもなく、白くもなく、いつもと変わらないぼくの指だ。

両手首はテーピングで留められていた。おそるおそる、指を床面に押しつけてみる。痛みはなかった。掌をついて起き上がる。四方がチェス模様のタイルパターンで覆われた、薄暗い部屋だ。

「きみが誰かは知らないが、おそらくはわたしを殺しにきた人間だろう」

背後の声に振り返る。鉄格子が嵌《は》められた小さな窓から差しこむ月光を背景に、影になった顔が語りかける。

ジョン・ポール。

虐殺の王《ロード・オブ・ジェノサイド》。

「アメリカ政府は、わたしのいた国に暗殺部隊を送りこんでいるようだ。親しくしてきた将軍や軍人、有力者たちが『誰かに』暗殺されたという報は、時々聞こえてきたよ」

「それは怖かっただろうな。殺し屋の足音が近づいてくるというのは」

ぼくの冷やかしにジョン・ポールは肩をすくめただけだった。

「あるときルツィアの家に戻ろうとしたら、素人臭い諜報員が張りついているのがすぐにわかった。そのあとしばらく監視していたら、今度はきみが現れた。軍人なのは明らかだったから、厄介なことになったな、と思ったよ」

「なぜ軍人だと思った」

ぼくはジョン・ポールを睨みつける。この男はもともと言語学者で、その後はPR会社のエージェントだった。そんな素人が、軍人とCIAの違いを判別し、プロフェッショナル顔をしているというのが気に入らない。

「きみも知っていると思うが、わたしはここ数年を紛争地帯で過ごしてきた。長い時間だ。アメリカはおろか国連軍すらも介入していない、どこもそんな場所ばかりだったが、ときには民間軍事会社《PMF》の傭兵たちが、戦術指導に来ていることもあった。現地の民兵を『使える』練度まで鍛え上げて、正しく戦争できるような作戦を教えるためにね。彼らは大半が特殊部隊出身だろう――よりよいペイを求めて軍を辞めた。そんな彼らを見ているうちに、わたしは軍人独特の歩き方があることに気がついたんだよ。雑多な要素のなかに潜むパターンを見つけるのが、学者だったときの、わたしの研究だったからね」

ぼくは手首を拘束されたまま、床に座りこんでジョン・ポールと正対する。まるで、イエスの教えを受ける使徒のように。

「お前は国防総省の資金を得て、言語の研究をしていた。言語のなかにパターンを見つける研究を。だが一体なぜ、そんなものに国防高等研究計画局《DARPA》が金を出したんだ……。たかがことばの学問が、どうして防衛機密に指定されなければならないんだ……」

「わたしが何をしていたか、上官やワシントンの役人から教えられていないのかね。まあ、彼ららしい」

ぼくの顔には月明かりが当たって、ジョン・ポールから見ると白く輝いていることだろう。元学者は口許に手を当てて、慎重に話しはじめた。

「最初は防衛関係からの予算などなかった。純粋な学術的研究だったよ。わたしの研究は、オープンソースの資料をあたることだった——ナチスドイツの公文書、ラジオ放送、雑誌、小説、新聞、軍事通信、作戦指令書。戦争が始まる前からのファシスト政権下での、ありとあらゆるテキスト資料のデータを入手し、デジタル化されていないものは人手を使ってデータに写し、文法解析にかけた」

ナチスドイツの話し方研究——ファシスト社会にデビューするあなたにおくる、恥ずかしくない国家社会主義者の喋り方講座。聞いているぶんには、ほんとうに歴史と言語の領域であって、国防の絡む余地はない。

「その研究結果を、わたしは論文にして発表した。するとしばらくして、MITの予算委員会から呼び出しがあった。お前さんの研究に国防総省が補助を出してくれるそうだ、と委員長に言われたよ。ついては、国防総省に行って、研究をプレゼンして来い、と。予算がついて、研究は機密指定されてしまったが、予算補助以外の恩恵が膨大だったから、わたしはそれをしぶしぶ受け入れた。CIAの機密文書や、NSAが傍受していた海外のトラフィック記録も、ぜんぶ閲覧できるようになった。クメール・ルージュのポル・ポトの無線通信から、ルワンダのラジオ放送まで。国防総省が便宜を図ってくれたから、ロシアの公文書館でカチンの森の虐殺に関する資料すら見ることができた。しかし、やはりNSAやCIAの、生のトラフィック傍受を研究対象として扱うことができたのが、なにより大きかった」

「そこで、あんたはなにを見つけたんだ」

「虐殺には、文法があるということだ」

ぼくにはその意味がわからなかった。

ジョン・ポールもそれを察して説明を続け、

「どの国の、どんな政治状況の、どんな構造の言語であれ、虐殺には共通する深層文法があるということが、そのデータから浮かび上がってきたんだよ。虐殺が起こる少し前から、新聞の記事に、ラジオやテレビの放送に、出版される小説に、そのパターンはちらつきはじめる。言語の違いによらない深層の文法だから、そのことばを享受するきみたち自身にはそれが見えない。言語学者でないかぎりは」

虐殺の文法。

それが語られるということは、その国でやがて起きる大量殺戮の予兆。

「言語は学習するものだ。人間が生まれてから脳細胞が獲得してゆく、後天的な学習の産物だ。それがぼくらひとりひとりの魂を左右するなんて、ありえない」

「いまだにそんな『白紙の石板《ブランク・スレート》』のたわごとを信じている人間がいるとは、思わなかったよ。まさか子供が自閉症になるのは、愛情の欠落した育て方の結果だ、などと思っていないだろうね」

「違うのか」

「人間がどんな性格になるか、どんな障害を負うか、どんな政治的傾向を持つか。それは遺伝子によってほぼ決定されている。そこに環境が加えられる変化となると、ごくわずかだ。すべてを環境に還元して、人間の本質的な平等を謳う連中はいる。わたしだって、人間は平等だと思うし、平等な社会を築くこと、遺伝子の命令を超えた『文明』をもつことができるのが、人間という存在であると信じている。だがわたしたちの可能性やそれにともなう責務と、結果を説明するための科学を混同してはいけない。すでに起こってしまったことに対する原因はあるし、それに対する生物学的、脳化学的な説明もあるのだよ。きみはまず、自分が遺伝コードによって生成された肉の塊であることを認めなければならない。心臓や腸や腎臓がそうあるべき形に造られているというのに、心がそのコードから特権的に自由であることなどありえないのだよ」

心は進化の産物だ、というルツィアの言葉が思い出された。

あの話はジョン・ポールからの受け売りだったのだろうか。

そう思うと、なにとは言えない悔しさが、腹の底からこみ上げてきた。

「でも、子供が使う言語は、周囲の人間が使っていることばだ。赤ん坊はエスペラント語を脳に刻まれて生まれてくるわけじゃない。それこそ、言語が後天的な学習の結果だということじゃないのか」

「かつて奴隷労働が合法だった時代、農園主は奴隷の使うことばなんぞはまるで気にもかけなかった。アフリカの様々な場所から誘拐されてきた、言語も習慣も異なる別々の部族の黒人奴隷たちは、最初たがいに話が通じないまま働かされるはめになる。しかし、そうした状態も長くは続かず、やがて奴隷たちは、主人の言語――つまり英語を聞き取って、片言で話すようになった。あとから手探りで学んだ言語だから、オリジナルに比べて文法的にはめちゃくちゃだし、規則性も固定していて、語順を入れ替えたりといった文学的技巧を凝らして自由に話すことはできない。その第一世代の言語はピジン英語と呼ばれる」

そこでジョン・ポールは一息ついて、

「そうした奴隷たちの子供が、そのピジンを母語として育ち、同じくピジンを母語として育ったほかの子供と接したとき、硬直したピジンのことばにはない、より生き生きとした、自然な言語らしい文法が生まれた。親が用いていなかったはずの文法を、子供たちが発明したのだよ。それは英語を基本にしてはいるが、オリジナルを直接聴きながら成長した者たちのことばではない。英語をいわば、見様見真似で喋っていた者たちの、ぎこちない会話を聴きながら育った世代が、新しく生み出したことばだ。それが混成語《クレオール》だよ。子供たちは明らかに、親の言語が持っていなかった複雑な文法を獲得していた。

それは脳がその内部にあらかじめ、手持ちの要素を組み合わせて文を生成するしくみを持っていたからに他ならない」

「その生得的な文生成機能が、深層文法だということか」

「遺伝子に刻まれた脳の機能だ。言語を生み出す器官だよ」

脳のなかにあらかじめ備わった、言語を生み出す器官。

その器官が発する、虐殺の予兆。

「脳に刻まれた言語フォーマットのなかに、混沌を示す文法が隠されているのだとしたら、政治的、民族的に不安定な地域のトラフィックを分析することで、残虐行為の発生を予測できる。国防高等研究計画局《DARPA》はそう考えたんだな」

ジョン・ポールはうなずいた。

「研究を進めるうちわたしには、人間がやりとりすることばの内に潜む、暴力の兆候が具体的に見えるようになったのだよ。もちろんそれは、個人個人の会話のレベルで見えてくるものではない。虐殺された側であるはずの、ナチス政権下のユダヤ人たちの会話のなかにも、この構造はちらついているからね。地域全体の表示頻度でないとわからない。ただし、この文法による言葉を長く聴き続けた人間の脳には、ある種の変化が発生する。とある価値判断に関わる脳の機能部位の活動が抑制されるのだ。それが、いわゆる『良心』と呼ばれるものの方向づけを捻じ曲げる。ある特定の傾向へと」

ここまできて、ぼくはもうこの話の先にある、おぞましい可能性がはっきりと見えている。ジョン・ポールがその先にどんな思考の転換を行い、どんな結論に達したのかを。ジョン・ポールはいつ、そのエウレカを得たのだろう。妻子を失ったときだろうか。ルツィアとともにサラエボの第一報を、繰り返し再生しているときだったのだろうか。ややあって、ぼくはその結論をおそるおそる口にした。

「……卵が先か、鶏が先か」

ジョン・ポールは微笑み、

「そういうことだ」

虐殺の起こった地域では、予兆としてその深層文法が語られる。では逆に、争いの予兆のない場所で、その文法で会話する機会が増えたら。人々が虐殺の文法で会話するようになったら、その地域はどうなるだろうか。狂人の発想だ、とぼくは思った。こんなことは冗談では思いつけても、どこかで実験することもできはしない。個体レベルでなく、あくまで地域レベルで社会的に発現するということは、どのくらいの規模の集団からそれが起こりうるのか想像もつかないということだ。

「……あんたは実験したんだ。貧しい国々で」

「PR会社に入ったのは、そのためだ。貧しい国の中枢に食いこんで、その文化宣伝関係に影響力を及ぼす。あとは国営放送や、国家元首演説原稿、各閣僚スピーチ、政府広報の各種原稿にわたしがチェックを入れれば、それでいい。すでにわたしはMITの学徒ではなく、国からの援助も受けていなかったが、それでじゅうぶんだった。実験は成功したよ」

「そんなに都合よく、国家や支配体制の中枢に食いこめるわけがない」

「いつも中枢に食いこむわけではないよ」

　とジョン・ポールは言い、

「SNDGAを使えば、その社会で情報を伝播するにあたり、最大限に効果的なポジションを探ることができるだろ。きみたちだって使っているはずだ」

「SNDGA……」

「知らないのかね。社会網有向グラフ解析《ソーシャル・ネットワーク・ダイレクテッド・グラフ・アナリシス》だよ。きみたちが要人――『第一階《レイヤー・》層《ワン》』とか言うんだったっけな、諜報の世界では――を暗殺して紛争を鎮圧するとき、効果が最大になるような有効標的を選択するときに使うあれさ」

　ぼくらが手にかける「悪の親玉」たち。虐殺を指揮し、カオスを扇動し、その社会にあまねく混沌と不条理をまき散らす連中。ぼくはそう教えられて殺してきたし、ウィリアムズも、アレックスも、リーランドもそうだった。

　そして、ワシントンやフォートミードにいる誰かが、それを考えているのだろうと思っていた。

　ジョン・ポールはそんな、一瞬からっぽになったぼくの表情を見て何かを察したのだろう。

無知な子供に説明するように、しゃがみこんで床に這いずるぼくに視線を合わせた。

「ケビン・ベーコン・ゲーム、知ってるかね。ふた昔ばかり前の俳優だが」

　ぼくは「初体験リッジモンド・ハイ」が好きだった。

「ある俳優が、ある俳優とある映画で共演し、その俳優は別の俳優とある映画で共演し――こうやってつなげていくと、古今東西ほとんどの俳優は三人経由でケビン・ベーコンに到達してしまう。つまり、ネットワークだよ」

「ケビン・ベーコン・ゲームくらい、アメリカ人なら誰でも知ってるだろ」

「それは失礼。グラフ理論という分野がある。そういう点と点を線でつないだネットワークのふるまいを解析する学問だ。テロという、分散型、脱領域型の敵を扱う時代に突入したとき、NSAや国家テロ対策センター、それにもちろん国防高等研究計画局《DARPA》はこの分野に多額の資金を投じてきた。わたしがかつてそうであったような、軍学複合というわけさ。グラフ理論学者たちは、エシュロンで傍受したデータを追跡して、ある地域における人と人が、どうつながり、どう情報をやりとりしているかを観察した。この場合、情報の中身それ自体は重要じゃない。その国にはどういう情報の流れがあるのか、どこから発した情報が拡散しやすいのか、効果的に実行されやすいのか。すべてはネットワーク解析で得られる」

　そしてそれは、ぼくたちが殺す相手を選ぶときに使われているというわけだ。

「なぜそれを知っている」

「虐殺文法の研究で使わせてもらったからさ。点と点をつなぐ線。ノードとエッジ。その線に情報の流れる方向性を示す矢印を付加したグラフが、いわゆる有向グラフだ。SNDGAを利用すれば、その国で効果的に情報を拡散できるポジションを見つけることが可能になる。別に大統領や指揮官になる必要なんかない。実際、ある国ではわたしは神父だったり、NGOの一員だったりしたよ。そのほうが大統領や官僚たちよりも、より虐殺の文法を広めることのできるポジションだったからだ。ま、国や社会によるがね」

この男が実験と形容することばの後ろで、いったいどれだけの骸の山が築かれたのだろうか。人間の脳に宿る虐殺の調べ。

「……信じられない、言葉がそんな無意識を誘導するなんて。サピア・ウォーフは嘘っぱちだ。人間の思考は、言葉に規定されたりなんかしない。そんな機能が進化の必要性から脳に残っているなんて、ありえない」

ぼくの言葉を聴いて、ジョン・ポールは笑った。ぞっとするほど健《すこ》やかな笑い声だった。

「なにが可笑《おか》しい」

「いやいや、ずいぶんと言語にくわしいスパイだな、と思ってね」

ぼくは唇をゆがめて笑みを浮かべた。

「ルツィアから聞いた」

「ふむ、きみたちはずいぶん親しくしていたようだね」

ジョン・ポールはそれを気にする様子でもなく、ぼくは期待したほどの効果を与えられなかったのを残念に思った。このときの自分は、おそろしく卑屈な状態にあったと言っていい。

「きみはこう思うことはないか、言葉になんて意味はない、とね」

ぼくは黙っていた。この男が何を言いたいのか、さっぱりわからなかったからだ。

「好きだの嫌いだの、最初にそう言い出したのは誰なんだろうね。いまわれわれが話しているこのややこしいやり取りにしても、そんなシンプルな感情を、えらく遠まわしに表現しているにすぎないんじゃないか。美味しいとか、不快だとか、そういう原始的な感情を」

ルツィアに長々と語った母親の話を思い出し、ぼくは全身をかきむしる恥の感情に襲われる。あれとて、結局はルツィアに「好きだ」と言っているにすぎなかったのではないだろうか。

「いろいろな国が、部族が、軍事体制化していく時代の資料をながめているとき、わたしの頭にこういう妄想がときどき去来するんだよ。街角に書かれたスローガンには、実は意味なんかないんじゃないか、とね。そうしたスローガンの直線的な『響き』が伝えているのは、憎め、守れ、そんなプリミティヴな感情を伝えるための音楽なんじゃないか、そういう妄想だよ」

「けものの咆哮と、人間の言葉は違う」

「本当にそう思うかね。わたしには自信がない」ジョン・ポールはかぶりを振り、「ゲーテはこう書いた。軍隊の音楽は、まるで拳を開くようにわたしの背筋を伸ばす、とね。われわれが空港やカフェで聴くように、アウシュビッツにもまた、音楽は在《あ》った。目覚めを告げる鐘の音、歩調を合わせる太鼓の響き。どれほど疲れきっていても、どれほど絶望に打ちひしがれていても、タン、タン、と太鼓がリズムを刻めば、ユダヤ人たちの体はなんとなくそう動いてしまう。音は視覚と異なり、魂に直《じか》に触れてくる。音楽は心を強姦する。意味なんてのは、その上で取り澄ましている役に立たない貴族のようなものだ。音は意味をバイパスすることができる」

ぼくらが語る言葉の下に潜むもの。

ぼくらが日常的に言葉から掬い取る「意味」をあざ笑うレイヤー。

ジョン・ポールが語っているのは、そういうことだ。言葉にとって意味がすべてではない、というより、意味などその一部にすぎない。音楽としての言葉、リズムとしての言葉、そこでやり取りされる、ぼくらには明確に意識も把握もしようがない、呪いのような層の存在を語っているのだ。

「……耳にはまぶたがない、と誰かが言っていた。わたしのことばを阻《はば》むことは、だれにもできない」

ぼくは月明かりの影になったジョン・ポールの瞳を見ようとした。窓越しの満月《ルナ》は白く輝いていたが、その瞳に狂《ルナティック》ったところは少しもないことに、ぼくは愕然とする。ジョン・ポールは完璧に正気で、それどころか少し哀しげであるようにすら見えた。

「あんた、狂ってるよ」

ジョン・ポールの正気は百も承知で、それでもなお、ぼくはそう言わずにいられなかった。

7

ジョン・ポールが出ていってから十五分後、ぼくは襲撃者のひとりに背中を小突かれながら、汚い廊下を歩かされた。廊下はいたるところに落書きがしてあって、それらは比較的最近のもののように見える。個人情報追跡で犯罪がすぐにばれてしまうこのご時勢にあっては、もはや消滅した風景だと思っていた。

銃につつかれて、ぼくは廊下の端にある扉をくぐった。そこは結構な広さの空間で、カウンターにはグラスやボトルが並べてある。大きく開けられた床面にはナノレイヤーが被せてあり、どこまで深いのかさっぱり見当もつかない奈落が映し出されていた。

ルーシャスの店だ。

「さっき会ったばかりだね」

奥の事務所からルーシャスとルツィアが、部下らしき男たちとともに現れる。男たちはみな拳銃で武装し、ぼくに向かって乾いた警戒の視線を向けている。

「ルーシャス。ジョン・ポールの協力者だったとは」

ルーシャスは、違うと首を振った。

「ジョンはわれわれのクライアントだ。協力したのはわれわれの身を守るためだよ」

「われわれって、誰のこと……」

ルーシャスの隣でルツィアが困惑している。ルーシャスの、あるいはジョン・ポールの側ではなかったということか。あるいは知らずに協力していたのだろうか。

ルーシャスはすこし言いよどんでから、

「『その頃、天下の人を戸籍に著《つ》かすべき詔令、カイザル・アウグストより出づ。この戸籍登録は、クレニオ、シリヤの総督たりし時に行はれし初《はじめ》のものなり』……知ってるかい」

「いいえ。聖書でしょうけれど」

いまだ状況を把握できぬままルツィアがぼんやりと答えると、ルーシャスはぼくのほうを向いて、

「きみはどうかな」

「……ぼくは無宗教だ。教会に通ったことはない」

「ルカの第二章のド頭だよ。この頃から国民は計数されてたってわけさ」

「どういうことだ」

ぼくは訊く。ルツィアは手首を縛られたぼくのほうを心配そうに見つめている。

「われわれは〈計数されざる者たち〉だ」

ルーシャスはそう言って、銃を持った部下たちを見渡す。

「ぼくら〈計数されざる者たち〉は、この情報管理社会に生きる名なしの群れだ。高度セキ

ュリティ社会の隙間をさすらうジプシーだよ」

「ＩＤを詐称して生きているのか……」

とても信じられなかった。ＩＤを偽造するなんて、軍人か政府関係者でないかぎり不可能だ。情報セキュリティ《インフォセック》会社のサーバへ外部から侵入するなんてありえないし、所属している人間のモラルや失敗を突いたソーシャルハッキングも、従業員に対する厳罰規定と刑事罰によってほぼ消滅している。

「そう、実際不可能だと思うよ、絶望的なことに」ルーシャスは哀しげに首を振る。「とはいえ、他にやりくちがないわけじゃない。まず、非常にローテクな方法がある。センサの設置場所一覧をマッピングするのさ。センサは砂の数ほどあれど、その機能はほとんどがひとつ。網膜だけ、静脈だけ、指紋だけ。ここには脳波、ここには監視カメラ。そうやってセンサのひとつひとつをマッピングして、アメリカやヨーロッパの主要都市の地図をつくる。監視網を抜けるための旅行ガイド《ベデカー》だよ。それをコンピュータで解析すれば、抜け道や『比較的通りやすい道』が見えてくるのさ。センサの種類ごとにだます方法はあるし、ナノレイヤーの指紋とプリントされた別人の網膜があれば、足跡をたどるのはほぼ不可能になる」

そういえば、あの若者は瞳と指が別人のものだった。

しかし、それはつまり、指は指に、瞳は瞳に、それぞれ用意された偽造ＩＤがあるということじゃないか。ぼくがそう言うと、ルーシャスは説明を続ける。

「このＩＤは、ぼくたちが苦労して集めてきたものだ。生まれてすぐに死んだ赤ん坊、海外旅行の行方不明者、紛争地帯で行方不明になったり死亡が確認できなかった民間軍事企業《PMF》の兵士、それになにより、サラエボだ」

　熱核反応で、死体も残らなかった人々。膨大な数の「行方不明者」。生き死にが確認されていない、煉獄をさまよう者たちの名前。

「ぼくらは、そうしたなかから使えそうなものを慎重に選んで、『生きた』IDにした。それをいつでも使えるようにアーカイヴし、政府に行動を把握されないために使っている。もちろん、テロや凶悪な犯罪には協力しないけれど、ぼくらはこのアーカイヴを守るためだったらなんでもやる」

「純粋な自由は存在しない、自由は取引の問題だ、数時間前にそう言ったのはあんたじゃなかったか」

　あのときのルーシャスは、ここまでラディカルなイデオロギーの持ち主にはとうてい見えなかった。

「確かにそのとおりだ。だが、現状はきわめて不均衡な取引状態にあると言わざるを得ない。ぼくたちが供出するプライヴァシーと、見返りとしての安全は、まったく釣り合っていないんだよ」

　ルーシャスはぼくの目の前にやってきて、

「現状の個人情報追跡によるセキュリティは意味がない。九・一一のあと、世界はどんどん個人情報管理によるセキュリティを高めていった。おなじみの『追跡可能性《トレーサビリティ》の確保』だよ。

だけどそうやってセキュリティを高めていけばいくほど、世界の主要都市でのテロは増加していった」

「嘘だ」

「嘘じゃない。だって実際きみだって、サラエボは事実として受け入れなければならない、違うかい。増加については政府の出している公式な統計グラフで確認できる。誰もが知ることができるのに、なぜか誰も知らない事実だよ」

「ならどうして、皆は追跡可能性こそが効果的なテロへの防御手段だと思ってるんだ」

ルーシャスは唇の端をつり上げて、皮肉めいた笑みを浮かべる。

「皆、そう思いたがっているからさ」

そして笑い声をあげる。ひどく歪んだ、悲しい色の嘲笑を。

「政府が嘘を言っているわけじゃない。というより、政府は嘘を言っているし、メディアも嘘を言っているし、最悪なことに民衆も嘘を言っているんだ。お互いがお互いに『追跡可能性《トレーサビリティ》』の嘘を信じあって、現在のこの社会が生まれたんだよ。実際にテロがなくなったのは、世界中で内戦や民族紛争が頻発するようになってからのことだ。セキュリティは関係ないんだよ」

自分が見たいものだけ見る。

自分が信じたいことだけ信じる。

統計的な事実はそこで、まったくの無力だった。政府も、企業も、民衆も、そんなグラフは見たくないから。

「事実、というやつはかくも無力なんだよ。世界には報道されない悲惨な出来事がゴマンとある。たとえばあの人工筋肉、どうやって作られてるか知っているかい」ルーシャスは哀しそうにかぶりを振って、「あれは遺伝子操作された鯨やイルカの筋肉さ。淡水で成長できるように改造された水生哺乳類だよ。彼らはヴィクトリア湖で養殖されて、解体され、その筋肉繊維だけが食用でなく工業用に出荷される。真っ赤なぷるんぷるんした弾力の塊が、バイオスティプラーに箱詰めされているんだ。ヴィクトリア湖の工場で、ひどい低賃金で働かされる少年少女たちの手によってね」

「生きたイルカの筋肉……」

敵地に侵入するにあたってぼくらが収まっていた侵入鞘《イントルード・ポッド》、大陸から大陸へ人々を運ぶ短距離離着陸ジェット。そうしたものすべてが、生々しい、本物の肉に包まれている。セックス・ローションが海草で出来ていることを、どれだけの人が知っているだろうか。

「でもそんなこと誰も知らない。黒く着色されたランプフィッシュの卵がキャビアとして売られていても、誰もとがめないように」

「しかし……そんなことが……」

「雨粒ほどの関心さえあれば、オルタナにつないで、その製品を構成するすべての材料をトレースできる社会に、ぼくらは生きている。情報だろうと物だろうと、すべての商業的事物《オブジェクト》が通過してきた空間《スペース》と時間《タイム》とが記録されている時空《スパイム》社会にね。人はブドヴァイゼルが安全に作られているか気にするし、ハンバーガーのパティがどの牧場のどの牛から作られたのか知りたがる。自分の家の建材が、どの森から切り出されてきた丸太であるか知ることができる。そうした物歴《メタヒストリー》の糸が織り成すのは、事物がたどる循環の果てしない宇宙だ。なのに誰も、自分の好きな物歴しか見ない。自分らの生活を支える飛行機や作業機械の人工筋肉が、どんなに悲惨な場所で生産されているかなんて、知りたくもないというわけだ」

　ルーシャスはふたたび唇の端を捻じ曲げて、皮肉な笑みをつくり、

「あんただったら知ってるだろう。世界中で省みられていない悲惨な内戦がいくつあるか。人が興味を持つのはそのほんの一部だ。人間は、見たいものだけしか見えないようにできているんだ」

　確かにそうだった。ぼくは任務以外にはＣＮＮのクリップ・チャンネルでしか世界を知らない。ぼくはドミノ・ピザの普遍性のなかに暮らしている。映画ストリーミングサービスの、最初の無料プレビュー十五分のリピートのなかに生きている。

「個人情報の追跡可能性がセキュリティをもたらすなんて、大嘘なんだよ。アンフェアな自由のトレードなんだ。ぼくらが誰でもない人間として生活しているのは、そんな社会が嫌いだからだ」

　そう言うと、ルーシャスはぼくの倒れている奈落から離れた。

「ＣＩＡがルツィアの家を張っていることにジョンが気がついた」ルーシャスは溜息をつく。

「ＩＤを借りているカスタマーの義務として、ジョンはぼくらにそれを報告してくれた。き

みがこっちを狙っているかもしれない、と思ったんだ。仲間が手ひどい目にあわされたしね」

部下のひとりがポケットからモブを出して、キーパッドを叩いた。

あの焼けつくような末梢の痛みが、刹那に襲ってきた。ぼくは思わずうめき声をあげ、奈落の上にどっと倒れこむ。

「お願い、やめてっ」

ルツィアが気も狂わんばかりの声で叫んだ。ルーシャスは部下に向かって一瞥をくれる。それはもちろん、ぼくが叩きのめしたあの若造だ。顔面をアザだらけにされた男は、しぶしぶ尻のポケットにモブをしまいこんだ。

「ペインデバイスだ」ルーシャスは説明する。「神経にものすごい刺激を与えるナノマシンだよ。申し訳ないが、さっきのブドヴァイゼルに混ぜさせてもらった。この便利なブツはジョンからもらったんだが、軍で使っているやつで、プリン体みたいに毛細血管に引っかかって溜まるから、指先みたいな末梢系がものすごく痛むんだ」

痛みは嘘のように消えたけれど、その余波がまだぼくの全身を打ちのめしている。ぼくは息をあえがせながらルツィアの顔を見た。泣きじゃくったせいで、アイラインが筋を引いて流れ落ちてしまっている。

彼女を裏切っているぼくのために泣いている。耐えがたい感情の塊に圧倒されかけた。

「運悪く、ルツィアはきみをぼくの店に連れてきた。それでいよいよ疑惑が強まったわけだ。

ぼくが逮捕されるだけならまだいい。真に危険なのは、ライブラリが押収されて、全ヨーロッパで、アメリカで、自由を謳歌して生活している同胞のIDを把握されることだ。それだけはどんな犠牲を払ってでも防がねばならない。だからぼくらはルツィアの家を見張らなくちゃならなくなった」

「わたしを監視していたっていうの……」

「仕方なかった。いま言ったように、同胞の自由を守るためだからね」

「政府や企業の情報管理がなくちゃ生きていけない世界を嫌って、誰でもない人間になった人たちが、その自由のために他人を監視していたの……」

「哀しいジレンマだ」

オーウェルは「動物農場」でこう書いた。すべての動物は平等である、一部の動物はさらに平等である。自由をもつ者が、その自由を守るために人々を監視する。

「スターリンもヒトラーも、ポル・ポトだってそう言っただろうさ。哀しい、必要なジレンマだ、ってね」

ぼくが皮肉を言った瞬間、再び苦痛が末端を暴れさせた。

「やめてくれ、ツヴィ」

ルーシャスが若者に穏やかに命じると、ありがたいことにおとなしく従ってくれた。

「きみはツヴィをそうとう痛めつけたようだからね、当然の報いだと思って我慢してくれ」

「……罪と罰か。自由を守るためにあんたがしてきた罪に対する罰は、いつ下されるんだろうね」

「心外だな。それはお互いさまだろう。きみも同じくルツィアを見張っていたじゃないか」

「え……」

ルツィアは呆然と、ぼくのほうを見つめて動かない。

わかっていたことだ、最後にここへたどり着くことは。まったく、ぼくはなにを期待していたのだろう。

ぼくはあなたのことを知っています、ルツィア・シュクロウプさん。

ぼくはあなたが妻子ある男と付き合っていたことを知っています。

ぼくはあなたとジョン・ポールがどの店で食事したかを知っています。

どのスターバックスでジョン・ポールといっしょにコーヒーを飲んだかを知っています。

ジョン・ポールが買ったコンドームの数を知っています。

ぼくは叫び出したかった。あの若者にモブのボタンを押してもらいたかった。末梢を燃え上がらせる苦痛で、ぼくの感覚をばらばらにしてほしかった。とにかく手近なものならば、どんな苦痛でも構わなかった。

「この男は、ジョンを捕まえるためにきみを監視していたのさ。アメリカ軍の工作員だよ。少々文学的素養のある、工作員かな。少なくともきみの心はしっかりつかんだようだからね」

ぼくはツヴィと呼ばれた若者を見た。苦痛のスイッチを入れてくれ。ぼくをこの床の上でのた打ち回らせてくれ。ぼくが苦しんでいる哀れな姿を、ルツィアに見せてやってくれ。しかし、若者はそんなぼくの心を見透かしているのか、手負いのウサギを見つめる瞳で、フロアのぼくを見下ろしていた。おやおや、お前に苦痛はもったいないよ。そうやって悶絶していればいい。

地獄はここにある。頭のなかに。苦痛すら必要ない。

「店の裏でジョンが待っているよ」

ルーシャスがルツィアの肩を抱き、店の奥を指し示した。

一瞬、そちらに視線を向けたルツィアは再び、うつろな瞳でぼくを見る。戸惑いの視線なのか、軽蔑の視線なのか、すっかり混乱しきって罪悪感に叩きのめされたいまのぼくには、わからない。

永遠とも思える、苦痛に満ちた間があった。ルツィアに見つめられるのは苦痛だった。その視線に射抜かれるのは耐えがたかった。それでもぼくは、ルツィアに行ってほしくなかった。ここに留まっていてほしかった。

きみの元恋人は虐殺魔だ。スターリン以来の人殺しだ。そう真実を告げることだってできたかもしれない。だが、それを口にする資格がぼくにあるとは、とうてい思えなかった。

「ルーシャス、お願い、この人を助けてあげて」

「ぼくは人殺しは嫌いだよ」

その返事を聞くとルツィアは振り返り、店から消えた。遠ざかっていく足音を聴きながら、床にうつぶせになったぼくの内面は悔しさに荒れ狂っている。

扉が閉まり、足音が聴こえなくなってからもずっと、ルーシャスたちは奈落の画像の上に這いつくばるぼくを、虫けらを見るような目で見下ろしている。

誰も口をきこうとはしない。これからせねばならない仕事の重さを、全員が嚙み締めているのだ。自由を守るため。管理しようとする人々の欲望に抵抗するため。そうした理由でぼくはこれから殺されるのだ。

「人殺しは嫌いなんじゃなかったのか」

「ああ、確かに」

ルーシャスは本当に悲しそうな表情をした。たぶんヒトラーも浮かべただろうし、スターリンだってそうしたかもしれない。あの元准将だって、ソマリアのアフメド某だって同じだろう。だから、この男の罪悪感には、なんの価値もなかった。ぼくの、ルツィアに対する罪悪感がなんの価値もないように。

「だから本当に辛いよ」

そのとき、ぼくの目の前を一匹の蛾が飛んでいった。死を前にしたこんな状況で、それは奇妙に幻想的な光景に思える。羽をばたつかせながら、それはぼくの開かれた中指に停まった。

フェロモンを滴らせていた中指に。

ルーシャスが蛾に気づいた。

「追跡犬《トレース・ドッグ》――この」

ぼくは縛られた手で、かろうじて右耳を塞ぐ。左耳は肩を使って蓋をする。口を大きく開け、その瞬間に備えた。

轟音が響き、南側の壁が吹き飛んだ。ものすごい爆圧が部屋のなかを通りすぎていく。壁の破片と砂埃とがフロアにいた全員の視界をほぼ奪い、ルーシャスたちのグループは一瞬で行動不能になった。おそらく鼓膜をやられた者も何人かいるに違いない。かろうじて耳を塞ぎ口を開けることができたこのぼくにしても、キーンという音が耳に貼りついて離れなくなっていた。

殺人屋敷《キリング・ハウス》の訓練において、特殊検索群i分遣隊の隊員は全員、インドアへの突入を叩きこまれる。その際に隊員は、突入係と犯人役、そして犯人に捕らえられた人質の役目をシフトで担当することになる。そうして人質の役目が回ってきたときの経験から言うと、特殊部隊の突入時には絶対に立ち上がったりしないほうがいい。ひたすら床に這いつくばって、仕事が完了するのを待つ。下手に立ち上がったりしたら、敵は言うに及ばず味方に眉間を撃ち抜かれても文句は言えない。多くの特殊部隊員は、正確にヘッドショットを決める技術を身につけているからだ。

だからぼくは、隊員たちがどう展開して、誰を射殺し、誰を確保したのかまるで見ていなかった。この状況で好奇心は死を意味する。

突入そのものは、店が小さいこともあってわずか三分で完了した。飛び散った埃がまだ床に落ちきらないうちに。

「大丈夫か、クラヴィス」

耳慣れた声がする。ぼくは立ち上がって、両手を解放してくれとウィリアムズに頼んだ。

「コンクリのかけらで真っ白けだ。なんだか爺さんみたいな有様だぞ」特殊部隊装備を着こんだウィリアムズはそう言いながら、ぼくの体から埃を落としてくれる。「ルツィアはどうした。彼女はどこだ」

ぼくは壁に大きく開けられた穴から見える、夜のプラハの街並みを見つめた。石と石と石の迷宮。百塔の街。

「わからない。どこかへ行ってしまった」

ぼくはひどく疲れていた。すべてが無感覚になってしまったようで、とにかく痛みが欲しかった。痛みさえあれば、この倦怠感から逃れられるような気がした。ぼくは切実に罰を必要としていた。

しかしウィリアムズはぼくを気遣うばかりで、その優しさはいまのぼくにとって最も必要のないものだった。

第四部

1

紛争地帯。

国家地球空間情報局《ナショナル・ジオスパシアル・インテリジェンス・エージェンシー》の衛星から捉えられた高解像画像の、旧印パ国境地区。

クレーター群。使用弾頭の各威力スケールに対応した、地上に大小さまざまの正円を成す大穴。戦域は大きく、戦術は小さい。まるで地球が大きく泡立ち、はじけた跡のよう。戦域弾頭が大地に穿《うが》った穴には、山岳地帯から豊潤な山水が流入し、核爆発から数年を経て円形の大型湖を形成している。クレーターの周辺は生命すべてが立ち入ることかなわぬ放射能の地獄で、赤茶けた地肌がむき出しになっており、その円周からすこし離れたあたりから、おずおずと緑が萌えはじめ、やがて死の臭いの支配から完全に解放され、大いなるインドのしぶとく生い繁る森林となる。

ズーミング。軌道上の真空で、複数の大口径レンズが相互の距離を調節し、遥か下方の地表を拡大する。一万メートル越しの大気がもつ熱のゆらめきと、レンズ自身の収差が生み出す球状の歪み。各レンズ固有の屈折特性をデータとしてもつ、補償光学ソフトウェアがそれらを矯正すると、ぼやけていた画像が鮮明な像を結びはじめる。

赤緑青《RGB》各チャンネルあたり二十四ビットの色分解能だと、山道に不規則な列を成す緑色のピクセルのかけらが、周囲の樹々の深緑とは異なるグリーンであることが見て取れる。この緑色は戦《いくさ》の緑、軍隊の緑だ。高射砲、装甲車、兵員輸送車、戦車。核のボタンを押した将軍たちが、吊るし首の法廷から逃れて武装集団に逃げこんだとき、手土産に持ちこんだ両手いっぱいの武装の数々。

画像をさらに一ピクセルあたり五センチ、つまり最大解像度まで拡大すると、武装集団の駐屯する村の中央に横たわる個々の死体が顔を持つようになる。死体は焼け焦げて収縮し、胎児のように丸まっている。少なくとも五十体はあるだろう。凝集した死体の塊は衛星画像のストリーミング動画の中でいまだ燻《くすぶ》っている。

あそこで人間たちが殺されていた。ひとつの村丸ごとが、別の人間たちの手によって。


CEP、という言葉がある。幼年兵遭遇交戦可能性《チャイルド・エネミー・エンカウント・ポシビリティ》。

そのままだ。初潮も来ていない女の子と撃ち合いになる可能性だ。

その子の頭を、肋骨の浮き出た満足に乳房もない胸を、小銃弾でずだずだにしなければならない可能性だ。トレーサビリティ、エンカウンタビリティ。サーチャビリティ。ビリティ。ビリティ。ポシビリティ。世界にはむかつく可能性《ポシビリティ》が多すぎる。そして実際、その言葉が使われた場合の可能性は百パーであって、そこではもはや「ビリティ」の意味など消失している。ビリティは詐欺師の言葉だ。ビリティは道化師の言葉だ。

ことばには臭いがない。

映像にも。衛星画像にも。

そのことにぼくはむかつきを覚える。

脂肪が燃え、筋肉が縮みゆくあの臭い。髪の毛のタンパク質が灰になるときに出す臭気。人間の焼けるあの臭い。自分はそれを知っている。馴染み深いとは言わないが、この仕事を長年続けるうちに、幾度となく嗅がざるを得なかった臭気。

火薬の燃える臭い。民兵たちが古いゴムタイヤを狼煙《のろし》に燃やす臭い。

戦場《いくさば》の臭い。

衛星の映像を見ていて、ぼくの胸に湧き起こってくるのは不快感——胸糞悪い。なにが胸糞悪いって、それは映像のグロテスクさではなく、むしろその逆——こうして映像で見ているぶんには、人間の丸焼きだろうと内臓だろうとたっぷりの血だろうと、きれいに脱臭されていて、ぜんぜん胸糞悪くならないから——その胸糞悪くならなさが最高に胸糞悪い。屍体を冷たく見下ろす衛星のレンズ群は、凍りつく真空の星空にあって、地上の臭気とは無縁の、とりすました残酷な神の超越性を真似ている。

かわりに、このフォートブラッグの特殊作戦本部で匂うのは、会議室の建材の匂い。コンクリートや樹脂に染みこんだ補強用塗料の、単分子《モノマー》の真新しい香り。接合剤の化学臭。

「これは航空宇宙軍の偵察衛星が四日前に捉えた映像です」

そう、国家対テロセンターから来た男は説明し、

「新インド政府の提訴を受けたハーグの検察部は、現在インド奥地で活動するヒンドゥー原理主義組織のリーダー八名に対し、逮捕状を出しています。罪状は人道に対する罪、子供を戦闘に動員した罪、そしてジェノサイド罪です」

すべての文民連邦関係者に共通する特徴を、やはりこの男の声も備えている。音声と内容とが奇妙に剝離している感覚――自分自身もはっきりとは理解していないジャーゴンを、綱渡りのようにぎりぎりでリンクさせ、意味を失う寸前で現実に繋ぎとめ、言葉を紡ぎだしている――そんな印象のことだ。単純に軽薄と言ってしまってもいいのかもしれないが、いわゆる流行というものにまつわる軽薄さとは異なる不気味なものが、そこにはある。ジェノサイド罪という言葉も、人道に対する罪という言葉も、どことなくこの男の肉体に馴染んでいない、そういった違和感。マクナマラが語ったベトナム戦争は、きっと軍人たちにはこう聴こえていただろうな、とぼくは思った。

意味の表層を上滑りしてゆくその声で、テロ対策センターの男はフォートブラッグの会議室に集う戦士たちに、作戦の背景を手際よく説明していった。

「ユージーン&クルップスは、国連インド《UNOIND》活動における日本政府の軍事代執行者として、戦後インドの平和への貢献活動を委託されています。米軍がほとんど絡んでいないため、規模で言えば事実上、彼らが現地における最大の軍事執行力ということになりますね」

次の画面が、会議室に集う各員のノートパッドに描き出される。やせっぽちの大人に混じった子供たちが、その小さな体にはいかにも大きすぎるAKを持ち、撮影者に向かって屈託のない笑みを顔いっぱいに貼りつけている。

「ヒンドゥー・インディア共和国暫定陸軍を名乗るこの集団は、核戦争を始めた連中の成れの果てです。戦後、国際社会の介入で成立した正式なインド政府は、特定の宗教を支持しない世俗主義を掲げていますが、他方、片田舎でくすぶっているだけだったこのヒンドゥー・インディアが、数年前から急速に活動を活発化し、辺境の村々を襲っては、モスレムを虐殺し、強姦し、子供を誘拐しては教化して、戦闘員に仕立てあげています」

見ていると、ボードが様々な惨状を列挙しはじめた。処刑のあと、石灰をかぶせられて白くなった村人たちの骸《むくろ》が、一列に並んでいる様子。その石灰は小麦粉のようで、まるでパン粉をつける前のフライドチキンを連想してしまう。焼き払われて炭化した家々と、その間の歩道に投げ出された、全裸の女性数人。ただの映像。臭いも、音もなく、それぞれのデスクにあるノートパッドの表示膜に封じこめられた光でしかない。

「戦後のインドは、正直よくやっていたと思います。ヒンドゥー・インディア共和国暫定陸軍は辺境で細々と活動する宗教カルトの類でしかありませんでしたし、国民の貧困は確かに悲惨なものがありましたが、民主選挙も無事行われ、乳児死亡率も急速に低下しつつありました。それが今年に入ってから、すべてが急速に悪化しました」

「ヒンドゥー・インディアはどういう集団だ」

そうぶっきらぼうに訊いてくるのは、ぼくの後ろに座っているウィリアムズだ。

「ここ一年で、インドの主に貧困層を中心に急速に勢力を拡大した武装勢力です。戦後数年は大人しくしていましたが、戦後介入した国際社会への反発から起こった国体危機《アイデンティティ・クライシス》を埋める存在として、辺境で反政府活動を行っていました。しかし核戦争の惨禍をもたらした原理主義に対して、同情的な国民はほとんどいませんでした」

「それが急速に勢力を拡大した理由は……」ウィリアムズがなおも訊く。「みんな戦争にはウンザリしていたんじゃなかったのか」

「皆、そう思っていました。政治学者や、臨床経済学者はさまざまな仮説を立てていますが、ここにきてヒンドゥー・ナショナリズムが急速に勢力を伸ばした理由を説明できる学者はまだいません。どの仮説も、体《てい》のいいこじつけです」

「戦争が懐かしくなったんだよ、そうに決まってる」ウィリアムズはにやにやして、「少なくとも俺たちは、いつも戦場を恋しがってるぜ。そうだろう、クラヴィス……」

急に話を振られたぼくは、軽いため息で応える。

「仮にそう思っていたにしろ、公衆の面前でそんな卑猥《フィルシー》なことを口に出すなよ」

テロ対策センターの男は、高校の教室じみてきた会議室の雰囲気を元に戻そうと、芝居がかった咳払いをする。皆、笑いを唇に貼りつけたまま、とりあえず静かになった。

「ハーグの検察がやってきて、現地で調査をし、新インド政府の提訴が正当なものだと認められました。ローマ規程に定められた人道に対する罪、子供を兵士に徴発し戦闘に参加させた罪、そして虐殺罪です。ハーグの裁判官はこの凶悪な武装集団の逮捕状を発行しましたが、新インド政府国軍にそれを執行できる武力はありません」

「そこで俺たちにお鉢が回ってきたってわけだな」

ウィリアムズが先回りすると、男はうなずき、

「本作戦は、ハーグの国際刑事裁判所から逮捕状の出ている、ヒンドゥー・インディア共和国暫定陸軍のリーダー及び上級メンバー八人のうち三人を逮捕するというものです。われわれは日本政府の軍事代執行者として、人道に対する罪とジェノサイド罪に問われているこの連中を拘束し、ハーグに連行します。奇妙な話ですが、日本政府の軍事代執行者として、という微妙な立場をとらざるをえない以上、ジュネーブ条約では『傭兵』のカテゴリに類別されてしまうため、敵勢力に捕らえられた場合、条約の下の保護は受けられません。ですから、仮に敵地で捕らえられた場合にも――」

「『当局は一切関知しないから、そのつもりで』だろ、フェルプス君」

やけに楽しそうにウィリアムズが言う。この男は崖っぷちが大好きなのだ。どうしようもない状況をこよなく愛し、追い詰められることに喜びを見出す。ある意味、天性のマゾだと言える。

「わからないのは、ジャップの代理人なんて微妙な立場をどうしてとらにゃいかんのか、ということだ」

リーランドが口を挟んだ。テロ対策センターの男は教師のようにわざとらしい笑みを浮か

べて、

「アメリカが国際刑事裁判所に関する条約を批准していないからです。今回の作戦に関して言えば、国際刑事裁判所《ハーグ》が日本政府に依頼した作戦を、アメリカが『外部業者として』受注するかたちになります」

　ウィリアムズがうめき声をあげた。

「ユージーン＆クルップスとかと、立場的にはいっしょってことかいな」

「それは萎《な》える。ものすごく萎える」

　リーランドが付け加えた。部屋の全員が、同じ気持ちだった。

「俺たちは、パートタイムの戦争屋なんかじゃありませんよ」

　そうウィリアムズが言うと、それまで会議室の一角に黙って座っていたロックウェル大佐が立ち上がり、

「ありがとうミスター・エヴァンズ。ここからはわれわれのブリーフィングになる」

　退出を促されて、エヴァンズと呼ばれた国家対テロセンターの男は怪訝《けげん》な顔をしたが、ロックウェル大佐が放つ軍人特有のオーラに気圧《けお》されて、大人しく部屋を出ていった。

　ここからが本題だ。部屋の全員が沈黙する。秘儀めかしているな、とぼくは思った。部外者のいない、同胞の世界。もちろんあの男が追い出されたのは、知る必要のない機密事項がこれから語られるからこそなのだが、扉が閉まった瞬間、それまでだらしなかった全員が背筋を伸ばすさまは、どことなく秘密結社の秘儀めいていた。これがマチズモとファシズムの

美学だとしたら、それらは魔術やシャーマニズムに近いものなのかもしれない。秘儀を共有する秘密の集団だ。

「これはわれわれが日本政府に依頼して受けた作戦だ。こういう形をとってくれと話をつけたのだ」そう大佐は切り出した。「ジョン・ポールが、逮捕状が発行された連中と同行している可能性がある」

世界がにわかに活気づいたように思えた。

ジョン・ポールが、あのインドのどこかにいる。

ということは、そこにルツィアがいる可能性もあるということだ。

「逮捕状が出て、ユージーン&クルップスの営業はこの逮捕作戦を日本政府にプレゼンしたようだ。まあ、当然だろう。むこうでの軍事作戦を仕切っているのは彼らなのだからな。しかし、ジョン・ポールが一緒にいるところを、E《ユージーン》の字に押さえられてはまずい。ハーグの検察に引き渡されたりしたら、目もあてられん。ジョン・ポールだけはなんとしてもわれわれが逮捕せねばならん」

そこで大佐が、ちらりとぼくに視線を送ったように見えた。この部屋にいる面子《めんつ》のうち、ジョン・ポールが語った虐殺の言葉について知っているのは、大佐とぼくだけだ。なぜジョン・ポールを殺さねばならないのか、あの男がどうやって世界に混沌をまき散らしているのか、それを知っているのは。

国家対テロセンターの男は言っていた——ヒンドゥー・インディアが急速に勢力を伸ばし

た理由は不明だと。しかし、この部屋に限っていえば、大佐とぼくの二人には明白なわけだ。あの男の紡ぐ呪言《じゅごん》。人を虐殺へと誘うハーメルンの笛吹き。

大佐の背後でフレームが凍りつき、画面のそこここでちらつくブロックノイズ越しに、人々の肉体がこんがりと焼けている。

「ジョンくんを国際刑事裁判所に引き渡さないために、この作戦を引き受けた、ってことですか」

リーランドの問いに、大佐は首を振って、

「引き受けた、という言い方は正しくないな。日本政府の裏ルートを通じ、ユージーン＆クルップスの売りこみを蹴って、われわれにこの作戦を任すよう依頼したのだ」

「なるほど」

「われわれがローマ規程に調印していれば事は簡単だったのだが、対テロ捜査で拷問に寛容な第三国へ捕虜尋問を外注している現状ではそれも難しい。ローマを批准するとなると、グアンタナモを閉鎖することになりかねん」

「では、われわれの任務の主眼は、ジョン・ポールの暗殺にある、と」

「暗殺はするな。逮捕しろ。ただし、ハーグや新インド政府の手に渡してはならん」

全員が任務を了解した。たしかにこれは、あの国家対テロセンターの男、善良な連邦職員には聴かせられない。

「基本は毎度の空挺降下だ。作戦終了後、無人機《UAV》でピックアップする」

UAVは何ですか、と誰かが訊いた。

「ヘリだ。それとは別に、上空には近接航空支援用に空飛ぶ海苔《フライングシーウィード》を旋回させておく。戦術で呼び出せば、爆薬を降らせてくれるぞ」

「CEEPは」

ウィリアムズが定番の質問をする。部屋の全員が身構えたように、ぼくには感じられた。もちろん、いつもそうであるように、いささかのためらいも同情もなく、大佐はさらりと答える。

「確実だ」

「訊くだけ野暮でしたね」

ウィリアムズが苦笑する。わかってはいる、幼年兵遭遇交戦可能性《チャイルド・エネミー・エンカウント・ポシビリティ》がゼロの作戦など、ここ十年というものほとんどありえないということくらいは。それでも訊かずにはいられないのだ。ウィリアムズだけではない。この部屋にいる全員がだ。

それでも子供を殺す可能性があるというのは、嫌なものだ。たとえテクノロジーのおかげでそれほど気にならないとしてもだ。

「現地勢力の成員は十八歳以下の未成年者が六割を占めると思われる。全員、戦術カウンセリングを明日から受けること。作戦は一週間後だ。以上」

2

この殺意は、自分自身の殺意だろうか。

光学サイトの中に人影がはいる。引き金を絞り、それが倒れる。それはまるで棒切れのようで、ただちに次の人影が出てくる。それはAKを持っていて、こちらを殺そうと躍起になっている。そこでまた引き金を絞り、もうひとつの人影が倒れる。

人を殺すことそれ自体は重要ではない。重要なのは与えられた任務を達成することだ。ただ、それを遂行するにあたっての障害はつきもので、任務を遂行しようとするぼくらに対し、敵勢力は命がけの反撃を加えてくる。自殺に等しいと思えるような突撃も少なくない。ぼくらが赴く多くの戦場で、命というやつはひどく安い。彼らの現場指揮官が兵員管理用に使っている、骨董ものの中古ノートPCよりも、ずっと。

物陰というものを知らないかのように、勢いよく光学サイトの視界に飛びこんでくる人影。自分の銃から弾丸が飛び出し、子供の大きな頭蓋に飛びこんで、まだいろいろな知識を詰めこむ余地を残している脳組織をぐちゃぐちゃにかき回す。あるいは腹から飛びこんで、腸と肝臓と腎臓とをミンチにして、背中から飛び出てゆく。または骨盤や大腿にめりこんで、小指ほどの太さがある大動脈を切り裂いて、止血しようがない肉の中で熱い血液をほとばしらせる。

安い命たち。そんな命を撃ちながら、ふと疑問がわきあがる。自分が今、敵を撃とうとしているのは、ぼくの生存本能からだろうか、それともカウンセリングによってそれを刷りこまれているからだろうか、と。

この殺意は、本当に自分のものなのだろうか。

「もちろん、それはあなたの意思ですよ。疑う余地なく」

ぼくの質問にカウンセラーは微笑んだ。手馴れている、という印象。おそらく来談者にこの種の実存的な疑問を投げかけられるのは、そう珍しいことではないのだろう。心理学は昔から哲学の領域と仲が良すぎたし、ぼくを含む一般人が、心理学に期待しているのは心理学そのものというよりも学際的な領域であることがほとんどだ。それは心理と社会の関係であったり、心理と実存のかかわりであったり、バリエーションは様々だが、いずれにせよ心理学そのものではない。ニュースに出演する心理学者にわれわれが期待しているのは、社会学と哲学がずさんに混ぜ合わされたような回答だったりする。

ぼくがこの疑問をカウンセラーにぶつけたのは、ロックウェル大佐が戦術カウンセリングと呼んだ作戦準備、つまり戦闘適応感情調整と呼ばれる脳神経医学的処置の最終日だった。作戦準備と並行してぼくら作戦の中核メンバーは、このユダヤ系の臨床心理学者のオフィスに通って「心理状態の調整」を施されたのだ。神経マスカーと薬《D》物局所輸《D》送《S》による前頭葉局所マスキングと、カウンセラーとの対話によって、戦場で予想される心理的障害を取り除くか低減させ、戦闘においてより適切な反応をとるための過程だ。

特殊検索群は作戦のたびに、このカウンセリングを兵士たちに受けさせてきた。兵士たちを最高の状態で送り出すためだ。これは優秀な兵士を抱える特殊部隊では当たり前のように行われている医学的処置ではある。しかし、幾度となくこの処置を経るたびに、ぼくの中では少しずつ疑念が、言い知れぬ不安が、澱《おり》のように蓄積されていった。

「疑う余地なく、ですか」

ぼくは確認する。カウンセラーは鷹揚《おうよう》なうなずきを返し、

「ええ、うじうじと心理分析するのも思春期にはいいものですがね、われわれは現実の世界に生きているのであって、実際の世界の進行は実存の躊躇《ちゅうちょ》に拘泥《こうでい》しませんから」

カウンセラーはそこで言葉を探るように、耳に手を当てて一拍おいてから、

「そうですね、風邪に罹《かか》ったときのことを考えてください。われわれ医者は確かにあなたに医学的アドヴァイスを与え、薬を処方します。あなたは家で休養をとって、治療に努める。そこでお聞きしますが、風邪を治すのは誰でしょう」

「さあ」

馬鹿な答を返してこの若者に笑われたくなかったので、ぼくは答を濁す。カウンセラーは芝居がかったしぐさでぼくの胸を指差し、

「あなたですよ、ミスタ・シェパード。風邪を治すのはあくまであなたの体なのです。風邪を治そうと決めたのはあなただし、病院にやってきて処方を書いてもらうのも、その意思がまずあってのことです。薬や医者はそれを治す手伝いをしているにすぎません。ある目的を達成するために、われわれは道具を使う。前頭葉局所マスキングとカウンセリングは道具なんです。だって、ここに来る前にあなたは、戦場で戦うことをすでに選択しているんですから」

それはその通りだ。戦うことを選んでおきながら、それに付き物のトラウマを味わいたいのに、取り除かないでくれというのは贅沢にすぎる、というと、いささか倒錯しているように聞こえるだろうか。

「われわれカウンセラーがしているのは、あなたがた兵士を戦闘に適した感情の状態に調整することです。戦場での反応速度を高め、判断に致命的な遅れをもたらしかねない倫理的ノイズが意識レベルに這い登ってこないよう、目の細かいフィルターを脳内に構築する。まあ、フィルターというのは喩え話で、実際は前頭葉の特定の機能モジュールへのマスキングと、われわれ軍事心理士によるカウンセリングの、相互作用による感情調整過程ですが」

倫理的ノイズ。確かに戦場において、度を越した倫理道徳の類は致命傷になりうる。感情とは価値判断のショートカットだ。理性による判断はどうしても処理に時間を要する。というより究極的には、理性に価値判断を任せていては人間は物事を一切決定することができない。完全に理性的な存在があったとして、それがすべての条件を考慮したならば、なにかを決めるということ自体不可能だろう。

かといって野獣では任務をこなしようがない。殺すべき相手、負傷させるべき相手、それを適宜判断し戦う。殺すのは獣にでもできるが、戦うのは人間にしかできない。本能ではなく、あくまで自由意思から、相手を無力化するという行為は。

「人間の行動や思考は、脳内の膨大なモジュールの連合として生成されるものです。行動や判断のライブラリを参照しながらね。良心もそうです。生存にプラスである協力的行動、利他的行動をとるよう、人間の神経回路は接続されています。良心の座は、人間の脳に実体としてあるんですよ。眼窩前頭皮質や上側頭溝、扁頭体に分散する特定の座標ですね」

「モジュール、ですか……」

そう口にすると、カウンセラーは教師の微笑を浮かべる。けれど、ぼくはすでに知っていた。人間の脳がどのように在《あ》るのか。ぼくという意識がどれくらい頼りないものなのか。けれども、そんなことはおくびにも出さず、ぼくはカウンセラーの説明を黙って聴く。

「そうです。特殊部隊の方々にはおなじみの、感覚マスキングと基本的には一緒ですよ。常識的な感覚からするとあれは相当に妙なもんでしょう、痛みの『感覚』にだけマスキングをして、痛みの『知覚』だけは保存するなんて」

痛覚マスキング。国防高等研究計画局《DARPA》が開発したこのグロテスクな麻酔は、戦闘の障害になる「痛み」を「感じる」のを抑えながら、「痛い」と「知覚する」ことは妨害しないという効果をもつ。なぜこんな不気味なことができるのかというと、痛みとして「痛く感じる」

ことと、痛みを「認識」することとは、脳の別のモジュールが行っている処理だからだ。

「つまり、脳の様々なモジュールを決められた組合わせでマスキングすれば、痛みを抑えるだけではなく、目的に応じた行動性格特性をその人に与えることも可能となるわけです。現時点で判明している脳マップではそれほどきめ細かい調整が可能になるわけではありませんが、それでも、特殊検索群のみなさんが戦場で余計な感情負荷を背負いこまなくていいように、お手伝いするにはじゅうぶんです」

あのとき聞いた説明と同じだ。母さんの死をぼくが選んだ、あの夏の病院での。

スライスされた脳画像が、正方形の枠に収まって、診察室の壁を埋めつくすタイルになっている。四、五十枚はあるそれが壁面を覆っているさまは、大理石のテクスチャのようだった。

「では、意識はないのですね」

母さんの容態について、その質問、というよりも確認を、ぼくは何度しなければならなかったのだろうか。いまとなっては憶えているはずもないけれど、相当数のカウントになるだろう。その設問自体が間違っていることを呑みこむのに、ぼくは相当の努力を要した。努力によって理解が得られたか、それについても自信がない。

医者は壁のスライス画像を見つめ、再び口をつぐんで思考のなかに退いてゆく。ややあってから、考えがまとまったのか口を開いた。

「ミスタ・シェパード、宗教はお持ちでしょうか」

「いいえ」

「まあ、宗教があっても説明しなければならないことには変わりないのですが……」医者はかぶりを振り、「たしかに、かつては意識は『ある』状態と『ない』状態の二種類しかない、と思われていました。睡眠の印象が人間にとってあまりに支配的だったからです」

「人間は気絶しますし、眠ります」

そして、死にます、とは口にしなかった。

「それ以外の状態があるというんですか」

ええ、と医者は言い、ここ十年ほどの脳科学の進化について説明しはじめる。曰く、マッピング技術の進歩によって、脳のさまざまな機能の局在に関する詳細な地図が作成されるようになった、と。どこがどのような処理を行うのか、いまでは脳は五七二の処理モジュールにまで分解されている。

現在は感覚マスキングによって簡単に再現できるが、かつて、脳の視覚に関する領域を卒中などで損傷して何も視えなくなった被験者が、自分に向かって投げられたボールをひょいとよける、という実験があった。この被験者は自分は盲目だと主張するだろうし、実際その場合世界は暗黒なのだが、それでもなお、彼は目の前に何かがあるということをだいたいの場合理解できたのだ。それでいて、自分は別のチャンネルで視えているということを理解できない。

この場合、視神経は傷ついていない。こうしたずれが生じるのは「視る」という行為が二つの要素によって成り立っているからだ。すなわち、色や形や世界を感じるということと、そこに何かがあるということ、その二つを別に処理する脳の小さな一角。「視える」ということと「知覚する」ということは、脳の別々の部位によって処理されているのだ。リンゴが青いとか、柱が四角いとか、ぼくらが視るということはほとんどそのような「感覚」によって構成されているが、実はそうした「感覚」によらない視覚も存在し、眼球はその場所へ視覚情報を送り続けているのだ。

「視る」という行為ひとつとっても、これだけややこしい脳の局在が存在する。脳がどれだけの処理プログラムに分解できるかなど、想像もつかない。いまのところ、それは五七二だと医者は言う。

「眠りと覚醒のあいだにも、約二十の亜段階が存在します。意識、ここにいるわたしという自我は、常に一定のレベルを保っているわけではないのです。あるモジュールが機能し、あるモジュールはスリープする。スリープしたモジュールがうっかり呼び出しに応答しない場合だってある。物忘れや記憶の混乱はそのわかりやすい例ですし、アルコールやドラッグによる酩酊状態もまた、その一種です。こうして話しているいまだって、わたしやあなたの意識というのは一定の……こう言ってよければ、クオリティを保っているわけではない。わたしやあなたは、たえず薄まったり濃くなったりしているのです」

「『わたし』が濃くなったり薄まったり、ですって……」

言葉の問題なのです、と医者は言った。「わたし」とは要するに言葉の問題でしかないんです、いまとなっては。

群集、という単語を考えてみよう。一万人いたら「群集」だ。千人いても「群集」だろう。じゃあ百人は、五十人は、十人は。いったいどれくらいの集団から「群集」なのだろう。

医者が言っているのはそういうことだった。「わたし」も「意識」も、要するに言葉の定義の問題になったのだ、と。どれだけのモジュールが生きていれば「わたし」なのか、どれぐらいのモジュールが連合していれば「意識」なのか。それをまだ社会は決めていないのだ、と。

ああして脳の幾分かを失い、それでもまだ幾分かは生きている母さんは、まだ充分にぼくの『母さん』なのだろうか。

ぼくは判断を迫られながら、答をまったく出せずにいた。

痛覚をマスキングするように、ぼくらは感情もマスキングする。

戦闘適応感情調整は、自分の一部に麻酔をかけることだ。「わたし」を意図的に薄めることだ。良心に関する領域は、自我という情報処理系統のなかでも感情面における重要な位置を占める一角だ。理性面ではなく。

「戦場において対象を排除するという行動には、感情的な判断が大きく作用します」

ディスプレイが、災害の跡や戦場となった街、飢えた子供たちなど、世界の悲惨のクリッ

プを並べ立てはじめた。カウンセラーはそれを指し示しながら、

「たとえば、ハリケーンの被害者に寄付を送ろうという呼びかけに比べて、目の前に血まみれで倒れている人間を助ける場合のほうが、善悪の判断にまつわるモジュールと、特定の情動に関わるモジュールの反応は圧倒的です。当然といえば当然ですが、人間は目の前の事態に対してより強く、感情的に判断を下すのです。寄付という行為は理性的な判断にすぎません。人間の行動を生成する判断系統は、感情によるラインが多くを占めているのです。理性はほとんどの場合、感情が為したことを理由づけするだけです」

「目の前の子供の頭蓋を砕くのは、わたしの理性のハンマーではなく、感情のそれだということですか」

ぼくは少しばかりどぎつい物言いを試してみる。カウンセラーはごく普通にうなずいただけだった。

「感情は理性をショートカットして即応性の高い判断を下します。良心が殺意と同じくらい感情的な反応であることを、人はなかなか認めようとしません。性悪説を気取っていれば頭がよく見えるからでしょうかね。しかし良心のモジュールはあなたがた兵士にとって、『否応なく、容赦なく』存在するのです。とくにアメリカに育ったわれわれには。テクノロジーの助けを借りて一時的にそれを封じこめなければ、命取りになりかねません」

「それは洗脳とは違うのですか」

この質問にしても、何度も受けてきた経験があるのだろう。カウンセラーは淡々とうなず

いてみせ、

「無論違います。薬も過剰に摂取すれば毒になる。いや、過剰に摂取しなくとも、悪用しようと思えばいくらでもできるでしょう。鎮痛剤を麻薬がわりに使う人間が後を断たないように」

「つまり、使用する意図の問題だ、と」

「そういうことです」

戦場に赴いて、人殺しを心安らかに行う。そのためのカウンセリングならば許されるのだろうか。そうした「意図」ならば許されるのだろうか。瞬間的な倫理的躊躇を一時的に低減させるプロセスは、倫理的に問題ないのだろうか。ぼくにその判断はできない。

そもそも、このカウンセリング自体を茶番だという戦友たちもいる。神経科学は戦士の士気を、拳骨をふるう上官から取り上げて、心理カウンセラーの問題にしてしまった。自分たちは覚悟を決めて兵士になったのに、いまさらその覚悟を固めてもらう必要がどこにある。そんなカウンセリングを受けるくらいだったら、最初からこんな職についてやしない、というわけだ。

もっとも、同僚たちがお節介と呼ぶこのカウンセリング自体は、軍がぼくたち兵士を大切にしてくれているという証《あかし》でもある。資本主義先進国で、自国の兵士が見知らぬ外国で死ぬことに対する国民の許容度は、前世紀では考えられないようなレートまで低下していた。戦争では人が死ぬという当然の事実を忘れてしまったかのように、民衆は「自国」の兵士の死を受け入れがたいものとして扱った。いまや軍事システムにおいて、人間の兵士は高価な部品だ。給料、訓練、テクノロジーの粋を凝らした武装群。どんな軍隊もそんなに高価な部品を多くは抱えていられない。頭数の不足を補うために試作された、膨大な数の無人兵器が失敗作の墓場に列を成していて、成功した一握りのロボットだけが、実際の戦場で人間を殺害する栄誉を与えられている。皮肉なことに、人間の脳の研究が進めば進むほど、人工知能の研究はジリ貧になっていった。生身の脳の精巧さ——というよりは冗長度を、コンピュータで再現することは皆がとうの昔にあきらめている。依然として戦場では、人間にしかできないことがあまりに多すぎた。

　正規軍の兵士が高価になると、行政府は当然のこととして、手塩にかけた兵士たちが民間へ降りていかないように様々な立法措置を講じ始めた。軍を辞した後の民間軍事企業《PMF》への登録を一定年数禁じる法令が、国防費にそれなりの金額を投じている各国で次々に成立していった。国軍からの人材の青田買いが困難になると、ＰＭＦの兵士たちもそれなりに高価な存在となった。

　だから、国家民間を問わず、その貴重な兵士たちが「壊れて」しまわないようにメンテナンスする必要がある。アメリカ軍ではこの種のメンタルケアは前世紀から行われていたものだ。ベトナムの、そして湾岸戦争の帰還兵。戦場の悪夢にうなされる兵士たちの姿は、繰り返し映画になっている。そうして心にトラウマを抱えた兵士の数が膨大なものとなって、アメリカは自国の兵士の心の問題に関心を持たざるを得なくなったのだ。

ただし、いまぼくが受けているのは戦場の強烈な体験から回復するための過程ではない。このカウンセリングの目的は、これから行われる人殺しをやりやすくする、そうした感情の調整だ。

「つまり予防接種のようなものですよ、ミスタ・シェパード。戦場に行って存分にあなたの技量を発揮してもらい、なおかつ深刻な心理的ダメージを負うリスクを低減させるための処置です。疫病の危険がある国へ渡るときには、事前にワクチンを打つでしょう。わたしたちが行っているカウンセリングは、『戦争』という国へ渡るのに必要な予防接種なのです。もちろん、そんな注射などいらない、自分にはすでに免疫がある、とおっしゃりたい気持ちはわかりますが」

そこでぼくは、相手が自分の態度を誤解していることに気がついた。カウンセラーはぼくが他の同僚、つまりこのカウンセリングを不要だと言って馬鹿にする連中と同じだと思っているのだ。

そうではない。ぼくはその種のマッチョではない。事態はおそらく逆で、ぼくは他の連中に比べて脆《もろ》いのだ。自分が撃ち、人が倒れる。それが戦場であり、躊躇すれば死ぬ。しかし、そこでぼくが生きるために殺した敵の命は、自分自身の責任として背負いこむことができるものなのだろうか。そのときの自分は、何かを背負いこめるほど充分に「濃い」のだろうか。

罪から逃れたいのではない。ぼくが恐れているのは逆で、自分にその罪を背負う資格がないという可能性だ。その罪が虚構であるという最悪の真実だ。

死と隣り合わせの戦場で、ぼくは強く意識する——自分がまだ生きているということを。死が傍らにあることでのみ、自らの生を実感することのできる手合い。スリル中毒、アドレナリン依存、なんと蔑《さげす》んでくれてもかまわない。自分が生き延びるために他人の命を奪う。他人を踏みつけにしてでも自分の生存を優先する。その生の実感こそが、ぼくがいまだ戦場にしがみついている理由なのだ。

だが、この殺意がぼくのものでないとしたら。このユダヤ系のカウンセラーと数種類の化学物質がコーディネートした、脳の状態によるものでしかないのだとしたら。この生存への意志は本物なのだろうか。ぼくはいまここにこうやって生きている。そんな喜びは嘘っぱちなのだろうか。

このカウンセリングは、その手法や内容ではなく、存在それ自体によって、いま確実にぼくの存在理由《レゾン・デートル》を脅かしていた。

胃のあたりに、名状しがたい不快感の塊がわだかまっている。

これから先の戦場で、ぼくは自分自身の動機を信じられるだろうか。大義でもなく、家族愛でもなく、ましてや報酬でもなく、ただ戦場という圧倒的な現実の中で生き延びること。本能に対して純粋な獣たちには絶対に存在しない、人間ならではのそんな倒錯した動機ではあっても、軍隊にいれば愛国心や同胞愛といった言葉で目隠しをして、自分自身に嘘をつくことができる。

しかし、この殺意が虚構だったとしたら、ぼくの殺意でなかったとしたら、ぼくは罪を失ってしまう。生の実感を得るために受け入れた罪がぼく自身のものでなかったとしたら——そのとき、ぼくの「生の実感」のすべては嘘でしかない。

お前が殺したのだ、と誰かに言ってほしい。

このカウンセラーではない誰かに、これは本物の罪で、本物の殺意だと言ってほしい。戦場で自分が感じたぎりぎりの感覚。銃弾飛び交うなかで発せられる、自分はいまここに存在しているという声なき叫び。それらが偽物ではないと誰かに教えてほしい。

この不安は、カウンセラーに見抜かれているだろうか。カウンセリングを始める前に頭に貼ったシートによって、ぼくの脳の状態はある程度モニタされている。これだけ脳の研究が進んで、脳が五七二のモジュールから出来上がっていると判っていても、思考そのものを正確に読み取る技術は未だない。それでも脳はいろいろなサインを出しているし、そこから判ることはたくさんある。

そうして脳の状態を読み取った心理支援ソフトウェアが、来談者の心理モデルをリアルタイムで構築しつつ修正し、イヤカフを通じてカウンセラーに適切な助言を与えていることだろう。ときどきカウンセラーが耳の穴に軽く触れ、さりげなくカフの位置を直していることにぼくは気がついていた。

そしてカウンセラーが質問する。この質問が戦闘適応感情調整と呼ばれる過程のなかで、どのような機能を担っているのかを、ぼくは知らない。答を聞いたカウンセラーが、それによって何を判断するのかを、ぼくは知らない。いままでこのカウンセラーの口から出た言葉の連なりが、ぼくの感情や理性にどのような影響を与えたのか、ぼくはそれを知らない。

ぼくの意識のあずかり知らぬところで、その言葉は効力を発揮するのだろう。この意思が本当に自分自身のものであるのか、それを考えるのが他ならぬ自分であるかぎり、本質的に認識することはできないのだ。

「どうですか、いまなら子供を殺せそうですか」

カウンセラーは穏やかに言った。殺せると思う、とぼくは正直に答えた。

心理技官が感情を調整し、不要な感覚にマスキングを施し、協調行動の形成を促進する薬物が投与される。オルタナで訓練し、想定し、計画する。すべてが終わってから、インドへと旅立つ前日、ぼくは鏡の前に立って、指先に針を刺した。

痛かった。痛いことがわかった。

なのに、痛さは、感じなかった。

3

サラエボで核爆弾が炸裂した日、世界は変わった。

ヒロシマの神話は終わりを告げた。どういう意味かというと、世界の軍事関係者が薄々気づいていながら決しておくびにも出さなかったある事実を、おおっぴらにしてもいい、ということ。つまりそれは、核兵器は「使える」ということだ。

冷戦の時代、核は終末の象徴だった。ソ連とアメリカが互いに核を撃ちこみあって、放射能の雲が天蓋を覆い隠し、地球は永遠の冬に包まれ、人類は滅亡する。だからこそ、核戦争は起こしてはならなかったし、また実際に起きなかった。「核による終末」という神話を皆が信じこんでいたからだ。

だが、そんな神話の時代はサラエボで永遠に終わりを告げた。

膨大な数の人間が死んだ。にもかかわらず、多くの軍人たちの目には、それが「よく管理された」爆発のように見えた。でたらめな被害が出たわけではない。手製の核爆弾が穿ったクレーターを目の当たりにして、軍人や政治家たちは核兵器が利用するに足る兵器であるという確信を得たのだった。

そういうわけで、インドとパキスタンが起こした核戦争は、意外にもそれほど世界の注目を集めることがなかった。たしかに怖れていた事態ではあるし、起こってはならない事態だった。

にもかかわらず、それは何かの終わりにも始まりにもなれなかった。

というのも、そんなもの、世界はとっくにサラエボで済ませていたからだ。

大量に人が死ぬことに、世界は慣れつつあった。

ここには匂いがあった。

むせ返るようなけものの匂いがあった。ここでは人間もそんなけものの一部でしかないように思える。インドには匂いがあった。貧困の匂いがあり、聖なる牛の匂いがあり、野犬の匂いがあり、糞の匂いがあり、小便の匂いがあった。すべての料理に用いられているスパイス群の刺激臭があった。男の匂いがあり、女の匂いがあった。

そしてもちろん、そうした生が匂うのと同じくらい、ここでは死も匂う。

それらが渾然《こんぜん》となった空気が、基地の中にも充満していた。

ムンバイの基地で、貨物より先に到着したぼくらは装備を詰めこんだコンテナが到着するのを待った。ムンバイの郊外には、援助物資やユージーン&クルップスの武装など大量のコンテナが山積みされていて、うだるような熱気のなか、しかるべき開封を待っている。

熱気と湿気には慣れっこになっている。ぼくらはベースキャンプで、計画を何度も見直しながら黙々とスパイからの連絡を待った。連絡が入り次第、会合予定地点へさや《ポッド》で降下し、目標を確保したのちヘリで近傍のベースへ撤退、そこで態勢を立て直してからムンバイまで列車で囚人たちを護送する。

何事も計画の上では上手くいくように見えるものだ。

ぼくらは街に出て、かつてボンベイと呼ばれた都市の面影を眺めた。ニューデリーも、カルカッタも、熱核反応の火球にすり潰されて、いまでは核が穿った椀の底に埋まっている。奇跡的に生き残ったムンバイには、インド全土から難民たちが流入してきた。ユージーン&クルップスも、国連もNGOの連合も、みなムンバイに復興支援の本部を置いている。ここはかつて、インドのコンピュータ産業の中心地だった。

街中を歩いていると、ユージーン&クルップスの装甲車が人の海の中で立ち往生していることがある。聖なる牛たちのノロノロした歩みに阻《はば》まれて、米軍払い下げのストライカー装甲車が困惑して停まっている。その上ではブラックホーク社のコンバットチェストハーネスを着たE《ユージーン》の字の雇われ兵たちが、小銃を脇に抱えて腰掛けていた。親の敵《かたき》のようにハーネスの胴部にマジックテープ留めされた、ものすごい数のポーチのひとつから取り出したタバコを苛立たしげにふかしている。そんな立ち往生の中で誰かが悪戯《いたずら》していったのだろう、装甲車にはガネーシャのシールがたくさん貼りつけられている。ピンク色の象の神様が、オリーブドラブのストライカーの車体にキッチュな味わいを付け加えていた。

この街では露天のいたるところでこうした神様のイコンを売っていた。ステッカーから人形、携帯端末《モブ》のストラップまでさまざまだ。シヴァ、ガネーシャ、ハヌマーン、エトセトラ。バリエーションにも事欠かない。商品と神様の種別の順列組み合わせはすさまじい数になるだろう。

　ユージーン＆クルップスはそこらじゅうにいた。

　四つ辻すべてに立っているのではないかというくらい、歩哨たちが警戒している。下手したらこの街の警官全部よりも多いのではないか。そうした歩哨たちは装備がまちまちで、ヘルメットを律儀に被っているものもいれば、プロテックのヘルメットで済ませている者もいるし、なにも被っていない兵士もいる。持っている銃も個人の判断に任されているようでばらばらだ。一度など、時代遅れのコルト・リボルバーを腰に挿している伊達男を見かけたことがあった。こってりと装飾されたシングル・アクション・アーミーだ。骨董品をぶら下げた銀髪の老兵は、ぼくらをねめつけるようにじっと見つめていた。歩き方から同業者だと判断したのだろう。

　対して、ストライカーの上に腰掛けている男たちの装備はほとんど統一されていた。国軍と言っても通りそうなくらい統制されていて、これがたぶんエリカ・セイルズ女史が国防総省の会議室で語った特殊執行部門なのだろうな、と当たりをつけた。

　インド復興に関わっている企業はユージーン＆クルップスだけではない。戦争犯罪者を収容する刑務所を運営しているのはオランダ資本のパノプティコン社だし、土木関係は昔ながらのハリバートンがやっている。

ユージーン&クルップスにしても、名前こそ一見ユーロ風だが、実際は資本の七割をアメリカ企業が持っていて、経営陣にもアメリカ人が多い。上院の院内総務も役員のひとりだという話だ。

となると、ローマ規程や人権問題が障害になって、一見インド復興に積極的に参加していないように見えるアメリカも、ユージーン&クルップスを通じて影響力を及ぼすことができる。国軍を送らずに、民間軍事企業《PMF》を投入することによって。ユージーン&クルップスにインドの警備活動を発注しているのは日本政府をはじめとする国連インド復興計画だが、それを受けているのはほかならぬアメリカ企業というわけだ。

このユージーン&クルップスの充実ぶりが、ヒンドゥー・インディアの軍勢を警戒してのことだとしたら、ぼくたちが今回相手にする敵はそれなりの勢力を持っているということなのだろう。

ヒンドゥー原理主義。戦前からインドはカーストによる差別を法律で禁じていた。とはいうものの、紙とインクで一朝一夕に消えてなくなるほど、差別のほうはヤワではない。差別はとりもなおさず歴史そのものだ。インドに限らず、どこの国、どこの土地にあっても、差別というのは血肉をそなえた存在で、人間の脳と歴史との密やかな共犯関係だ。ヒンドゥー・インディアが生き残る余地も、その歴史の中にある。

川岸に出てみれば、そこには一大バラック群がある。それらを見下ろす場所から眺めれば、河を囲むトタンの屋根が波うち列をなし、河という血管を囲む血管壁のようにも見えてくる。

そこに住んでいるのは河を職場とする人々、いわゆる洗濯カーストというやつだ。不可触賤《せん》民《みん》のなかにも、職業によりさらに細かなカーストが存在する。掃除カーストに生まれた人間は一生掃除をして過ごす。他の職業につくことはなかなか難しい。

アメリカが戦後のインドに積極的に介入しなかったのは、こうした要素が人権問題に発展しかねなかったからだ。実際、インド復興を支援するヨーロッパやシンガポールや日本も、カーストの問題には知らんぷりを決めこんでいる。

ぼくとリーランドはこれからはじまる作戦の最終段階で、ぼくらをこの新生インドの行政府がある街へと運びこんでくれる鉄道を見にいった。ムンバイの外へと伸びゆく線路を見渡すことのできる丘に出ると、大地を埋め尽くすバラックの中へ、列車がすこしも減速することなく突進していくのが見えた。線路のあまりに近くを、あまりに当然顔で横切ってゆく老人の姿に、リーランドが驚きの目を向ける。絶望に打ちひしがれた自殺志願者のように、通過する列車のすぐ脇を平然と歩いている。老人だけではない。子供、妊婦、あらゆる人間が、通過する列車のすぐそばで寝て、食って、用を足していた。

「バラックの海を分かつモーゼみたいですね、この列車」

丘からの眺めを、リーランドがそう形容する。バラックはありとあらゆるものを資材に組み上げられたかのようで、つまりはゴミということだ。トタンからダンボール、干し草、合板、新聞紙などを継ぎはぎにして組み上げられている。線路を取り囲むバラックの広大な海は、平面版の九龍城のようだ。

貧困層や戦災孤児たちが、戦争を生きのびた数少ない鉄道の周囲に、血管に張りつくコレステロールのようにこびりついているのだ。鉄道をゆく列車を血液に喩えるならば、難民たちはそのコレステロールとして実際に事故を起こし、血流を止める。ここの住人は線路を平然と横切り、線路の上で排泄する。糞尿を垂れてしゃがんでいるときに、列車に轢《ひ》かれた人間も多い。ムンバイ市当局の努力にもかかわらず、そもそも行く場所がどこにもない難民たちは、依然として鉄道の周りに張りついている。

しかし、これでもずいぶんマシになったのだ。国連ミレニアム機関が介入する前の戦後インド復興は、混沌の極みにあった。壊滅した産業は復興の気配もなく、かつてインドが誇っていた理系技術者のほとんどが戦争で死んだ。ミレニアム機関が介入するまで、ここは緑のある「マッドマックス」のような世界だった。

オルタナにメールが飛びこんできた。表題《サブジェクト》には国家備蓄番号《ナショナル・ストック・ナンバー》ＸＸＸＸの貨物が到着したと書いてある。全地球戦闘支援システムからの請求貨物到着報告だ。ＦＥＤＥＸと同じ。ぼくらの銃はいまどのポーターが運んでいて、どの海上にあるのか、いつでもどこでもすぐわかる。

さて、帰ろうか、とぼくはリーランドに言った。装備がコンテナ置き場で待っている。

集積所はムンバイ空港の滑走路脇にあり、そこが人でごった返しているさまは、まるでイケアで組立て家具のパーツを選んでいるかのよう。ぼくらは入口でＩＤを発行してもらい、コンテナの大体の場所をプリントアウトした地図をもらった。トラックを中に入れ、徐行しながら自分たちの貨物を探す。

集積所は小鳥のような声で主人を呼ぶ見えない小人でいっぱいだ。タグ付けされたコンテナに近づくと、ゲートで渡されたＩＤが甲高い声で持ち主を呼ぶようになっているのだ。集積所は広大で、探してもらえぬまま放置状態になっているコンテナも結構な数あると聞く。そうした無駄を減らすために、半年前から音声ガイドを導入したのだそうだ。

ウィリアムズは片手でハンドル、片手で第一撃用戦闘糧食《ファースト・ストライクス》をスニッカーズ代わりにかぶりつく。

「早く作戦がはじまらんと、こいつで肥《ふと》っちまうな」

ファースト・ストライクスは敵国の海岸に上陸し先陣を切る兵士たち、つまり主として海兵隊のためのレーションだ。少ない量で効果的に高カロリーと高タンパクを人体に供給できるよう、陸軍兵士システムセンター《ナティック》で開発された。だから、決して作戦時以外に食べるようなものではない。こんなものを菓子代わりにパクついていたら、あっという間に肝臓病だ。

そうやってノロノロとトラックを走らせながら、ウィリアムズがぼくに話しかけてきた。

「お前、ジョン・ポールと話したんだろ」

唐突な切り出しに、ぼくは警戒の眼差しを送る。

「なんでそう思う」

「勘さ」ウィリアムズは正直に答えた。「あのプラハの夜以降、お前は明らかに違うしな」

そこでぼくは話した。ジョン・ポールと国防高等研究計画局《DARPA》が生み出した、国と民族を憎悪と混沌の海へ誘う、セイレーンの歌声のことを。

「……なんというか、いまひとつ、ピンとこないな」ウィリアムズはレーションを食いきって、包装を窓から投げ捨て、「殺人ジョークみたいな話か」

「なんだいそれ」

「二次大戦でドイツ軍を未曾有の恐怖に陥れたイギリス軍の言語兵器だ。ドイツ語に翻訳されたそのジョークを聴いた人間は必ず笑い死にするという」

ぼくはため息をついた。どんなにシリアスな話をしていても無神経に冗談を言えるのがウィリアムズの才能だ。

「パイソンネタか、お前の好きな」

「よくわかったな」

「あまりにくだらなかったんでな」

ウィリアムズは肩をすくめ、しれっと話を続ける。人差し指をどこを指すともなく振り回しながら、

「つまりなんだ、その、人間のレミング現象みたいなもんか」

「そうとも言えるな」ぼくは前方に広がるコンテナの森を見つめたまま、「その言葉には伝染性があり、やがて伝播が一定レベルに達すると、その言語圏は虐殺を誘発する混沌状態に突入する、ぼくはそう理解した」

するとウィリアムズは芝居がかってぼくに指を突きつけ、

「ここでひとつ一行知識《トリビア》だ。レミング現象ってあれ、さっきお前さんが説明の中で言ったエスキモーの雪の語彙と同じような、ある意味都市伝説みたいなもんだ、って知ってるか」

「え……」

「あの話はディズニーの作った記録映画が元なんだそうだ。そのドキュメンタリーじゃたしかにレミングが大量に河に飛びこんじゃいるが、それはヤラセだった可能性が高い。映画のなかで解説されていた場所はレミングの繁殖地じゃなかったし、レミング自体もイヌイットから購入したのをなんとかして飛びこみに見せかけた、って話もある」

ウィリアムズからこのような話を聞かされることになるとは思わなかったが、よくよく考えてみれば、いかにもウィリアムズの好きそうなゴシップだ。

「じゃあ、レミングは餌場に対して増えすぎた個体数を調節するために集団自殺したりなんかはしない、ってこと……」

「進化、ってのは種の存続を第一義にしている、と思われがちだが、それは厳密には正しくない。生存に適した形質を有した個体が生き延びて、その形質が種のなかで支配的になっていく、そうやって種はすこしずつ進化していくんだ。個体が適応した結果として進化があるのであって、その逆じゃない。つまり、種のために自殺するような本能なんて、個体に不利な進化の極みだ。ほとんどありえないよ」

ぼくは考えた。じゃあ、「虐殺の文法」の話はホモ・サピエンスの進化の過程で発生したものではない、ということだろうか。ジョン・ポールは妄想にとり憑かれていたか、適当な説明をデッチあげただけだったのだろうか。ぼくはその考えを退けるように、

「ただ、デッチあげた嘘だとしても、説得力がなさすぎる。こっちを騙したいんだったら、もっとマシなこと言うだろ」

「そのぶっ飛んだ嘘で隠したい、他の恐ろしい手段があるってことか」

それも馬鹿げているような気がする。彼女が他の男といちゃついていたからカッとなって殺しておいて、宇宙人に命じられてやった、と取調べで嘘をつくようなものだ。ジョン・ポールは別に自分が狂っていて責任能力はないと主張したいわけじゃあるまい。

「ただ手法はともかく、やつが世界各地で虐殺を引き起こしているのは確かなんだ。ここで押さえて、終わりにする」

力強く断言するウィリアムズから思わず目を逸らす。ぼくは別に、ジョン・ポールを捕まえたり殺したりしたいわけじゃない。ジョン・ポールがいるのなら、そこにはルツィア・シュクロウプもいるはずだ。

ぼくが執着しているのは、ルツィア・シュクロウプだ。

ぼくはルツィアにもう一度逢いたい。

ぼくはルツィアに赦すと言ってもらいたい。

神は死んだ。神は死んだ。大いに結構。

ぼくはルツィアに赦してもらえれば、それでいい。

しかし、もちろんぼくはそんな身勝手な本心をおくびにも出さないし、コンテナを探すふりをしてすっとぼけていられる。タイミングよくＩＤがわめき出したので、ウィリアムズはその方向に車を寄せる。

4

〈シーウィードより各員、そろそろ降下地点だ。高飛びこみに備えてくれ〉

カーゴベイで準備に余念がない兵士たちに、パイロットからの通信が飛びこんできた。

どこからどうみても空中における静的安定マージンは負でしかありえないような、航空機の畸形《きけい》。それは海苔《シーウィード》の形をした黒い薄板で、海苔《シーウィード》と違うのはその長辺が百メートルもあることと、両端が膨れ上がってジェット・エンジンがついていることだ。

衛星軌道から見下ろしたら、この機は雲海を征《ゆ》くモノリスに見えたに違いない。全翼機といえば確かにそうなのかもしれないが、翼というにはその形状があまりに長方形そのままずぎた。

この変態的な形状の戦略爆撃機はいま、その腹に――どこが腹だかさっぱり判別できないが――爆弾のかわりに数基の侵入鞘《イントルード・ポッド》を抱えている。機体である長方形の四辺を囲む、人間の指か柔毛《にこげ》のような、しなやかで微細なフラップをわらわらと動かしながら飛行安定を維持し、大地に大穴の開いたインドの上空を飛行している。

シーウィードのカーゴベイでぼくらは降下準備に忙しかった。チェックすべきことは山ほどある。さや《ポッド》の最終動作チェックはとくに重要だ。これがきちんと作動しなければ、ぼくらは地面に叩きつけられることになる。

ポッドのチェックが終わると医療スタッフがやってきて、ぼくの鼻に注入器具を突っこんだ。

「『友情の素』だぜ、クラヴィス」器具を引き抜いたばかりの鼻をさすりながらウィリアムズが言い、「俺が今、お前のことがどんなに愛しくなってきたか教えてやりたいよ」

ウィリアムズがおどけているのは、ぼくの不安を敏感に嗅ぎ取ったからだろうか。ぼくの強張《こわば》った心を解きほぐそうと、道化を演じているのだろうか。そう思ったが、メタ的な疑問がそこで頭をもたげ始める——ウィリアムズが自分を思いやってくれているのだと解釈する、このぼくの思考自体が、協調を生み出すホルモンの作用だとしたら。仲間が自分を思いやってくれていると信じこむよう傾向付けられた脳の幻覚、人工的に調整されたミラーニューロンの信号にすぎないのだとしたら。ぼくはかぶりを振った。今からインドの地表へ降下するというこの時になって、青臭い実存を思い煩《わずら》っているとは、どうかしている。

コンバット・メディカルの技術者が、ぼくの鼻腔から注入器具を引き抜く。挿入されていた異物に抗議して鼻水が流れ出てきた。

特殊検索群の医療関係は、ほぼすべてがこのコンバット・メディカルに委託されている。ぼくに戦闘適応感情調整を施したあのカウンセラーもまた、コンバット・メディカルのスタッフだった。多くの市場がそうであるように、「戦争請負市場」もまた、業界の成熟とともに業種が細分化されていった。武器を管理保管してレンタルする会社、偵察衛星を運用する会社、諜報専門の会社。兵站にしても、水を供給する会社と食料を供給する会社は別だ。

　戦争という巨大な「流通」において、「戦闘という仕事」そのものは、必要不可欠ではあるが膨大な業務の中のごく小さい一部にすぎない。武器がなければ戦うこともできないし、食料がなければ戦い「続ける」ことはできない。情報がなければ戦闘そのものが始められない。そういうわけで、民間軍事企業《PMF》が相互に依存する細かい業種ごとに分かれ、ごくごくつまらない経済流通の一部に完全に組みこまれてしまった時点で、民間の軍事力がＧ９の政府を武力で脅かすような未来像は説得力を失ってしまった。民間業者のサポートがなくては動けないという点では、「公式の」軍事力もあまりかわらないとはいえるが。

「ほれ、オルタナ」

　ウィリアムズがレイヤー形成液を渡してくれる。コンタクトは戦闘で外れやすいので、眼球に貼りつく特殊なナノディスプレイを使うのだ。ぼくは目玉の表面以外の場所にレイヤーが形成されないよう、眼窩のまわりの肌にクリームを塗ってから、形成液を点眼した。人体の電位で液の分子配列が整頓され、眼球を覆う表示用の薄膜として固着する。クリームは絶縁材なので、目から漏れ出た液はレイヤーを形成しない。

「各員、オルタナをチェック」

　ぼくが言うまでもなく、兵士全員が戦術データリンクをオンにして、目玉を覆う薄膜に表示されるテストパターンをチェックしていた。

「表示系は問題なし」目の周りを白いクリームで塗りたくったままのウィリアムズが言う。

「いつも思うが、このテストパターンはちょっとしたトリップだよな」

そう言って、オルタナがパターンを描き出す瞳を大きく見開きながら、しかしその視線はどこを見るというふうでもなく不安定にデッキを彷徨《さまよ》い、薬中《ピルヘッド》のようにニヤニヤ笑いを浮かべている。

「そんなに目ん玉を開かなくても、パターンの視え方はかわらないよ」

そうウィリアムズに言ってやると、ぼくの瞳にも薄膜がテストパターンを描き始めた。降下を控えた戦士たちの静かな昂奮の匂いが漂うカーゴベイの風景に、幾何学模様や文字列のパターンが重ねられ、複雑なベンチマークの舞いを演じはじめる。現実の風景に重ねあわされたもうひとつの《オルタナティヴ》現実。

「なんかパンダみたいだぞ、クリームを拭き取れよ」

ぼくは自分の目を拭ったタオルを投げてやる。パンダってのは顔が白くて目の周りが黒なんだ、とぶつぶつ言いながらウィリアムズは顔を拭った。

ぼくは装備の最終確認をした。胴体を覆うBHI社のコンバットハーネスには、ポーチが親の敵のように付いている。ハーネスとその下の胴体が覆い隠されて見えないくらいだ。そういうわけで胸や胴回りのポーチひとつひとつを開いて中身を確認するのには結構な時間を要した。

「早くしろよ、御大。皆とっくに棺桶に入ってるぜ」

ウィリアムズがぼくを急《せ》かす。それでもゆっくりと納得ゆくまでチェックを行い、それから漆黒のさや《ポッド》に乗りこんだ。

シーウィードの機上輸送係《ロードマスター》がやってきて、ポッドの開口部に蓋を嵌《は》めこむ。

光が消えた。

ポッドが持ち上げられる。かすかな振動があり、何かに固定される音がした。ぼくは瞳を閉じて、ポッドを移動させるサーボの唸りに耳を澄ませる。低周波に身をまかせていると、静かに、体の奥深くでテンションが高まっていく。体側《たいそく》に付けた拳を握り締め、開き、また握り締める。今度は大きな振動があって、ポッドの移動が止まった。投下ベイに固定されたのだ。

再び機械音がして、ポッドの外装越しに風の音が聴こえてきた。その、布を切り裂くような音が徐々に大きくなり、シーウィードの腹が開いてゆくのがわかる。

〈ド頭はあんただイェーガーワン。神の加護《ゴッドスピード》を〉

刹那、ぼくは高高度に放たれた。

馴染み深い自由落下。

終末誘導モード。

しかし、東ヨーロッパのときとは違って、今回はぎりぎりまで制動傘《ドラグシュート》を展張しない。あのときは敵地からかなり離れた場所に降下したが、今回はいきなり前戯ぬきでの突入だったからだ。東ヨーロッパのときと同じ高度で傘を開こうものなら、着地する前に下からＡＫやＲＰＧでタコ殴りにされてしまう。

そういうわけで、ぎりぎりの瞬間まで傘を展開しないぶん吸収しきれなかった重力を、内部機構とポッド側面から展開する脚が吸い取ってくれるようになっている。制動傘《ドラグシュート》が展開すると同時に、筋肉質——というより、実際筋肉でできているのだが——の着地脚がにょき、と四本ばかり広がって、接地と同時に踏ん張ってくれる。ちょっと見には、下半身だけの巨人が高いところから飛び降りて、ダイナミックに着地したように見えなくもない。ぼくは訓練で仲間の着地を見たことがあるが、ポッドから生えた脚ときたら眩暈《めまい》を催させるほどの生々しさで、言ってみれば「肉々」しかった。人間がガニ股で踏ん張っているようだ。

地面に落着する直前、人工脚の人間でいう腿の部分に取りつけられている機銃三基が起動し、着地点の安全を確保し始めた。機銃の絶え間ない唸りがポッドの内部をバイブレーションで満たす。ぼくがオルタナをポッドにリンクさせると、それぞれの弾薬がものすごい勢いで消費されていくのがカウントされていた。オルタナをポッドの外装視覚につなぐと、着地点近傍にはすでに民兵のぼろぼろになった死体が三、四倒れている。

すさまじい衝撃がぼくを揺さぶった。耐Ｇ機構がその大半を吸い取ってくれる。そして次の刹那には、バナナの皮を剝くようにポッドが解体し、街路制圧用の無人機《ＵＡＶ》が分離した。

「イェーガーワン、タッチダウン」

ぼくはコールサインを名乗って、手近な建物の陰に隠れる。残りの七人も立て続けに着地し、最初にぼくが降り立ってから十五秒以内で全てのポッドが生物的に分解しはじめた。ポッドはすぐさま敵対勢力内分解モードに入り、電子部品群は酸で焼かれ、駆動部の人工筋肉を維持する酵素の供給が断たれる。

ぼくは物陰からちらりと顔を出し、ポッドの機銃と射撃ソフトに殺された民兵の死体が転がる中で、ポッドそれ自身もまた見る見るうちに「死んで」いくのを確認した。

分解したポッドから離れた小型の無人機が、作戦区域の上空を自律して浮遊しながら、戦闘情報を収集したり、ぼくたちの通信を中継したりしている。ぼくたちは着地した目標建造物の四方から、敵が反応を起こす前にあっさりと侵入し、小さな体にAKを抱えて突進してくる子供たちを手際よく薙《な》ぎ倒していく。外からはチェーンソーのような唸りと、それにほとんどかき消されてしまいそうな人間の叫び声が聴こえてきた。建物の外周の四つ辻それぞれの空中で、サラダボウルをさかさまにしたような無人機がホバリングしながら、殺到する勢力を機銃で押しとどめているのだ。

ぼくらはロビーに陣取る仔らを点射でてきぱき殺していく。腕や脚を狙うような戦闘は最初から想定外だ。こういう場所の子供らは殺さねばならない。大人の戦い方はある程度予想がつく。危険なのは、恐れを知らず、退きどころをわきまえない子供たちだ。

建物の中は子供で溢れている。近衛兵たちだ。少女も少年も誰彼構わず武器を持ち、ぼくたちに襲い掛かってくる。ホテルの荒れ果てた廊下を進みながら、ぼくとウィリアムズとは頭身の低い人影たちを一人一人ヘッドショットで仕留め、ついで階段を上っていった。

近代化された軍隊との戦闘ならば、殺すより負傷させるほうが効率がいい。負傷した兵士を助けて戦線から離脱させるのにあと二人、計三人以上の手を塞ぐことができるからだ。しかし、こうした命がひどく安い場所での戦闘には、そもそも負傷した仲間を助けようという発想そのものが存在しなかった。そういうわけで、確実に、瞬間的に殺すのが、一番危険が少ないというわけだ。こうした場所にはありがちなことだが、武装勢力の指揮官たちは子供兵を手なずける手段として麻薬を供給している場合がある。葉っぱに火をつけて吸いこみながら、辛い現実から逃れるのだ。子供たちがそういう状態にあったとしたら、ちょっとばかり腕や脚を撃ったくらいではどうということはない。下手したら、腹や胸を撃たれてなお、平然と発砲してくる子供もいたりする。

だからこそ、子供兵たちの命は確実に奪っておかなければならない――と、そこでぼくはあることに思い至る。淡々と子供を殺して前進する作業を繰り返しながら。ぼくらだって、脳にナノマシンを入れて痛覚にマスキングをかけているじゃないか。いまのぼくやウィリアムズは、仮に撃たれたとしても痛みを感じない。痛みを知るだけだ。

だとしたら、敵がぼくらを撃退するには頭か胸を撃つしかないじゃないか。

ぼくはぞっとした。仮にぼくらが仲間うちで撃ち合ったとしたら、確実に殺したと確認できるまで撃ちつづけるしかない。ぼくらとて、あの子供らと一緒なのだ。

建物に街のいたるところから装甲車やトラックが殺到し始めていると、オルタナの画像が教えてくれる。とはいえ、連中のボスがいる建物に迫撃砲を撃ちこむわけにもいくまい。どんな大筒を持ってきたところで、結局は連中もホテルの中に入ってこなくてはならないのだ。

子供特有の、天使のような周波数の高い怒声を発しながら、民兵たちがぼくらのチームを止めようと無駄な努力を費やす。第二次性徴がはじまる前の子供の叫び声は、男も女も区別がつかない。上官と性交中だったのだろうか、まだ乳房もろくに膨らんでいない少女が全裸で廊下に飛び出してきて、その痩せた脇腹にAKを持ち、腰だめで乱射してきた。ぼくは冷静に裸の体に点射する。平らな乳房に立て続けに穴が開き、少女は倒れる。子供が飛び出してきた部屋を覗きこむと、上官らしき男があわててズボンを履いているところだったので、ぼくはそれも撃ち倒した。

このときのぼくは、完璧だった。どう完璧だったのかというと、迷いなく子供たちを撃ち殺していくことができていた。そんなの当たり前じゃないか、自分が狙われているんだから、という人は、おそらく倫理や感情というやつを甘く見ているのだろう。それはいつ脳のなかでスパークを散らして、判断系統に割りこんでくるかわからない。どんなに完璧に訓練された兵士たちでもだ。もちろん、大体においてぼくらは迷いなく仔らを射殺していくことができるだろう。にもかかわらず、百パーセントというのはありえない。すくなくとも、アメリカに生まれて平均的な教育を受けるという困難を背負っているかぎりは。

人間とは、ときに自分の命よりも、愛やモラルを優先させてしまうことができる、歪んだ生き物なのだ。利他精神で身を滅ぼしてしまうことのできる、そんな種族なのだ。モラルを見くびってはいけない。それがルツィアの言うように、進化のそれなりの必要性で生じ、人間の脳に根を張ったものであるならばなおさらだ。それが自分の身に降りかかってきたら——それを怖れる兵士たちは決して少なくない。自分が、ふいに、意図しない情緒に支配されてしまうことへの恐怖。

そのための戦闘適応感情調整なのだ。万が一を防ぐこと。万が一とは、すなわち死だ。それをリカバーすることは誰にもできない。感情やモラルという厄介なものを、戦闘という、社会から切り離された祝祭の時間においてのみ抑制することが、万が一を防ぐ強力な手段となる。

カウンセリングと化学物質は、完璧に機能していた。

オルタナが目標の位置を示す。ぼくのいるフロアだ。ホテル内の階段はすべてチームが制圧している。連中はここで完全に缶詰だ。

と、銃弾がぼくの頰を焼いた。痛みを知覚したぼくは咄嗟《とっさ》に伏せ、ウィリアムズは弾の飛びこんできた窓からひとしきり銃弾を放った。痛覚マスキングが、痛みというものを完全に押しつぶすような処理だったらこんな反応はできなかっただろう。ぼくは痛みを知ったが、痛いとは感じなかった。かなり離れた四階建てのビルから、狙撃手がホテルの窓を狙っている。伏せたぼくの五メートルほど先に、後頭部がラフレシアのように開いている少女の骸が転がっている。味方に間違って狙撃されたのだ。

「どうする。進めなくなったぞ。窓の下を這っていくか」

ウィリアムズが苦りきって言う。ぼくは戦闘リンクに繋いで、リーランドを呼び出した。

「ブルーボーイ、目標の部屋をはさんで廊下の真向かいにいるだろう」

〈イエスですイェーガー。けど俺らとあの部屋のあいだにもやっぱり窓がある。そっちとこっちがあの部屋へ向かって同時に突進してから、スナイパーが何人いるか賭けてみようって気にはならないですね〉

「廊下をスモークで一杯にするか」

とウィリアムズが提案する。ぼくは二秒考えて首を横に振り、

「そうすりゃ外から狙われなくはなるだろうが、中で襲われたら嫌なことになる」

「じゃあ神様にお願いするか」

ウィリアムズが気乗りしないながらもそう言ってくれたので、ぼくはうなずいてリンクをシーウィードに繋いだ。

「シーウィード。いまどこにいる」

幸運を祈ってくれたパイロットの声が、圧縮ノイズ越しに届く。

〈ドンパチの上をぐるぐる回ってるよ〉

「ひとつバラしてほしい。目標はレーザーで指示する」

〈了解、イェーガー〉

ぼくがうなずくと、ウィリアムズが窓の脇からそっと銃だけ突き出す。ライフルにごてごてと取りつけられた特殊作戦装備《SOPMOD》のひとつであるレーザー照準を、通常の近接戦闘用照準モードから、指示測定モードに切り替える。同時にカメラ・モジュールを起動させ、オルタナ

に銃口視点の画像を映し出しながら、狙撃手のいる建物に狙いをつける。

「つかまえた《ガッチャ》」

ウィリアムズが獰猛な笑みを浮かべる。こちらの位置を基準点に、レーザー測定で確定された建物の座標が、上空のシーウィードに伝達される。情報取得、とシーウィードのパイロットから通信が入った。

ほどなくして、轟音がホテル全体に響き渡り、天井から塵が落ちてきた。窓から顔を出して眺めると、街のむこうで狙撃手のいた建物がまさに崩れ落ちんとしているところだった。緊急対処用に積みこんでいた、スマート爆弾の一本を使用したのだ。

「サンキューシーウィード」

とウィリアムズは言うなりぼくを追い抜いて、埃だらけの回廊を突進する。ぼくはそんな気の早い相棒に呆れながらあとに続いた。ウィリアムズは部屋の扉に着く前に背中からショットガン《ソードオフ》を取り出して、錠前に弾を叩きこむ。そのまま扉を蹴り開けたときには、しっかり二秒後に炸裂するようタイミングを調整した閃光手榴弾をぼくが投げこんでいた。耳を塞いで口を開いた刹那、轟音と光が壁の向こうで炸裂する。

ぼくとウィリアムズに続いて、リーランド陣も室内に入ってきた。閃光と衝撃波で息を詰まらせている少年の額に弾を撃ちこみ、ついでボスの愛人兼ボディガードであろう、ＰＰｈを持った半裸の少女を無力化する。ヒンドゥー・インディアの幹部連は、早々に手を上げて降伏したり、部屋の奥でむせこんだりしていた。

ウィリアムズは鍵を吹き飛ばしたソードオフをそのまま突きつけ、

「まさかのときのスペイン宗教裁判だ」

「誰だお前らは」

とその中の一人が言った。流暢な英語だ。海外経験のある知的エリートがこうした猿山のボスに納まっていることはままあることだ。

「国際刑事裁判所の執行部隊だ。逮捕状が出ているあんたらにこうやって挨拶する連中が他にいると思うか」

ウィリアムズが嘲笑《あざわら》う。悪魔的笑いだ。男は後頭部に両手を回しながらも、殺意に満ちた目でぼくたちを睨みつけ、

「雇われ兵か。戦争を食い物にする連中め」

ぼくは戸惑った。ぼくらはアメリカの正規軍だ。とはいえ、この作戦においてはたしかに「雇われ兵」でもあった。形式上は日本政府の軍事代執行人として、彼らを逮捕しに来たのだから。そういうわけで、ウィリアムズは苦りきった何ともいえない笑みを浮かべて、

「そ、あんたらもご同業《ヤップ》だ」

男の呪詛《じゅそ》をウィリアムズは淡々と返しながら、敗北感に死んだ瞳の幹部連中を拘束して手首をテーピングし、ブルーボーイたちと後頭部にSWDを貼りつけていく。

「われわれは大いなるインドの大地を汚すモスレムどもと戦っている聖戦の戦士だ。貴様ら拝金主義者と一緒にするな」

狂信者の罵倒は聞き飽きていた。狂信のかたちは宗派に拠《よ》らない。どこにあっても似たり寄ったり。どんな戦場でも、どんな悲惨でも、同じような人間が同じようなことを言う。コメディ番組みたいだ、とウィリアムズはぞっとするほど朗らかな声で笑った。繰り返しはギャグの基本だからな、とつけ加える。

部屋の片隅に白人が佇《たたず》み、ぼくらがインド人たちを拘束するさまを、落ち着き払って見つめている。その顔、その体格には見覚えがあった。

ジョン・ポール。

「久しぶりだね、スパイのきみ。特殊部隊員《オペレータ》でもあったとはね」

ジョン・ポールがそう言って微笑む。日の光のもとで見るその顔は、あのプラハの暗がりではわからなかったが、たしかに学者の面影がある。そしてあのときのように、その眼には狂気のかけらもなかった。

「こっちが本業さ」

ぼくは防塵ゴーグル越しにジョン・ポールの瞳を覗きこみ、

「ルツィアはどこだ」

ジョン・ポールはひどく嬉しそうな表情を浮かべ、

「ここにはいないよ。どうやら、きみの目的は国家の命ずるところとは異なる場所にあるようだね」

「あんたを逮捕する」

ぼくは無表情に告げ、両腕をテーピングした。ジョン・ポールは大人しく拘束されるがままになっている。

ぼくは再びリンクをシーウィードに繋ぎ、

「買い物カゴにブツを入れた。決算してくれ」

〈了解、イェーガー〉

リーランドが誘導マーカーをオンにする。ここから発信されるビーコンへ、シーウィードから投下された回収機が飛んでくる。階段で防御陣地を固めていた隊員たちも同じフロアに集結しはじめた。

「屋上に出るぞ」

幹部連中の後頭部に貼りつけたSWDの信号が脳の歩行系に割りこみ、自分の意思とは無関係な方向に歩かせ始める。自分の脚が勝手に動くさまを見て、男たちが慄《おのの》きに目を見開いた。捕虜を望む方向に歩かせることのできるこのシール状デバイスの正式名称を、ぼくもウィリアムズも、i分遣隊の誰も知らない。SWDという呼び名は、シールを貼られた人間たちが、勝手に特定方向へ歩ませようとするシールの作用と、それに抗《あらが》おうとする意思のコンフリクトによって、なんとも味わい深い歩き方になってしまうところから来たものだ。つまりなんの略かというと、バカ歩きデバイス《シリー・ウォーク・デバイス》。

最後尾の戦闘単位《セル》が最上階に到達すると、腹の底に響く轟音が建物を伝わってきた。民兵がセンサにひっかかり、階段に仕掛けておいたジェル爆薬が起爆したのだ。適切な点に仕掛けていれば、階段は完全に崩落しているだろう。子供たちがここまで昇ってくるには、ひどく骨を折らねばなるまい。

屋上への階段を昇っているとき、視界の隅に別の表示系が立ち上がり、街の上空をゆく鳥の視点が展開した。シーウィードから投下された無人ヘリのノーズカメラの画像だ。

屋上に飛び出ると、オルタナの右隅に矢印が点滅した。注視せよという指示どおりにホテルの南を見やると、その視界の主、空飛ぶ豚のような無人機が、ホテルへと高速で接近してくるのがわかる。まるで花火のように、街路という街路からRPGが打ち上げられ、噴射煙がいくつものアーチを形作っていた。視界の隅の窓には、機から見たホテルの屋上、そしてそこにいるぼくたちが映し出されている。

こちらに向かってくるヘリから見たチームの姿。異様な鏡だな、とぼくは思った。

ヘリのミニガンが地上を掃射して、対戦車ロケットを対空に用いる礼儀知らずどもをたしなめる。彼方から急速に接近してくるヘリの腹部に、マズルフラッシュがストロボのようにまたたき、街に投射される膨大な量の曳光弾の輝きが、すさまじい暴力を物語っている。あの空飛ぶ機械は、人間を殺すことのできる特権に打ち震えているだろうか。

見つめていると、あっというまにヘリは屋上に到達した。隊員たちは屋上の縁に伏せながら支援火器を掃射して、街路や民家の屋根からRPGを撃ちこもうとしている民兵たちを抑えこむ。ウィリアムズが怒鳴り声を上げながら、逮捕した連中をヘリに放りこんでは片っ端からノックアウトシールを貼りつけていき、暴れることのないように意識を奪っていった。

屋上の北隅が弾け飛び、砕け散った石片があたりに飛び散る。弾幕をすり抜けてＲＰＧが命中しかけたのだ。

「大丈夫か」

ぼくは支援火器の銃声を背景に大声を上げた。北面を守っていた隊員たちが親指を立てる。誰も負傷してはいないようだったが、その隙を突いて、北面に膨大な火力が割りこんできた。弾丸が下から嵐のように突き上げてくる。ＲＰＧも立て続けに叩きこまれ、北面が掘削されるようにどんどん崩れ落ちてゆく。潮時だ、とぼくは思った。

「捕虜を全員回収したぞ」

ウィリアムズの声が聴こえる。ぼくが撤収のサインを出すと、各々グレネードを取り出した。

「イェーガー、このホテル何階でしたか」とひとりが訊いてきた。四階だ、と答えてから、ワンフロア八フィートだと付け加えた。全員が距離を暗算すると、ピンを外してタイミングを計り、次々に地上へグレネードを放り投げていく。

下から爆発音が聴こえてきた。銃撃が弱まった隙をついて、全員がヘリに素早く乗りこむ。ウィリアムズが滑らかな手つきで、ヘリの自律モードを解除して、制御系を人間の手に取り戻してゆく。全員が乗りこむまで十五秒とかからなかったが、その頃すでにヘリはウィリアムズの手の内にあった。

「いきまっせ《ヒア・ウィー・ゴー》」

ウィリアムズが微笑むと、重力が下腹を物凄い力で引っ張り始める。武装勢力の街が急速に小さくなっていった。ガンブースに張りついた隊員たちが機体腹部の砲弾を景気良く地上へ降り注いでいたが、すでに地上の大人たちも子供たちも、遥かな高みへと飛び上がってしまったぼくたちをどうすることもできなかった。

ぼくはオルタナを機体のカメラにリンクする。作戦を完璧に終えて満足げな男たちの顔と顔に重なって、腹部の砲の視点が表示された。地上からこちらを見上げて、ＡＫを乱射する民兵たち。街路で燃やされたタイヤの狼煙。

風景が遠ざかるのと同期して、アドレナリンのリズムが肉体の浜辺から波のように退いてゆく。戦いは終わった。これからまた次の任務までのあいだ、あの夢の中へと戻るのだ。日常という夢、生活という夢に。

次の戦場までの、長い待ち時間。

いつか、ルツィア・シュクロウプと出会える、その戦場を待ちわびながら。

ぼくはすでに物憂い思いに囚われはじめていた。辛うじて義務感を掘り起こし、近傍のベースキャンプへ報告する。

「イェーガーより戦闘事務《オフィス》、作戦終了。パッケージはすべて確保。貴重品も確保した。負傷者なし。これより帰還する」

5

列車は前世紀からある骨董品だった。核戦争を生き延び、いまだインドの各地を結びつけている、単純さがそのまま頑丈さであるような骨董品だ。ヘリでヒンドゥー・インディアの勢力圏から離脱したぼくらは、ユージーン&クルップスの最前線ベースキャンプで態勢を立て直し、手筈どおり四人たちを列車でムンバイに送り届ける。ジョン・ポールを除くヒンドゥー・インディアの指揮官たちをハーグの検察に渡し、ハーグは彼らをパノプティコン社の収容所に送る。それで任務は終わりだった。

ヘリが着陸したベースキャンプはパキスタンにかなり近い場所にあったから、ぴりぴりした空気が常に漂っていた。ユージーン&クルップスの精鋭たちが、森の向こうにあるヒンドゥー・インディアの支配区域をにらみつけて朝から晩まで立ちっぱなしだ。ムンバイで復興スタッフたちに食料を供給していた軍事ケータリング会社も、ここまでは来てくれなかったようだ。滞在した四日間、ムンバイで食べたようなギャリソン・レーションにありつくことはできなかった。とはいえ、別にここで食べたユニット《U》式集団《G》用レーション《R》に文句をつけたいわけじゃないが。

Eの字の兵士たち——銃を持って最前線にいる彼らを兵士でなく「社員」と呼ぶのはなかなか難しいものがある——は森の向こう側を憑かれたようにぼうっと見つめていた。なぜ向こうを見るんだい、とリーランドが訊くと、Eの字の兵士はこう答える——見ているんじゃない、叫び声が聴こえないかどうか、耳を澄ませているんだ、と。人が大勢死ぬときはものすごい唸り声が聴こえるんだ。何十、何百の叫び声が合唱になって、それらを束ねたものすごく太い声の柱を、インドの空に打ち立てるんだよ。兵士たちはその声の柱を「リゲティ」と呼んでいた。だれか現代音楽に造詣の深い兵士が名づけたのが、いつの間にか広がったんだそうだ。「二〇〇一年宇宙の旅」のトリップ場面でかかっていた曲のコンポーザーの名前らしい。

　聞けば、ユージーン&クルップスはこの森の向こう側には足を踏み入れていないのだそうだ。いちど国連軍と共同で大攻勢をかけようとして大失敗をやらかしてから、ヒンドゥー・インディアとの境界線をこのあたりに定めたらしい。

　だからEの字の兵士たちは、「森の向こう側」に行って帰ってきたぼくらの話を聞きたがった。向こうの世界はどんなんだ。やっぱり虐殺された人々の死体が一面に広がっているのか、と。まるで森の向こうはカーツ大佐の王国で、ぼくらはそこから帰ってきたウィラード大尉とでも言いたげだ。

　連中はモスレムを食っているらしい、連中は終戦時に残っていた核弾頭を本尊にして殺した連中の耳で飾りつけているらしい。あまりに馬鹿げてはいるのだが、そんな情報化時代らしからぬフォークロアが、最前線では当たり前のこととしてまかり通っていた。これだけ熱く湿度が高くていらいらさせられる土地で、あやふやな森を国境にして見たこともない敵と接していれば、そうした世界残酷物語の類が会話の種になるのは仕方のないことだ。

見たことも遭遇したことも交戦したこともない敵の野蛮さ、人非人《にんぴにん》語りは戦場の定番だが、同様に幽霊話や怪談の類も戦場には欠かせない。幽霊戦艦に幽霊潜水艦、リトアニアの森をうろつくドイツ兵の亡霊。そしてここにもやっぱり幽霊はいて、夜の森に群なして歩む虐殺の被害者たち、ヒンドゥー・インディアに殺されたモスレムや仏教徒の村人たちを見たという怪談が、何年にもわたって語り継がれ、ここに詰める兵士たちを怖れさせている。

死が隣り合わせの戦場で、なぜ兵士たちは幽霊を怖れるのだろうか。

頭上の機雷や圧潰《あっかい》の恐怖に怯えながら海中を征く、Uボートの乗組員たちが怖れる幽霊潜水艦話。膠着した戦線の夜に現れて同胞を死へといざなう幽霊兵士。死がどれほど近くにあろうとも、人は幽霊を怖れることができる。どうしようもなく現実だけが横たわる戦場にあっても、フィクション――いや、この場合「妄想」と言ったほうが近いのかもしれない――は人間の実存を脅かすことができるのだ。

ジョン・ポールはそんな妄想の産物なのではないか、とぼくはこれまで何度か思ったことがある。世界を渡り歩き死をまき散らす、幽霊のような存在。誰かの、何かの願望で生み出された架空の怪物。こうしていま、本人と名乗る人物を捕まえてみても、やはりしっくりこないものが残る。この学者然とした男のアカペラで、人々が殺し合いをはじめるなどということに。

夜が明けると、ぼくらはストライカーの外装にさらに複合装甲を貼りつけた車で、鉄道の駅まで六時間の道のりを移動した。捕虜たちはノックアウトシールで意識を奪い、狭い車内に無理やり押しこんでいったため、駅に着いて意識を呼び戻したときにはすっかり肩や首を寝違えてしまっている。車両から降ろすあいだ、捕虜たちは寝違えた箇所を手で押さえたり揉んだりして、強張った筋肉をなんとかほぐそうとしていた。これは立派な捕虜虐待だ、とかつてインド国軍を指揮して人民を核戦争に導いていった連中のひとりは愚痴を漏らす。

「ひざまずけ」

リーランドの戦闘単位《セル》が、ジョン・ポールと幹部連をホームに並べていった。列車が到着するまでのあいだ、ひざまずかせて監視する。この姿勢から逃げ出すためには、まずどちらか一方の脚を立て、次いでもう一方の脚を踏み出さねばならない。監視の目を掠《かす》めて逃走するには、少しばかりのんびりすぎる。

そういうわけで、駅にすべりこんできた列車を、ひざまずいた囚人たちは仰ぎ見ることになった。この古めかしいディーゼルの前方三車両を、ぼくらは押さえている。護送車をサンドイッチするようにぼくらの車両があり、そこより後部には、ムンバイへ向かうのだろうか、現地の人々が圧縮されて詰めこまれたように乗りこんでいる。客車の屋根に座りこむ人々。貧しい国々の典型的な風景。

この人々は、どうしてムンバイへ行くのだろうか。ヒンドゥー・インディアから逃れるためか、貧しさから逃れるためか。ぼくはムンバイの鉄道の周囲に広がるバラックの海や、洗濯カーストの人々が住む川岸を思い出す。この人々は、ムンバイに行ってどうなるのだろうか。物乞いになるのでなければ、あのバラックの新しい住人になるしかないんじゃないだろうか。ムンバイにいる親戚などの伝手《つて》を頼って、この辺境から出ていくのだろうか。そうでなければ、この列車はバラックの海に新たな生活者を追加するための箱でしかない。ムンバイの一角にある、境界はないが確実に偏在する収容所――貧困という名の。これではまるで、ユダヤ人たちを運んでいるナチの輸送列車だ。

精度の低いレールと車輪が擦れ、ぶつかりあい、車両はがたがたと乱暴に揺れる。頑丈だが、荒っぽい、まるでカラシニコフのような列車だった。屋根に座っている何人かは、この揺れで振り落とされることもあると聞く。そんな客車に長い時間座っていると、尻が木製の座席に当たってだんだん辛くなってくる。

「連中を見てくるよ」

ぼくは立ち上がり、後部車両へ歩いていく。

二名の隊員が囚人たちの車両を警備し、あとの面子は二班に分かれて前後の車両に詰めている。逮捕した面々を奪還しようと狙う連中が、列車を襲撃してくる可能性が高いと予測された最終警戒ラインは、一時間ほど前に越えた。いくら指揮官を失って命令系統に混乱をきたしているとはいえ、ヒンドゥー・インディアの連中が正気まで失って、新インド軍と国連軍、そしてユージーン&クルップスが駐屯する地域にまで突撃をかけてくるとは思えない。

猿山のボスたちはいずれも深刻な面持ちで口をつぐんでいたが、その有様は様々だ。連中が収容されている客車に足を踏み入れると、恐怖に凍りついている者、震えている者、あるいは怒りに身を焦がしている者、そもそもありもしない威厳を保とうとしている者、何も考えないようにしている者、そんな男たちの顔が目に入った。ただ、まるで照明のスイッチを切られるように、ノックアウトシールで幾度となく意識を奪われているので、駄々っ子じみた抵抗はすっかりなりを潜めている。

ぼくをリーダーだと解しているのだろう、男たちの一人が口を開いた。

「収容所で何事もなければいいんだがね。腰抜けの傀儡《かいらい》国軍が警備している収容所なぞ」

「あんたの部下たちがどれだけ律儀でも、刑務所を襲うのは難しいと思う」ぼくは教えてやる。「パノプティコン社の施設ときたら、まるでクリーンなアルカトラズだからな」

「民営の収容所だと」

「厳密に言えば、刑務所だ。国連と新インド政府がパノプティコンに委託してる受刑者矯正収容業務だな。警備しているのは、あんたのいう『傀儡国軍』じゃない。ＰＭＦの精鋭さ。保安体制のノウハウに関しては世界でも指折りだ。脱走や襲撃はまず無理だと思っておいたほうがいい」

男はぼくの言葉を信用していないようだった。目にはそれとわかる嘲《あざけ》りを浮かべている。いまや世界中の刑務所を民間企業が運営していることを知らないのだろう。男は年老いている。逮捕時に行ったインスタントＩＤでは、旧国軍の大佐ということだ。まだ国というものの持つ機能が大きかった時代の人間なのだ。

　ぼくはそんな大佐を置いて、がたがたと古めかしく揺れる客車を後ろのほうへ向かう。ヒンドゥー・インディアの男たちから離れて、ジョン・ポールがひとり鉄格子の窓際に座っている。

「鉄格子つきとはね。こんな車両をよく見つけ出してきたもんだ」

　ジョン・ポールは窓の外を見ながら言い、テーピングされた手を持ち上げて流れゆく風景を指さす。

「ほら、あそこの看板」

　ここでもあれはゴシック体と呼ぶのだろうか、やたら角ばった極太の書体で、古めかしいリアリズムの兵士画を背景に、何事か威勢のよさそうな文言が書き連ねてある看板が、あっという間に通りすぎていった。

「わたしが書いたスローガンだ」ジョン・ポールは言い、「虐殺の文法の効果は、語る内容に依らない。日常的な会話にいくらでも忍ばせることができる。にもかかわらず、ああいうスローガンやプロパガンダの類は、虐殺の文法とじつに馴染みやすいんだな。濃いんだよ。虐殺文法にはそれぞれの文章への埋めこみ《エンベッド》の度合を示す『濃度』があるんだが、ああいう扇動的な文言というのは、それが濃縮される傾向にあるようだ」

「なにを言っている」

「もしかしたら、と思うんだよ。左右問わず極端な政治思想が虐殺を引き起こすのではなく、むしろ虐殺を準備するディテールとして右だの左だのといった政治思想が要請されるのではないか、とね」

「話があべこべだ。馬鹿げてる」

「ふむ、たしかに馬鹿げているな。だがことばの連なりが人を虐殺に駆り立てるという話だって、じゅうぶん馬鹿げているだろう」

　そう言って虐殺の王は肩をすくめる。

　黄色みがかった雲が、インドの田畑を覆っていた。その隙間から光の柱《ジェイコブス・ラダー》が大地に下って、彼方の森林に突き立っている。虐殺がまだ続いているかもしれない、あの森のなかへ。その眺めはまるで、虐殺された無辜《むこ》の民の魂を、神がストローで吸い上げているかのよう。その雲上におわす神はきっと、モンティ・パイソン流の切り絵の神様に違いない。

　この無時間。昼も夜もなく、テンションで分厚く塗りたくられ、生活というディテールを喪《うしな》った、作戦時間としか形容しようのない奇妙な意識の状態。時間帯同期剤や、感情調整や、痛覚マスキングがそれを助長する。そんな無時間に在って、線路の繋ぎ目が刻む単調なパルスに包まれていると、この異様なゼリー状の時間がこれからも永遠に続くかのような、ある種の普遍性を獲得しているという幻想に囚われる。

　そんなぼくを、ふたたび通過したヒンドゥー・インディアのアジ看板が引き戻してくれた。ぼくが看板を目で追っていたことに気がついたジョン・ポールは、

「スローガンと一緒に描いてある絵が社会主義リアリズムっぽいのはご愛嬌だな。右翼も左

翼もある地点を越えると、美的センスが、というよりは美的センスの劣化が、よく似通ってくるわけで――」

「あんたは屑だな」ぼくは何の感情もこめずに言い、「あんたが広めたという虐殺のことじゃない。あんたはそこにいる連中、原理主義の連中を嘲笑いながら道具として扱ったわけだ」

「誰かを見下しているのが、許せない、と……」

ジョン・ポールが訊ねた。

「あんたは誰かを見下して、その見下した連中に殺し合わせている。手を汚しているぶん、連中のほうがまだ信用できるよ」

「わたしが背負おうと決心した罪の量は、自ら手を下していたのではとても間に合わないからね。労働に関われないのはやむを得ない。わたしは責任者としてその罪を全《まっと》うするよ」

「連中は裁かれる」ぼくは断言し、「連中はハーグで裁判にかけられる。あんたは違う」

「国防総省かね」

「そういうことだ。その先あんたがどうなるかについては、聞いてない」

ぼくは口をつぐんで、ジョン・ポールの反応を観察した。無だった。この男はなんの反応も示さない。恐怖も、あきらめも。

ややあって、ジョン・ポールが口を開き、

「喉が渇いたな、水をくれないか」

「ノックアウトシールを貼っておけば、渇きを気にする必要もなくなるぞ」

「冷たいね」

「ルツィアはどこだ」

「ここにはいない」

「それは聞いた。だからどこにいるかと訊いている」

ジョン・ポールは肩をすくめ、

「それはきみの任務とは関係ない質問だ、違うかね」

「そのとおりだ」興奮してくるにつれ、自分の声がより低く、冷たさを帯びてくるのを感じた。「ぼくが望むのはルツィアだ」

「そのためだったら、子供だって殺してみせる、か」

ぼくはジョン・ポールを見つめた。皮肉だ。この男がはじめてぼくに示した、感情のような反応だ。それは敵意ではあるのだが、ぼくは怒りを覚えるとともに、心のどこかでほっとしてもいた。

「つらいが仕方ない。仕事だからな」

ぼくはできるだけつまらない答を返したつもりだったが、それを聞いたジョン・ポールは愉快そうに笑い、

「つらい、なんて嘘だろう。知ってるよ、きみらは作戦前に感情を戦闘用に調整するだろう。子供を殺すことを躊躇《ためら》わず、殺したあとは傷つかないように。引き金を引くその瞬間には、

どんな罪悪感だって感じちゃいないさ。違うかな」

　ぼくは黙って聞いていた。

「仕事だから。十九世紀の夜明けからこのかた、仕事だから仕方がないという言葉が虫も殺さぬ凡庸な人間たちから、どれだけの残虐さを引き出すことに成功したか、きみは知っているのかね。仕事だから、ナチはユダヤ人をガス室に送れた。仕事だから、東ドイツの国境警備隊は西への脱走者を射殺することができた。仕事だから、仕事だから。兵士や親衛隊である必要はない。すべての仕事は、人間の良心を麻痺させるために存在するんだよ。資本主義を生み出したのは、仕事に打ちこみ貯蓄を良しとするプロテスタンティズムだ。つまり、仕事とは宗教なのだよ。信仰の度合において、そこに明確な違いはない。そのことにみんな薄々気がついてはいるようだがね。誰もそれを直視したくはない」

「あんたも勤勉さじゃ負けちゃいないさ。世界中を飛び回って涼しい面で大虐殺だ」

「まったく、まったく。われわれは似た者同士だな」

「ふざけるな」

「いいや、同じさ。告白しよう、そう、わたしは呪いの言葉を唱えるだけだ。実際に銃を撃ったり家に火をつけたりはしない。手ごたえはゼロだ。翻《ひるがえ》って、きみはどうだ……。戦闘用に感情を調整したきみの脳は、手応えを感じているか……。自分に銃口を向けてくる仔らを撃ち殺したとき、しかるべき安堵と罪悪感を感じているか……。断言してあげよう。フラットだ。軍の医学処置で感情を最適化されたきみは、誰かを手にかけたその瞬間、完全に反射的でありつつ冷静でもあったはずだ。はっきり言おう。きみは、そしておそらくきみの戦友たちは、現実の戦闘に参加したにもかかわらず、つねに物足りなさを感じているはずだ。おれは目の前の敵を殺したというのに、伴うべき感情や反応のセットが欠けている。この殺意は、おれ自身に所有されているのか、と不安なはずだ」

図星だった。ぼくは真実をまくし立てるこの男に、憎悪を感じはじめた。ガタガタと揺れる車両のなかで、この男だけが奇妙に静止しているように思える。ジョン・ポールの背後の風景が、まるで別撮りの合成背景のように見える。

「そう。仕事で心を病んじゃかなわんさ。そのための感情調整だろう……。食品工場の労働者が手袋をするように、きみたちは心に覆いをする。というより、心に覆いをすることを許す。他者、それも幼い命に対して無感覚になることを、自分に許す。それはある意味で、子供を殺すことそのものよりも、ずっと残酷だ」

「残酷なんて言葉を、あんたに言われたくないね」

「じゃあお互いに残酷だと言い合おうじゃないか。いいことを教えてあげよう。虐殺の文法が脳に及ぼす影響は、きみらが作戦前に受ける感情調整過程にとても近いんだよ」

「ぼくはそこにいる連中とは違う」

とぼくは顎でヒンドゥー・インディアの幹部連を指し示し、

「ぼくらが受けているのは、完全に自己保存本能を高めるための防御的処置だ。意味もなく儀式と称して子供の腕をぶった切ったりはしない」

「いいや、同じだ。攻撃と防御のあいだにそれほどの違いなどない。虐殺の文法の効果というのは、良心に関する脳の機能の調整だ。良心を抑制して、価値判断を特定の方向に誘導するのさ。きみらが子供らを殺して平気でいられるよう、自分のなかに残っているかもしれない利他心を封じこめるのと変わらないよ。それは脳の特定のモジュールの活動を抑制する。ただ、きみらはテクノロジーによってそれを行い、わたしは太古より伝わりし言葉の力によってそれを施す」

「科学的に装飾した性善説なら、うちらのカウンセラーに聞かされたよ。抹香臭《まっこう》さじゃ宗教とそう変わらん」

ぼくは皮肉めいた笑いを漏らす。

「良心、という語彙を使うからいかがわしくなってしまうのであってね」

ジョン・ポールはぼくの皮肉を皮相なものとして退け、

「良心とは、要するに人間の脳にあるさまざまな価値判断のバランスのことだ。各モジュールが出してくる欲求を調整して、将来にわたるリスクを勘定し、その結果としての最善行動として良心が生まれる。膨大な数の価値判断が衝突し、ぎりぎりの均衡を保つ場所に、『良心と呼ばれる状態』は在るのさ。だから、あるモジュールをちょっと抑制してやれば、そのバランスはいともたやすく崩壊する。虐殺の文法は、脳の片隅にあるごくごく小さな、とある領域の機能を抑制する。その結果、社会は混沌状態に転がり落ち、虐殺の下地が出来上がるのさ。原理的には、きみらが作戦前に特定の神経伝達物質とカウンセリングで脳を調整して『良心』を限定的に抑制するのと、なんら変わらない」

ヒンドゥー・インディアの連中が、ジョン・ポールの呪《まじな》いによって皆殺しの野を拓きはじめたように、ぼくらは軍と契約した心理技術者の医学的処置によって、子供の骸を築いている。


ジョン・ポールのそうした指摘に、ぼくはまったく反論できなかった。

しかし——プラハの夜と違って、ジョン・ポールはちくちくとぼくを言葉で突くことにいささか興奮を覚えているようだ。進退窮まって恐怖で饒舌になっているのだろうか。ジョン・ポールはよく喋った。この状況を楽しんでいるようにすら見える。焦りの色を隠しているのだとしても、この朗らかさはちょっとありえない。恐怖から発した明るさ特有の、恍惚に似た異常さが見られない。この男には妙な余裕がある。

そこでぼくは唐突に思い至る。

「あんたには内通者がいるな、政府部内に」

いきなり話題の矛先を変えられたジョン・ポールは少しばかり面食らった表情で、

「いきなりどうしたんだね」

「いつも考えていた。どうしてあんたはぼくらが捕まえる直前にひらりと身を翻すことができるのか。あんたに関わる作戦を知っている人間はごく限られてる。ぼくら特殊検索群のi分遣隊の面子か、もっと上のほうだ」

「それで」

「あんたは言ってたな、NSAのプログラムを使って、各国の文法伝播に最適なポジションを探ると。けれど、研究者だった昔ならともかく、いまどうしてそのプログラムを利用できるんだ。どうやってそれぞれの国でそうした地位やポジションに就くことができるんだ。つまり、あんたにはかなり上に、お仲間がいる。あるいは支援者か」

ジョン・ポールはうなずき、

「そうだな、きみの推測が正しいかどうかは判らんが、仮に情報漏れがあったとして、上のほうはそれをとっくに承知だと思うよ」

「どういうことだ」

「きみたちがわたしを殺しそこなうたびに、情報漏れ候補はすこしずつ絞りこまれてきたはずだ。わたしを殺すというよりまずリーク源特定のために立案された作戦だってあったかもしれんよ。だから、これから何かが起こるとしたら、わたしはきみの言う支援者を失うことになるだろうな、残念だが。わたしの旅も最後に近づいてきたようだ」

〈イェーガーワン〉通信が耳のなかで不意打ちをかけてきた。〈後部車両に来てくれ〉

ウィリアムズだった。ぼくはジョン・ポールを一瞥して、後ろの車両へ向かった。

「外すぞ」

ウィリアムズは仲間に告げ、さらに後方、一般客車のほうへぼくを連れていく。銃と防弾ベストという物々しいいでたちの外国人たちを、乗客たちが驚きの目で見つめる。どうした、とぼくがウィリアムズに訊くと、

「何かがついてくる、と乗客の一人が言ってきた。ヘリらしい」

「見えるか」

「俺らが詰めている車両からは見えん。ケツに行って目視せにゃ」

数車両移動すると、最後尾についた。乗客たちがぼくらに群がって、車両の後方を指差している。ぼくらは万国共通のしぐさ、つまりなんとなく意味を汲み取ったという意味の適当なうなずきを返しながら、最後尾のドアの外に出た。騒がしさに上を見やると、客車の屋根に座って脚を投げ出している少年が、彼方を指差してなにやらわめいている。

ぼくは過ぎ去ってゆくレールの彼方の青空を見やった。

「なにか見えるか」

「いいや」

コンバットグラスを取り出すと、目に当てた。さらにオルタナが補正してくれる。

地平線ぎりぎりに、黒い点が見えた。ヘリだ。かなりの低空で、レール面ぎりぎりを飛行している。恐ろしい勢いで接近してきていた。

「中国製だ」

ウィリアムズが言う。かつてソ連製が世界のあらゆる貧乏戦場に居場所を持っていたように、いまや内戦や民族紛争の主役は中国製だ。アメリカやユーロのハイテク兵器にくらべて、中国製は圧倒的に安い。世界で流通しているAKのほとんどは中国のコピー製品だ。

つまりそれがなにを意味するかというと、パキスタン軍からヒンドゥー・インディア、現インド軍からユージーン&クルップスに至るまで、どこの武装勢力のヘリでもありうるということだ。さらに見つめていると、その両サイドに機銃のようなものがついているのが見て取れて――

「ブルーボーイ、警戒しろ、列車後方から武装ヘリが接――」

客車の中にとって返し、そこまで言いかけたところで、客車の前方の壁がものすごい勢いで接近してくるのが見えた。どういうわけか、車両全体がぼくの後ろへ流れていく。列車が急減速したのだと状況を理解した瞬間、ぼくは回転する車両のなかで洗濯物のように回転している。

そして気がついた。ぼくが気を失っていたことに。一分だろうか、一時間だろうか。きーんという高周波が耳のなかでこだまして、周囲のすべてが自分と無関係な風景のように見えた。ああ、母さんを殺したあの夏の病院も、こんな感じだったな、とぼんやり思う。体じゅうがもぞもぞした。破れた場所を検知したスマートスーツが、そこを負傷箇所と判断して止血しようと、膨張したり収縮したり、さまざまな策を講じているのだろう。

座席はぼくらの右側から突き出ていて、天井は左手にあった。ぼくは重力がどちらの側にあるのかを冷静に見極めようとする。

視覚だけの世界に閉じこめられてしまったかのよう。ぼくが見ている光景は、縦だろうか、横だろうか。乗客たちが窓のある側に折り重なって倒れている。ウィリアムズもだ。層を成す人体のあいだから、血まみれの腕がにょき、と突き出していた。こういう絵画があったような気がするが、いまは思い出せない。

ややあって、花火のような音が遠くから聴こえてきた。

ああ、銃声だな、とぼくは思い、体を動かそうとする。あちこちが打ち身になっているが、幸いあまり問題はないようだった。痛いのは「わかった」し、痛い場所もちゃんと「わかる」が、痛くは「感じて」いないから、行動に支障は出ない。ぼくは車両の後方から外に出る。

線路はぼくらのはるか右手に移動していた。

前方の車両は線路からそれほど移動していないようだった。ぼくらは遠心力で振り回されたのだろう。連結部がちぎれ、スリングのように遠くまで放り投げられたのだ。屋根に座っていた人々がどれほど遠くまで飛ばされたのか、想像もつかない。列車全体が横転していて、まだ続く耳鳴りのなか、はるか前方の車両では炎が燃え盛り、回転翼を振り回す黒い金属塊が地面すれすれに浮いていた。ちらちらとゆらめく人影が、よく訓練された特殊部隊要員特有の美しいコンバットスタイルで、きびきびと動き回っているのが見える。

銃弾が飛んできて、目の前に着弾した。

ぼくは唐突に状況に引き戻され、横転した車両の陰に隠れる。この距離からだと、手際よく動き回っている連中は、全身を覆う環境追従迷彩のせいでまるで幽霊のようにおぼろげだ。

ぼくはオルタナを操作して、生き残っていれば襲撃者と戦っているだろう、前方に残った隊員たちの医学的ステータスを呼び出した。

個々の名前を見ている余裕はなかった。心停止、反応なし。そんな表示が踊っていた。腕が千切れていたり骨が折れていたりする者がたくさんいた。もっとも、把握している範囲ではあまり問題ないと思える自分にしても、骨折や出血の文字がずらりと表示されているわけだから、スマートスーツの負傷センサはあてにならない。

「ブルーボーイ、ブルーボーイ、聴こえるか」

応答はなかった。

ぼくは客車の陰に隠れるようにして、慎重に、だが可能な限り急ぎながら進んでいった。意識を取り戻した乗客たちの悲鳴やうめき声が合唱となって奇妙な音楽をかたちづくる。これがEの字の連中が言っていた「リゲティ」だろうか。客車の外へ這い出てきて、逃げ出すものも多くなってきた。運のいい生存者たちが回復しはじめているようだ。

と、目の前を横切ろうとした負傷者の頭が吹っ飛んだ。ぼくを狙って飛んできた弾丸だ。横転した客車の陰に飛びこんで、ぼくはもういちどリーランドたちを呼び出そうと試みる。

ブルーボーイ、ブルーボーイ、応答しろ。すると、この状況で奇妙に体力のある声が回線に返ってきて、

〈イェーガーですか……〉

呼び出しで自分を名乗るのを忘れていた。

「そうだ、いまそっちから四車両ばかり離れたところにいる。状況はどうだ……」

〈機関車が爆破されたようです〉リーランドは相変わらず元気な声で、〈列車が横転すると

間髪入れずヘリボーン部隊が到着。現在交戦中です。ぼくらは横転した車両のなかに缶詰だ。機銃で外から穴だらけにされてます〉

まるでイーストウッドの映画だ、とぼくは思う。バスが穴だらけにされる映画。イーストウッド演じる刑事が重要証人の女性を腐った警察たちの襲撃から守る映画だ。と、ぼくはそこで自分らが保護すべき人間、ジョン・ポールのことに思い至り、

「捕虜たちは……」

〈わかりません、隣の客車がどうなっているのかは。この車両に雪隠詰《せっちんづ》めです。ただ、あの車両で見張っていた連中は応答しません。医療ステータスによると、死んでます。俺にしても、外に出ようとしたときに左腕を肩から吹っ飛ばされちまいました〉

それまでとなんら変わらぬ声色のまま、リーランドがものすごく派手な事実をさらりと言ったので、ぼくは思わず笑いそうになった。冗談ではないということは直感的にわかる。痛いことを知ることはできても、痛いと感じることができない今の自分たち。痛いという感覚の質感をマスキングされた特殊部隊員。すっぽりと消え去った左腕から血が噴出すれば、スマートスーツが判断してその箇所を圧迫してくれる。いやいや、まいっちまいましたよ、気がついたら頭がなくなっていたんでさ。

「痛いか……」

ぼくは思わず訊いてしまう。リーランドはこの状況でそんな質問をするぼくに呆れたのか、苦笑する吐息が聴こえたような気がした。

〈ええ、痛いですよ。痛いとは感じられないが、痛いのは認識できてます。でもまったく問題ないんですよ。質感として痛みを感じることができないんでね。あ、バリーっ。くそっ、クラヴィス、いまネルソンがやられました〉

ぼくは歯を噛んで、前進を開始した。陣形を組んだ連中が隙なく目標車両を包囲している。ぼくは手榴弾を取り出して、横転した車両越しに連中のほうへ投げつけた。

低く炸裂する音が響く。ぼくは陣形が崩れた隙にもう一車両ぶん移動して、物陰から炸裂した場所を確認した。

環境追従迷彩で幽霊のようにおぼろな人影たち。鮮やかな紅い点がいくつも動いているのが見えた。傷口だ。断面だ。腕や脚の切り株だ。炸裂点近くに立っていた二人の兵士それぞれの、脚が吹き飛んだり腕がなくなったりしているのだ。剝き出しになった断面が、迷彩の溶けこんだ背景の中でぴょんぴょんと血を噴出しながら踊っているのだ。陣形がわずかに崩れた隙を突いて、客車の中のリーランドたちが反撃する。追い打ちをかけるようにグレネードを撃ちこみ、一斉射撃する。その隙にぼくはもう一車両移動した。もうすぐだ。もうすぐ合流できる。

再び状況を確認する。この短い撃ち合いで何人かを殺すことはできたようだ。

しかし、平然と立っている男たちもいる。腕や脚を失い、体の何箇所かにひどく派手な赤い染みを滲ませて、それでもなお標準射撃姿勢で撃ちまくっている連中が。この襲撃者たちはミンチになるまで死なないんじゃないだろうか、とぼくはそんなことを考える。まるでゾンビ映画だ。寝ぼけたように緩慢な死者たちによる前世紀のゾンビ映画ではなく、アスリートのゾンビがガンガン走ってくる二十一世紀仕様のゾンビ映画。

痛覚マスキング。

ぼくはやっと気がつく。連中は痛覚マスキング処理されている。脳を一時的にいじって痛覚の質感をフィルタリングするよう調整されている。痛みを知ることはできるが、感じることができない脳。ぼくは唾を飲みこんだ。麻薬で痛みを感じない夢心地の子供たちと撃ち合っていたとき、ぼくの頭をよぎった邪悪な妄想。同じテクノロジーを持った集団同士が戦闘状態になったらどうなるだろう、という想像。

そうなのだ。二十一世紀に入ってからは、当然ながらG9の軍事力が衝突したことなどなかったのだ。同じレベルのテクノロジーの恩恵を受けた集団が、殺しあったことなど一度もない。ぼくらの戦いは常に非対称だった。金持ちの軍隊が貧乏な軍隊をタコ殴りにする、そんな作戦ばかりだったのだ。

だから、こうやってゾンビ状態の人間たち、痛覚的ゾンビ同士が潰しあう状況など、だれも想像しなかった。襲撃者たちは明らかに、それなりどころか極めて高度な軍事技術のサポートを受けてここにやってきた。四肢を失い、止血してなお少しずつだらだらと出血しながら、さらにお互いをすり潰すまで自分の身体に無関心でいられるテクノロジーのサポートだ。

「連中は痛覚をマスキングしているぞ」

ぼくはリーランドに言った。

〈ええ、気がついてます。ハンバーガーになるまで弾と火薬を叩きこむしかない〉

あまりにグロテスクな状況に、ぼくは言葉を失ってしまう。これはもはや戦闘行動などと呼べるようなものではない。

告白しよう。ぼくはそこで怖気《おじけ》づいてしまった。

イメージが、ぼくを恐怖に縛りつけた。お互いがミンチになるまで平然と撃ち合いを演じるその風景に、恐れを成してしまった。死の恐怖は作戦時には常にともにある。それを飼いならし、生存への意思を戦闘技能へとリンクさせるのがぼくらの仕事だ。だから、死ぬことそれ自体への恐怖がぼくを呪縛したのではなかった。痛みを感じないまま戦うことの意味を先送りにして、いまその極北を見せつけられてどうしようもなくなってしまったのだ。

ぼくはまだ、あの車両にたどりつけていない。腹の中に十発の弾丸を抱え、指を、腕を、脚を耳を頬を顎を失ったまま、それを気にするふうでもなくなお撃ち合いを続けるあの戦場にたどりつけていない。この距離で、ぼくは戦闘から疎外されていた。そして最低なことに、疎外されていることに安堵を覚えていた。

いまやここに至り、戦場とは撃ち合いの射程が描く円のことではなくなっていた。命に関わる傷や不具に連なる傷を負ってなお、平然と撃ち合うことのできる者たちの間に生まれるグロテスクな関係性そのもののことだった。脳のある状態が描き出す地図のことだった。

戦場に参加していないという罪悪感がぼくを駆り立てる。物陰から飛び出して、ぼくは全力でリーランドの車両に向かって走っていく。プロフェッショナルの現実的な判断は完全にお呼びではなかった。

酷い話だ。そのやけっぱちの短距離走のあいだ、なぜかぼくには一発の銃弾も当たることはなかった。襲撃者たちがすでに撤退しはじめていたからだと、後になってみてから判ったのだが、そのときぼくは状況を理解せず、自分はどうしてこうも戦場から疎外されているのだろうという悔しい思いに捉われていた。

ぼくはリーランドたちの客車に滑りこんだ。

「イェーガーワン、外はどうなってます……」

リーランドが訊いてきた。

男たちが倒れている。体のさまざまな場所を紅く染めて。何人かは銃を持ち、いまなお反撃しようと射撃姿勢をとっていた。車内で手榴弾が炸裂したらしく、凶悪な破片が内側一面、プラネタリウムのように散らばって突き刺さっている。

ぼくはリーランドを見た。腕だけではなかった。

下半身がなくなって、腸が零《こぼ》れ落ちていた。そしてそんなぼろぼろのリーランドを生かすべく、スーツが全力で無駄な努力を続けていた。床――正確には進行方向左手の壁だったもの――は男たちのどす黒い血でぬるぬるし、滑りやすくなっていた。

ぼくはリーランドの脚を探す。顎から右耳までを吹き飛ばされたネルソンの股の間に、血まみれの脚が落ちていた。かつてネルソンだった顔は頬を削られ、奥まで剝き出しになった上顎の歯が真っ白にてらてらと光って、中途半端に肉の残った骸骨がにんまり笑っているように見える。ぼくはそんなネルソンの側に転がっていた脚を拾い上げるが、これがリーランドの脚なのかどうかわからないことに気がついた。

とりあえずこれで我慢してくれないかな、とその脚をリーランドに差し出すと、下半身を失った男は力なく苦笑した。意識が遠のいているのだろう。いまにも消えてしまいそうだ。

「外は……どうなんです……連中は」

そしてリーランドの声が消えた。その存在も消えた。脳から意識が失われていった。

「わからん」

ぼくはリーランドの骸に言った。

外では、ヘリのエンジンの唸りが、高周波へと遷移していく。

銃声と爆発音に取って代わり、乗客たちのリゲティが聴こえてきた。

第五部

1

ひとつ。

ふたつ。

ぼくは棺を数える。

みっつ。

よっつ。

長いこと、ほんとうに長いこと空を見つめ続けていた。もう一生空なんて見なくてもいいというくらい。あまりに見つめ続けたので、ゆっくりと滑走路にアプローチするグローブマスターの母性的なフォルムが、鯨やイルカ、あるいはもっと古代の、名も定かでない巨大な魚のように見えてくる。六月の灰色の空をゆく黒い魚。ぼくらの立っている場所は海の底だ。灰色の海をゆく魚が、やがてぼくらのいる底へと、ふわりとやさしく降り立って、その大いなる胎《はら》を外に向かって開け放ち、腹に抱えた卵を放つ。

開かれた胎から生まれてくる卵たち。死者の卵。死者が生まれてくる、鋼鉄の魚から。

ひとつ、ふたつ。ぼくは数える。大きく開かれた胎から出てくる棺たちを。卵たちを。かき集められ、つなぎ合わされ、でっちあげられた骸《むくろ》。それを収めて、星条旗をかけられ、タグを打たれた棺たち。

いつつ、むっつ。ぼくは数える。

ぼくだけでなく、米軍も数えている。

数えながら、しかるべき人物に、棺の到着を告げている。ひとつ、ふたつ、みっつ、よっつ。全地球戦闘支援システムが数えている。棺に与えられたメタ情報を取得して。ＦＥＤＥ

Xの小包と同じように、米軍輸送網管理機構が、どこかの誰かに棺の到着を告げる。兵士たちが棺を担ぐ。ぼくが担ぐ。ウィリアムズも担ぐ。生き残った者が担ぐ。

この中には肉片が収められている。

そのちぎれた肉の塊を寄せ集めて、一体の骸を作り上げるところを、ぼくは一瞬だけ見た。帰還したキャンプで、技官たちがそれぞれの断片を手際よく組み合わせていくのを見た。アメリカに送り届ける前に、家族に見せられるよう、肉を組み合わせて死体を作らねばならなかったからだ。遺伝子マーカーで、付着していた装備のタグで、技官たちはかけらたちが誰のかけらであったのかを特定する。この腸は、この指は、この皮膚は、この目玉は。

この棺にはそうやって出来上がった死体が収められている。

棺を担ぎながら、ぼくは怒りを探す。戦友が死んだ。それも大勢。怒りがあってもいいはずだ。怒りがなくてはならないはずだ。誰かを憎まなくてはならないはずだ。ぼくらに奇襲をかけた連中を。その連中を動かしていた誰かさんを。

残酷なことに、怒りも、憎しみも、ぼくの中のどこを探しても見つからない。

ぼくは首を動かさずに、一緒に棺を担ぐウィリアムズを見やる。そこにはそうあるべき怒りがあり、憎しみがあり、悲しみがあった。固く結ばれた唇に、未だ誰とも判らぬ敵への殺意をみなぎらせていた。ぼくもそれを真似て、唇をやや強張《こわば》らせてみる。目つきをやや鋭くしてみる。三分ぐらいそうしていると、自分の中にも怒りがあるような気がしてきた。まだ誰だかわからないが、その誰かを憎めるような気がしてきた。

あのウィリアムズの怒りが、仲間のために怒る気持ちが、あるいは良心と呼ばれるもののひとつの形なのだろうか。自分ではない誰かのために怒ること。自分が愛する他人のために憎むこと。

ぼくの中にはそれがなかった。悲しみはあったが、それがどうしても怒りに繋がってはくれなかった。誰を憎めばいいというのだろう。襲撃者たちか、それを編成した黒幕か、それともジョン・ポールか。

ぼくはからっぽだった。誰を憎めばいいのかさっぱりわからなかった。

もちろんそれを悟られてはならない、仲間にも、ウィリアムズにも、ロックウェル大佐にも、カウンセラーにも。


上は生き残り連中にカウンセリングを受けるよう命じた。PTSDを回避するためだ。ウィリアムズは怒っていた。そんなものはいらないから、はやく俺たちを襲った連中を倒しに行かせてくれ、と兵士らしく怒った。自分のどこにも心的外傷なぞありゃしない。あるのは襲撃者への怒りだけだ、と。

ぼくも似たような態度を装って、いささか怒ってみせながら、士気の高いところをアピールしようとする。しかし軍はカウンセリングを受けなければ軍法会議だ、と通告してきた。お前たち特殊部隊の兵士は非常に高価で貴重な人的資源だ。われわれにはお前たちをメンテナンスする義務がある。

カウンセリングなど必要なかった。

ぼくが必要としているのは罰だ。

ぼくは罰してくれるひとを必要としている。

いままで犯してきたすべての罪に対して、ぼくは罰せられることを望んでいる。

カウンセリング代わりだ――奥さんと子供を家においてぼくのところに転がりこんできたウィリアムズが何をするのかと思えば、いつもそうであるようなドミノ・ピザとビールと映画の黄金セットだ。ぼくはその気はなかったが、断る理由もないような気がしたから、黙ってウィリアムズに付き合った。

そういえば、アレックスのときもこうだったっけ。ぼくはバドワイザーを開けながら、そんなことをぼんやり考えていた。そう思えば、カウンセリングの代わりだと言うウィリアムズもあながち間違ってはいない。ぼくもウィリアムズも、なにか仕事でひどいことがあると、いつもこうしてビールを飲みながらジャンクにかぶりつき、心に鉛のように冷たく重く沈んでいた塊を、この漠然とした怠惰《たいだ》な時間にくるんで、曖昧にして忘れてきたのだから。

ぼくはバドワイザーに口をつけた。当たり前だが、ブドヴァイゼルの味はしなかった。ピザにかぶりつきながら、ウィリアムズが自分のアーカイヴから映画を選んで流しはじめる。

ウィリアムズは口数少なかった。もちろん、いつもに比べて、というレベルでしかないが、それでもやはり内に溜めこんだ感情を吐き出しあぐねているように見えた。画面の中では、アーサー王と、馬の蹄《ひづめ》の音をエミュレートするココナツ・カスタネットを持った従者が、霧の中から現れた。ウィリアムズの好きなモンティ・パイソンだ。画面の中で炸裂するギャグに普通に笑っているように見えたが、そのたびにいちいちぼくに視線をよこした。まるで、これ、笑えるよな、と確認を求めているかのように。

ウィリアムズは、あの戦闘のあいだ最後尾で気絶していた。だから弾丸を喰らうことはなかったし、痛みを知ることはできても感じることができない兵士たちが、お互いをミンチにしあう戦闘も見なかった。たぶん、ウィリアムズはそのことに耐えられないのだろう。仲間たちが次々に斃《たお》れていく戦闘のあいだ、自分はそこにいなかった。その恥が、その悔しさが、仲間を殺された事実そのものと同じくらい、ウィリアムズを呪縛していた。

『ここは通さん』

画面の中では、黒い騎士がアーサー王と従者にそう告げていた。行く手を阻《はば》まれたアーサー王と尊大な黒騎士が戦いはじめる。ウィリアムズがぽつりと呟いた。

「しかし、この映画のテリー・ギリアムってすげえ従者顔だよな」

「従者の役だからな」

「いや、そうじゃなくてさ。わかるだろ、板につきすぎてるんだよ。このあと映画監督になったとはとても思えんくらい」

ぼくはウィリアムズから画面に目を戻した。アーサー王が斬りつけると、黒騎士の左腕が肩から飛んだ。傷口から勢いよく、ややオレンジがかった血糊が大量に吹き出しはじめる。

『痛くない』と黒騎士は言って、再びアーサーに挑みかかった。

列車のときもこうだったな。ぼくはビールを飲みながらぼんやりそんなことを思った。敵も、ぼくらも、お互いに。

もう一方の腕が飛んだ。黒騎士は相変わらずの軽口を叩きながら、びちゃびちゃした血糊を飛び散らせている。騎士は苦痛にのたうちまわるでもなく、アーサー王を小馬鹿にしながら、なおも戦う。結局、騎士が両手両足を失って、地面に転がり動けなくなるまでそれは続いた。


インドで仲間たちのばらばらになった骸がつなぎ合わされる前、ぼくは基地の遺体置き場で、台の上に並べられた肉たちを見つめながら、不謹慎にもこう思ったものだ——飛行機の翼の下にも、さや《ポッド》のセルロース外皮の下にも、産業用の貨物輸送用鳥足《チキンレッグ》のアキレス腱にも、これと同じものが詰まっているのだなあ、と。ぼくらの肉体。イルカや鯨の肉体。違いはそれだけだ。どちらも同じ筋肉に違いなく、血とパルスで駆動している。

ぼくらの体にも物歴《メタヒストリー》があるといいのに、と肉片を見ながら考えたのを思い出す。ぼくらの体が、細胞ひとつひとつまでタグづけされ、メタ情報を持っていれば、こんなふうにパズルで頭を悩ますことはないだろうに。

物歴。先進消費者たちは朝から晩まで物歴と睨めっこだ。ドミノ・ピザのドゥの上に載っているすべての素材についてくる歴史。チーズの、ピクルスの、ベーコンのパイナップルの、ドゥの材料である小麦粉の、卵の、それぞれの「物」がたどってきた詳細な歴史。小麦粉どこで生まれ、いつ収穫され、どの業者によって運ばれ、どのような調理を経たか。小麦粉の歴史。チーズの歴史。かつて「賢い消費者《スマート・コンシューマ》」と呼ばれ、さすがに自分で自分を「賢い」と呼ぶのが恥ずかしくなったのか、「アルファ」と名前を変えたセンシティブな消費者たちは、自分らが購入する商品についてのフォーラムを形成し、より安全な素材、より効率的な生産工程、より「倫理的な」素材について議論し、生産者である企業に改善を勧告する。

一部の先進消費者《アルファ・コンシューマ》はそれぞれの商品についてのオピニオン・リーダーであり、ひとつの商品について一人以上のアイドルがついている。彼らはフォーラムでも指導的役割を担い、商品の販売に大きな影響力を及ぼすこともある。シューズの靴紐の物歴について調べ、さらにそれを編んでいる糸の物歴について調べ、より安価な糸、より強靭な靴紐について議論する。

それは、それぞれの「物」がたどった思い出の蓄積でもある。

とはいうものの、肉片のひとつひとつまではタグづけされていなくとも、ぼくらの生活は、そして人生は、すでにメタ情報に覆われている。いまのところ、それで満足するしかない。

個人の記録に対するフリーハンドの権限さえあれば、買い物の記録や移動の記録、さまざまな通信の記録、そしてもちろん本人のアルバムや日記から、ソフトウェアが伝記を編纂してくれるはずだ。メタ情報をまとめ上げて一冊の本を編む、その編集能力は暴力的と言っていいほどすさまじく、本人がどんなに平凡だと思いこんでいる人生からも、それなりの物語を作り出してしまう。だれでも一度は、自分の伝記を編集したことがあるはずだ。三時間レンダリングするだけで、例えば三十歳なら四百ページ程度の伝記がぞろっと吐き出されてくる。

母さんが病院でぼくの判断を待っていたあの夏の数日間。ぼくは家族の共用スペースや、母さんのスペースにあるゲストのアカウントでアクセス可能な書類群を捜したけれど、そうしたライフグラフ書類は見つからなかった。そもそも、母さんは自分の伝記を編集したことがあったのだろうか。去年の調査によれば、アメリカ人の七割は自分の伝記を編集したことがあるという。なにもしなくてもソフトウェアがまとめてくれるのだから、自分のいままでの人生をソフトウェアがどう語ってくれるのか、興味の湧かない人間はあまりいないだろう。

仮に、母さんのライフグラフを見ることができたなら、ぼくの判断は変わっていただろうか。母さんの人生の瞬間瞬間につけられた、小さなメタデータのかけらをかき集めたフィクションを読んだり見たりすることができたなら、ぼくは母さんを曖昧な領域に留め置いたまま、職業を変え、いまでも週に一度くらいは病院に通っていたのだろうか。

生き延びたものは常に、想像することしか許されていない。よほどのナルシストでもなければ、そんな手前勝手な想像ごときを真実とすりかえることはできはしまい。死者はぼくらを支配する。その経験不可能性によって。

ぼくとウィリアムズのほかに、生き残っていた隊員はショーンとボブ、そしてダニエルだけだった。これほどまでに無残な不意打ちを、米軍はここ二十年ちかく喰らったことがなかったし、装備や練度がここまで拮抗《きっこう》した敵と交戦したこともなかった。ぼくらは米軍特殊作戦群のなかでも、久々に敗北した部隊となった。

敵の遺体も、多くはずたずただった。どの腕がどの遺体のものか組み合わせるパズルに一週間を要して判ったことは、ここで死んでいる襲撃者たちが、別の意味で死人だったということだ。彼らはみな、さまざまな戦場で行方不明になったり戦闘時死亡と報告されたり、武装勢力に誘拐されて処刑されたといわれていた軍事企業の兵士たちだった。彼らの身体はいま、インドでようやく記載データに追いついたというわけだ。

襲撃者たちが正規のルートでインドに入国した形跡はまったくなかった。死人が移動することはできないから、どこかから偽ＩＤを手に入れていたのだろう。プラハでぼくらが遭遇した〈計数されざる者たち〉から入手していたのかもしれない。いずれにせよ、この高価な装備と脳医学処理を与えられた兵士たちがどこからきたのかは、さっぱりわからない。装備に微量な放射能粉塵が付着していたことから、クレーターをまたぎ、パキスタン側からヒンドゥー・インディアの支配地域を抜けて侵入したのだろうと推測されたが、戦後、インドよりひどい混沌状態にあるパキスタンでその足取りを追跡することなど、とうてい不可能な話だった。

とはいえ、襲撃者たちが幽霊であることはあまり問題にならなかった。容疑者はほぼ確実にユージーン＆クルップスであり、さらに言えばその経営陣のひとりである上院院内総務であることはすぐにわかった。なぜかといえば、テクノロジーの魔法、社会網有向グラフ解析《ＳＮＤＧＡ》のご託宣があったからだ。ＮＳＡのディープ・ソート。全地球的ケビン・ベーコン・ゲーム。ＳＮＤＧＡなら人生、宇宙、すべての答えだってさらりと教えてくれそうだ。腕をもぎ取られ血まみれになって転がっている襲撃者の死体と、上院院内総務とのあいだは何ベーコンなのだろうか。

情報軍内部の極秘調査チームは、だいぶ前から院内総務には目をつけていたようだ。幾度にもわたってジョン・ポール暗殺作戦が実行されたときに、情報開示人物をそのつど微妙に編成しなおして、情報漏れの穴を絞りこんでいったのだ。だが、最後のピースを嵌《は》めこんだのは、インドで死んだ死人たちの死体だった。

あの列車の中、襲撃の直前にジョン・ポールはこう言っていた。これから何かが起こるとしたら、わたしはきみの言う支援者を失うことになるだろう、と。院内総務が自分を奪還するために無茶して墓穴を掘るだろうことを、ジョン・ポールはすでに予想していたのだ。

公聴会が開かれて、大スキャンダルになるようなことは、政府の誰も望んでいなかった。当初はホワイトハウスも国防総省も、すべてを秘密のうちに処理しようとしていたというわけだ。結果的にはウォーターゲートやイランゲート以上の大混乱になってしまったのだが。

院内総務を訴追するとなれば、ジョン・ポールと国防高等研究計画局《ＤＡＲＰＡ》のかかわりや、ＮＳ

Aのディープ・ソートについて誰かが証言することになるだろう。それは当然、ありえないことだった。政府とこの政治家は手打ちをし、院内総務は病気を理由に政界から静かに身を引いた。戦争屋専業に転進することにしたのだ。

ぼくの戦友たちは、棺にしまいこまれてアメリカへ帰ってきた。襲撃者たちは再び名前とIDをつけられて、検死されたあとでそれぞれの祖国へ帰っていった。もちろん、骸はそれだけではなかった。先頭の機関車が爆破され、長いカーブにさしかかっていた列車は、その遠心力で後部車両ほど大きくスリングされ、線路からはるか遠くへ弾き飛ばされていた。ぼくとウィリアムズは本当に運がよかった。大勢のインドの人々が、客車の中で旧式の乾燥機のようにもみくちゃにされた。屋根に座っていた人々は客車を投石器代わりにさらに遠くまで飛ばされていって、最高記録は線路から五百フィート離れたところで頭が肩にめりこんでいた少年だったそうだ。

ぼくらが捕らえたヒンドゥー・インディアの幹部連中は、結局のところハーグはおろか、パノプティコン社の収容所に入ることもなく、墓場へ直行した。皆が銃弾でぼろぼろになっていたのだ。丁寧なことに、全員の眉間に一発ずつ弾丸が撃ちこまれていた。襲撃者たちは明らかに、この男たちには興味がなかったのだ。アメリカ軍の手におちたジョン・ポールを奪還すること。幽霊兵士たちの目的はただそれだけだった。

そして、残されているのはただひとつ、ジョン・ポールのことだけだ。

2

これが最後のシーウィードになるだろうな、とぼくは思った。

引退した院内総務、上院情報委員会の面々、国防高等研究計画局長、情報軍大将、ロックウェル大佐、そしてこのぼく――ありとあらゆる関係者が引っ張り出され、上院下院、個々の作戦や事件についても含めれば、実に十二もの調査委員会が発足した大スキャンダルのはじまりの三ヵ月前、ぼくはジョン・ポールに関する最後の作戦のために、アフリカの上空を飛んでいた。

ウィリアムズや他の隊員たちはどうしているだろう。今回、ぼくらは基地のハンガーですでにさや《ポッド》に収まっていて、飛び立ったあとは互いがどういう状態にあるかは有線を通じてしかわからなかった。

〈こちらマウス02、金メダルを取ってきてやるよシーウィード〉

ウィリアムズがパイロットに言う。

〈頼むぜマウス。カウント開始〉

シーウィードのコパイロットが数字を読み上げる。ぼくはカウントの減少とともにこみ上げてくる興奮を抑えられなかった。降下に備えたテンションのためではない。いよいよ作戦がはじまるという期待感のためでもない。

これから行く場所には、ルツィア・シュクロウプがいる。

〈警報だ〉

コパイの緊張した声が聴こえた。

〈地上からレーダー照射を受けている。馬鹿な。やつらにこっちが見えてるってのか〉

「切り離してくれ」ぼくはコパイに要請する。「いますぐ」

〈冗談じゃない。敵に見つかっているんだぞ〉

コパイは動揺しているようだった。ステルス爆撃機のパイロットはペイロードの投下前に狙われるという事態に慣れていない。それがアフリカ奥地の三流軍隊だと思いこんでいたものなら、なおさらだ。

「リリースボタンを押すだけだ。早くしてくれ」

〈無茶だ——敵ミサイル発射〉

ぼくは歯を食いしばる。優先権《オーヴァライド》を発動させ、ポッドの側から懸架フックを切り離す準備をした。手続きが整うと耳小骨《じしょうこつ》にビープ音が響き渡る。女性の声がなめらかに告げた——懸架物側からの優先割込みが実行されました。五秒後に懸架装置はリリースされます、ツー、ワン、マーク。

肉でできたフックが外れる音は、ほんの微かだった。

体重がなくなって、ポッドが宙に放たれたのがわかる。直後、轟音がしてポッドがめちゃめちゃに揺すぶられた。シーウィードにミサイルが当たったのかもしれない。しかし、懸架装置を通じた有線を断って無線封鎖状態に入ったぼくには、もはやパイロットはおろかウィリアムズと連絡をとることもできなかった。

思えばジョン・ポールがらみの作戦はいつも、ポッドによるHALO侵入だな、とぼくは思う。陸路や海岸からの侵入は、ことジョン・ポールに関する限り一度もなかった。例外といえるのは、プラハでやったスパイの真似事だけだ。ジョン・ポールに会うときは、いつもこうして、何かから生まれなければならないのだろうか。まるで儀式だ。呪《まじな》い師の謁見を賜《たまわ》るための。

投下地点のずれと衝撃波によるコースの乱れを計算したポッドが、すばやく判断して全身のスラスターを調整する。ヴィクトリア湖がいくら広いとはいえ、切り離し時の状況と高度を考えれば、無事湖面のどこかに着水できるかどうかは楽観できない。

降下しているあいだ、ぼくは幸運を祈ったりはしなかった。

「状況を説明する」

ロックウェル大佐はそう言って、特殊作戦司令部《SOCOM》の殺風景なブリーフィングルームで説明をはじめた。

「ヴィクトリア湖はかつて四百種以上の固有種を育《はぐく》む、生物多様性の見本みたいな湖だった。

「アフリカ最大のこの湖がなんと呼ばれていたか知っているか」

「『ダーウィンの箱庭』」ウィリアムズが気だるそうに答え、

「地理の授業ですか、これって」

ボスはウィリアムズのそんな態度をいつものように無視して続ける。

「二十世紀半ばまでは、ここの主産業は漁業だった。産業というよりも自給自足、の地元民たちが、それなりの生活を送っていた。この湖が変貌するのは一九五四年、ナイルパーチという魚が実験的にこの湖に放流されてからだ」

当時、ヴィクトリア湖の生態系は壊滅的な打撃を受けた。外来種でデリカシーに欠ける乱暴者のナイルパーチが、適者生存の結果として猛烈な暴力をこの湖にふるったのだ。ナイルパーチはロシアや日本に輸出されたが、その価格は地元の人間が口にできるようなものではなかった。昔から食べていた小魚はナイルパーチに食い尽くされて絶滅している。もともと産業というものがなかったヴィクトリア湖周辺の住民は、娼婦になってエイズに罹《かか》るか、ゴミ捨て場でナイルパーチの骨を漁るかしかなくなってしまった。

「そして、ナイルパーチの時代が終わった。小魚類が絶滅したために、その餌だった藻類の繁殖が過剰になったのだ。藻類が増えすぎると水中の酸素が激減する。恒常的な赤潮が発生するようになり、ナイルパーチもまた絶滅した」

「で、この湖は元に戻ったんですか」

ウィリアムズが訊くと、大佐は否定した。

「その後、一〇年代に入ってから、この死の湖と化したヴィクトリア湖に目をつけた業者がいた。彼らはナノマシンを放って藻類を一掃し、プラントを建設してこの湖の生存性を回復した。この企業の目的は、当時開発されたばかりの神経リンク技術を応用した、産業用人工筋肉の生産だった。視覚情報や思考や感覚などの神経伝達はいまだ再現できていないが、単純に筋肉の収縮を制御する技術は充分実用段階に入っていたからな」

「この湖で人工筋肉が作られているんですか」

ウィリアムズが訊いた。そうだ、多くの人々は知らないのだ。セックス・ローションが海藻でできているということを。

「人工筋肉は、厳密に言うと人工ではない。それは遺伝子操作された鯨やイルカの筋肉を利用して作られている」

「冗談でしょう」

冗談ではないんだ、ウィリアムズ、とぼくは心のなかで言う。

お前の食っているキャビアは、ランプフィッシュの卵に黒い色をつけたものなんだ。

プラハのあと、インドの任務までの長い待ち時間に、ぼくは調べた。人工筋肉はほとんどが産業用で、一般消費者が買うことのできる商品に組みこまれているものはあまりない。一番身近な人工筋肉商品というと、やはりオフィスや金持ちの家にあるポーターだ。二本足とひょろ長い腕の結合。広い敷地の中をひょこひょこと歩き回り、指示されたものを持って階段を上がったりエレベーターに乗ったり。ぼくはウェブのカタログに載っている一番メジャーなポーターの物歴《メタヒストリー》をたどっていった。

　メタ情報のリンクをたどっていくと、それぞれのパーツがさらに細かな構成要素に分かれ、外皮である有機伸縮樹脂や接地面の圧力展性変化金属、制御ソフトウェアの中のバランサーモジュールなど、鳥脚ポーターの物歴《メタヒストリー》へとさらに分岐していく。展性変化金属がリサイクルされこのポーターの蹄として生まれ変わる前、別のどんな商品のどんなパーツに使われ、どんな加工を経てきたか。そうやって人工筋肉パーツの物歴《メタヒストリー》をたどっていくと、ヴィクトリア湖のとある工場で、それは途絶えた。ここでこの筋肉は生産された、という情報がこの「物」がもつ記憶のデッドエンドだった。

　ウェブにフォーラムは見当たらなかった。人工筋肉がイルカや鯨の筋肉であることの倫理について問うロビー団体も、先進消費者《アルファ・コンシューマ》もいなかった。考えてみればあたりまえだ。ポーターを買うのはあるレベル以上の規模の企業や政府機関だけだ。それは消費者にとって切実な問題ではない。消費者にとって重要なのは、家にあるもの、プライベートで関わるものだ。口にする食料。床を掃く掃除機。そうしたものの生産に口を出すことの重要さに比べれば、産業用素材である人工筋肉の物歴《メタヒストリー》になど、誰も注目しはしない。人間は、見たいものしか見ない。

　もちろん、はなから物歴《メタヒストリー》など気にしない人間もいる。ぼくにしたって、あのプラハの酒場でルーシャスに教えられるまで、そのことを知らなかったのだから。人工筋肉の出自をロックウェル大佐に教えられ、冗談でしょう、と返したウィリアムズを、ぼくは笑えない。

「無論、冗談ではない」という大佐の返事は、同時にぼくに向けられたものでもある。「この広大な湖を使って、遺伝子操作によって淡水適応したイルカと鯨が飼育され、現地の工場で解体され、世界中に輸出されている。ヴィクトリア湖はいわば、巨大な水槽としての再生をみたわけだ」

「それぜんぜん再生してないですよ」

ウィリアムズはおぞましいことを聞いてしまったというように、首を振った。

「人工筋肉の生産はいまや、この土地の一大産業だ、というより唯一の産業だ。人工筋肉の生産が軌道に乗り始めたころ、ヴィクトリア湖沿岸の住民たちのあいだで独立運動が起こる。ここはケニア、ウガンダ、タンザニアに囲まれた広大な湖だが、その環状の沿岸部がアフリカ独特の氏族の壁を越えて、一致団結して独立宣言を行ったのだ」

「三つの国に戦いを挑んだってことですか」

「そうだ。現在この湖の沿岸部は〈ヴィクトリア湖沿岸産業者連盟〉という名の独立国家として、先進国に承認されている。なんだか商工会議所みたいな名前だが、もともと利権剝き出しの独立戦争だったのだから案外ぴったりかもしれん。人工筋肉が絡んでいるとなると、先進国の産業基盤に影響を与えるからな」

「それで、ジョン・ポールはいまそこにいると」

ぼくははじめて口を開いた。

「そうだ」

大佐はブリーフィングルームの壁に触れる。ナノスクリーンが現れ、AKを持った少年兵たちが映し出された。

「プラハの作戦でシェパード大尉がルツィア・シュクロウプにつけていたフェロモンを、追跡犬《トレース・ドッグ》がプラハの空港までたどって行ってくれた。無論、不明な偽装IDを複数使用しているだろう彼らを追跡することはできなかったが、われわれは逆の発想をした。追跡犬《トレース・ドッグ》がたどりついた搭乗ゲートから飛行機に乗りこんだすべての人間の足跡が、その空港を離れても途中で消えないかどうか、一貫しているかどうかをすべて洗い出したのだ。ある者は着いた先の空港から家に帰り、ある者は買い物をし……そうやって空港を離れたあとの足跡に合理的一貫性が見られるIDをすべて排除していって、結果として残った、認証の糸が奇妙に途切れたIDを選別していった。膨大な時間がかかったよ。非常につらい作業だった」

と大佐は言い、ベレー帽越しに頭を掻いた。

「ジョン・ポールはここのゲストハウスにいて、国内メディアを統括する立場にいるらしい。想定される戦力はヴィクトリア湖沿岸産業者連盟軍だ。空軍はないが、対空ミサイルを持っているし、湖の沿岸部を国土とする環状国家だけに、アフリカの軍隊としては珍しく水軍を持っている」

「水軍……。こりゃ驚いた」ウィリアムズはニヤニヤと笑い、「アフリカ人が船を使うっていうんですか」

「コルベットが数隻と、日本のジエータイからお下がりの高速ミサイル艇が一機ある」

「マジかよ」

しかし、ぼくはそうしたすべてを上の空で聞いている。

ぼくが思うのはルツィア・シュクロウプの顔であり、去り際に彼女の頬に流れたアイラインの跡であり、彼女がぼくを罰してくれるという期待だった。

通常の高高度降下低高度開傘《HALO》用のさや《ポッド》とは違って、この侵入鞘《イントルード・ポッド》は水中作戦仕様だ。つまり、このポッドはトビウオのごとく水面めがけて滑空したあとは、極力衝撃を吸収する浅い角度で水面下に到達し、その後は人魚のごとく全身の筋肉を使って泳ぎ始める。地表HALO用と同じくほぼ生体で構成され、機械的な駆動部はほとんどないから、ソナーをはじめとする水中センサーにひっかかることはあまりない。なにせ人間が乗っている以外には、ほとんど魚や水中哺乳類と変わらないのだから。

問題は、シーウィードに対空ミサイルを発射した連中が、このポッドを視認していないかということだ。これだけ高速で落下する物体を撃墜できるようなミサイルを持っているとは思えないが、着水地点を目撃されるとやっかいだ。

〈着水まで五秒と予測〉

ポッドのナビが教えてくれる。ぼくは身構えた。

〈ツー、ワン、マーク〉

ざぶん、という音がして、ポッドが湖面に着水する。とはいっても、水面に対して三十度以下の撫でるような入射角で突入したのだから、それほど衝撃があるわけではない。ポッドは細い流線型をしているために、水の粘性も急速な制動力を発揮せず、ポッドはあくまで水中で緩やかに減速していった。

じゅうぶん減速したと判断すると、ポッドはイルカのように尾部をしならせ、畳んでいた鰭《ひれ》を展開して水中を泳ぎはじめる。ヴィクトリア湖の水面下はとても静かで、その静寂にときおり、イルカや鯨の鳴き声が音楽となって彩りを与えていた。上陸地点はポッドにプログラミングされているので、ぼくはイレギュラーな事態に備えて気を配っているだけでいい。ときおりアクティブソナーを打ち鳴らしながら、ウォータージェットの轟音が水面を通りすぎていったが、ここの水軍はぼくのポッドを見つけることができないようだった。

それもそうだ、とぼくは思う。このポッドは、かつてここに住んでいた住人の肉をもう一度組み立てなおしたものなのだから。

ウィリアムズは、ほかの仲間たちは無事降下できただろうか。それとも、フライングシーウィードと運命をともにしたのだろうか。そもそも、シーウィードは撃墜されたのだろうか、それとも無事に帰投《RTB》したのだろうか。

さまざまな不安があった。どうなったかわからない仲間たちのことを考えると胸が痛んだ。だが、本当に心配だったのは、いつものようにジョン・ポールはヴィクトリア湖沿岸の人々に虐殺の種を播《ま》き終えていて、ルツィアとともにすでに旅立ったあとなのではないか、ということだ。

そう思ったとき、ポッドを切り離す決断をしたときの自分の無鉄砲さにいささかぞっとした。ここにルツィアがいなかったら、こうして危険を冒して降下したことが無意味になってしまう。

一時間ほど泳ぐと、ポッドが予定地点に到着したことを告げた。ポッドは自分自身の廃棄をぼくに勧告し、潜水ギアをチェックするように薦めてくれる。ぼくはポッドの助言に従って装備をチェックし、いつ水中に放り出されても大丈夫なように待機した。ハッチのロックを外すと、ヴィクトリア湖の淡水がポッド内部の狭い空間に流れこむ。ぼくは水中に出てポッドの必要酵素の供給を断つ。水中に漂うポッドを見ているうちに、それが少しずつ朽ちていくのがわかった。

3

この湖が、ぼくらの生活を支えている。

上陸したぼくは月光を映してきらめく水面を見つめながら、そんなことを考えていた。

航空機の翼。さや《ポッド》の表面。

義手、義指、義足。各種産業用機械。ポーター。

そうしたもののために、この湖では人工的に生み出されたイルカや鯨たちが飼われ、翼になり義手になり肉椅子《ミート・チェアー》になるその日を待っている。湖から引き上げられたイルカや鯨をバラバラにするための工場が沿岸には点在し、貧しい少年少女はそこで働くか、国軍の兵士になるか、それを相手にする男娼女娼になる。

ユーロやアメリカの輸送機が飛んできて、筋繊維を傷つけないよう慎重に解体された肉の塊を、腹に収めてまた飛び去っていく。ときおりタンザニアやウガンダの軍隊が利権を求めて国境越えしてきて、先進国の民間軍事請負業者《PMF》に訓練された国軍の少年少女と交戦し、お決まりのように撤退していく。

それがここのすべてだ。上っ面だけの法律は、腐敗した官僚とＰＭＦによって執行されるから、ときに刑罰を伴わず、形骸化する。法律が無意味な世界はある意味で自由だといえるだろう。だが、そうした世界の少年少女がなれる職業ときたら夢も希望もないもので、それはぼくらがこの人工筋肉で得ている「自由な生活」の取引として、奪われているものだ。

　そんなことを考えているうちに、ぼくは潜水ギアを脱ぎ終える。

　手近な草むらに隠れて小一時間ほど待ってみたが、この集合地点にウィリアムズたちはやってこなかった。ぼくは諦めて、たった一人でゲストハウスに接近する段取りを立てる。こういうことになってしまった以上、通常の四人編成で構築した事前の計画は全部捨てるしかなかった。

　湖岸を行くのは危険だった。水軍のコルベットが投光器でくまなく照らして見張っていることだろう。地雷やセンサがあるかどうかはわからないが、ゲストハウス付近まで行けばそうした嫌がらせが針の山なのは容易に想像がついた。

　そういうわけで、ぼくはジャングルの中を進むことにした。ナノ偽装を慎重に調整する。一般的に思われているような木の葉や枝は絶対に使わない。それらは折れた瞬間から枯れはじめ、周囲との色の違いは当人が思っている以上に厳しいからだ。

　カモフラージュに納得がいくと、ぼくは移動を開始した。速度は移動コースの選択に大きく左右される。一見無秩序に見えるジャングルという場所にも、実ははっきりと行軍すべきルートが視えている――とりわけ、兵士の眼には。

　低木やシダやツタが生い茂るジャングルにおいて、それらに阻まれながら移動するコストはとてつもないもので、そうなるとジャングルを進む者は、獣道や、あるいは人間が利用したりする開けた場所を使いやすくなる。それが「はっきり見える」ルートというやつで、特殊訓練を受けていない者たちは、楽であるという理由でついついそこを使ってしまう。

　ただ、そうした場所はあまりに限られているがゆえに、待ち伏せに絶好だったりするわけで、そうなるとほんとうに移動すべきは、必然的に厳しく苦痛に満ちたルートとなる。シダが生い茂る森を行き、橋なき河を渡り、崖っぷちを進むのだ。楽な場所を通るな。このメソッドは、ＳＡＳが五〇年代にマラヤのジャングルで味わった数多くの苦難から生み出されたものだ。

　自分の痕跡を慎重に消しながら、ぼくはヴィクトリア湖岸のジャングルを進んでいった。目標に対して横軸の移動を長時間とるのも、待ち伏せをさける方法のひとつだ。時間はかかるが、縦軸にまっすぐな最短ルートなど愚の骨頂。通常の戦術目標だったら警戒ラインが針の山だ。

　こうした種々の「縛り」によってジャングルでとりうるオプションは、単純なひとつひとつの手の精密で複雑な組み合わせとなり、混沌そのものに見えるジャングルでの戦いは高度な詰め将棋《チェス・プロブレム》のような様相を呈してくる。

　しかし、その安全なルートを判別する能力こそが「自由」なのだ。

　勝手気ままにジャングルのなかを進んでいくことは、一見自由に思えるが、そこには死という残酷な不自由が待っている。人間の自由とは、危険を回避する能力のことでもある。さまざまなリスクを考慮して、自分にとって最適なものを「選ぶ」能力が「自由」なのだ。

　ぼくは一手一手を慎重に吟味するように進んでいく。湖が味わった生物相の地獄などまるで知らないとでもいうように、そこはある程度調和のとれた、ごく普通のジャングルだった。もちろん自然は、穏やかで完璧に調和のとれた存在などではまったくない。人間も種を滅ぼすが、自然だって同じくらい種を滅ぼしている。進化というのは調和ではない。それはあくまで適応なのだ。多くの種が生まれ、環境という条件に試され、あるものは生き残りあるものは滅びてゆく。

　わたしという認識も、あなたという区別も、すべてこの進化の過程のなかで生まれてきたのだ、とルツィアは言っていた。言語も含めた人間の意識はすべて、生存の適応のなかで発生し、環境によって淘汰され、そうして生き残った機能の集合なのだ、と。遺伝子によるものかミームによるものか、それはわからないが、良心も、罪も、罰も、その進化の過程の一部であり、完全に独立した「魂」の創造物ではないのだと。

　けれど、とルツィアは言った。それでも遺伝子とミームが人間のすべてを決めているわけではない。人間は環境に左右されるし、それになにより、選択はつねにひとつではないのだから。完全に白紙の状態ではすべての可能性が許されるかもしれない。だが、ぼくたちはそれまで生きてきて形成した価値観、大切に思うもの、愛しいもの、しなければならない義務、そういうすべてを天秤にかけて、どれかを選ぶことができる。

　いま、ジャングルの天蓋を飛んでいった鳥は、人間のように選ぶことはできないだろう。

鳥のように自由に、なんていう人もいるが、それこそ鳥は、ほんとうに遺伝子に命令されてひとつしか選べない行動をとっているだけだ。

　自由とは、選ぶことができるということだ。できることの可能性を捨てて、それを「わたし」の名のもとに選択するということだ。

だから、ぼくは罰せられるべきだ。そう思いながら、ヴィクトリア湖沿岸の複雑な生物相のなかを進んでゆく。母を葬ったような責任を進んで引き受けてやれなかった、すべての選択に対して――いや、選択しなかったことに対して、と言うべきだろうか。

　これはいままでと同じ、国防総省から命令された暗殺だ。いままでは任務や命令に対して、なにも考えてこなかった。しかし、アレックスは自分がしたことに対する罪を、自分なりに引き受けたのだ。まわりに罰してくれる人がいなかったから。神様も罰してくれなかったから。ぼくは、アレックスが誠実だったものに対して目を塞いできた。国のため、世界のためと思って殺してきたが、そこにはぼくの主体的な決断も選択もなかったし、だから罪のことなんて思い浮かべようもなかった。

　しかし今宵、ぼくは国防総省《ペンタゴン》の意思ではなく、特殊作戦司令部の意思でもなく、自分自身の意思でジョン・ポールを殺すためにここへ降り立った。

　ゲストハウスの明かりが遠くに見える。コロニアル様式の二階建てで、吹き抜けに中庭をもつ豪奢《ごうしゃ》な建築物だ。

周辺はよく手入れされた芝生の庭になっており、国軍の兵士たちが巡回していた。ウィリアムズも、他の隊員もいなくなってしまったが、一人で行動することにもそれなりの利点があった。なにしろ仲間のことを考えなくて済むので、かなり大胆な潜入が可能になるのだ。

月明かりが煌々とすべてを照らし出しているので、視認性が高いのは仕方がない。ぼくはナノ塗装のカモフラを最大限利用することにした。完璧な透明人間にはなれないが、これを利用してゆっくりと地面を這えば、かなりの程度、周囲からの識別は難しくなる。

ぼくはアナログ時計の時針のように、ゆっくりゆっくり時間をかけて、ジャングルからゲストハウスまでのあいだを這い進んだ。やっかいなのは軍用犬の存在だが、ざっと見渡したところではそのような動物を使っているようには見えない。

先進国は、ヴィクトリア湖沿岸が人工筋肉の供給に関して安定することを望んでいたから、この国の独立を支持した。三つの国と付き合うよりは、ひとつの国がすべてを管理していたほうが、いろいろと話は通りやすくなるものだ。

そもそもからして、この独立戦争は地元民の意思というよりは、仕組まれたゲームといった感が強い。ケニア、ウガンダ、タンザニアのどの地域よりも、このヴィクトリア湖沿岸部の人工筋肉産業は利潤をあげていたからだ。そうした裕福な連中が、それぞれの政府に搾取されるのをよしとせず不満を溜めこんでいたところに、ヨーロッパの銀行家あたりがみなさん一つになっちゃいかが、と耳打ちしたのだ。

アメリカが戦争するときは、少なくとも「石油のため」というようなあけすけなことは口が裂けても言えない。国民をその成員とする近代以降の国民軍にとって、戦うに値するお題目は必須条件だ。しかしこのアフリカでは、そうしたお題目としてのグローバルな正義とか安定とか人権とかいった旗は、まるで必要とされていない。この大地の人々は欲望に忠実に群れ、戦争をし、収奪を行う中世的な傾向をはっきりと保存していた。

だから、利益をささやくだけで、ヴィクトリア湖沿岸の裕福な住民が独立を決意してしまったのは、まったく不思議なことではなかった。

つまり、ここでは裏切りゲームがまだ有効なのだ。ゲーム理論的なシミュレーション・モデルの初期は確かに、愛他行為や利他行為といった特性を備えた個体よりも、いつも裏切って目先の利益を優先する個体のほうが生き延びやすい。モデルが複雑化するにつれ、そうした個体は淘汰されて、互いに協力関係にあり、互いを利する性格の個体による集合が増加し始めるが、この大地では複雑性がそこまで進行していないのだ。

かつてはそうではなかったかもしれない。だが、この大地の倫理コードは、どこかの時点で一旦リセットされてしまって、シミュレーション・モデルはまだ充分な複雑さを獲得できない状態に留まっているのだ。

芝生を横断して、ぼくはゲストハウスの壁面と一体化した。吹き抜けの中庭に通じる廊下を横切って、ゲストハウスに侵入する。中庭はそれを囲む部屋たちをつなぐ廊下になっていて、小さな噴水を取り囲むように、椰子が何本も立ち並んでいる。

ぼくは建物の中央に当たる部分で、環境追従迷彩を最大限に生かして「堂々と」潜伏しながら、廊下の様子をうかがっていた。ときおり外の兵士が中庭を抜けて入ってきて、廊下を巡回したが、ぼくから一メートルと離れていないところを通過したにもかかわらず、気がつくそぶりはまったく見せなかった。

「こんばんは、マダム・ポール」

という声に、反射的にナイフを構えそうになる。その兵士が真正面に立って話しかけてきたように見えたからだ。しかし、兵士が話していたのはぼくの頭上に向けてだった。二階の廊下にいる人物に、挨拶をしているだけなのだ。

「こんばんは、ムガベ」

その声はよく知っていた。

その声はホロコーストについて語っていた。人間の良心の進化の必然について語っていた。自分が犯した裏切りについての悔恨を語っていた。

ルツィア・シュクロウプ。

「お加減はいかがですか」

「ええ、だいぶこの場所にも慣れてきたみたい。外で信じられないような生活をしている人たちを見ると……いまだに辛いけど」

「気にしないでください。あなたたちは、そんなぼくらの生活を良くするために、アメリカからやってきたんだから」

「そうなるといいんだけど……」

「ご主人――失礼、文化次官はもう、お休みになられましたか」

兵士が言った。ここではどうやら、ルツィアはジョン・ポールの妻ということになっているようだ。あるいは、ここに来て本当に結婚したのか。

「いいえ、あの人はね、ほとんど眠らないのよ。いまも部屋で仕事をしているわ」

「さすがですね。ぼくも将来はそんな政治家になりたいです」

「単に不眠症なだけだと思うわ」

「ご主人はよくやっていると思います。ご主人の書いたラジオ放送のスピーチを聞いていると、ぼくらががんばれば、この国は貧困からも、エイズからも救われて、そう遠くないうちに湖に魚が戻ってくるんだ、という気にさせられる。筋肉を輸出してお金をたくさん増やしながら、前世紀の初めのように、湖でとれる魚を食べて幸せに暮らす。そんな生活が手に入れられるように思えるんです。工場から出たイルカや鯨の内臓を食べてしのぐ女の子たちも、きっと学校に入れるようになって、あんなゴミ漁りをしなくていいようになる、って。がんばれば明日は昨日よりもっと良くなる、って信じさせてくれるんです。ああいう文章を書ける人は、きっと素晴らしい人に違いないから」

沈黙があった。ルツィアはその兵士の言葉にすぐに反応を返すことができないでいる。

ごめんなさい。わたしの主人はあなた方を憎しみ合わせるために来たんです。

ごめんなさい。わたしの主人が夢見ているのは、イルカや鯨の骨が打ち捨てられているゴミ置き場に、あなたがたの頭蓋骨やあばら骨が同じように捨てられる光景なんです。

そうしたことを、ルツィアは考えているのだろうか、とぼくは想像した。

われ地に平和を興《あた》へんために来《きた》ると思ふか。われ汝らに告ぐ、然《しか》らず、反《かへ》つて分争《あらそひ》なり。

しかし本当のところはたぶん、ジョン・ポールがなにをしているのか、ルツィアはいまだ知らない可能性のほうが高い、とぼくは思う。

「……そうね。そう言ってもらえると、うれしいわ。おやすみなさい」

「おやすみなさい、マダム」

ぼくはルツィアが入っていく部屋をすばやく確認した。満月の方向の棟にある中央の部屋だ。

兵士が巡回ルートに戻って、建物の外へ出ていったのを確認すると、ぼくはすばやく階段を駆け上がる。それぞれの接地面の状態を判断して、地面にグリップしつつ音を立てない質感に変化する素材の靴が、足音をぜんぶ吸い取ってくれるので、ぼくはまるで幽霊のような気分になる。二本の足で地面に立っているという力強い現実感を、この無音ブーツは消し飛ばしてしまう。

部屋の扉は開いていた。ぼくは銃を構え、なかに一気に躍りこむ。

しかし、そこに今しがた入っていったはずのルツィアの姿はなかった。

ただ月明かりだけが、建物の外に面した窓から差しこんで、空気に光の筋を残しているばかりだ。

ぼくは無人の部屋のなかを探った。つい先ほどまで書き物をしていたと思われる机には、一冊のメモ帳と原稿、そしてペンが置いてあった。原稿には『連盟』の議長用と思《おぼ》しきスピーチの草案が書きつけてある。ジョン・ポールはどうやら、書き物にノート端末やモブを使わない人間らしい。

原稿の傍らにおいてあるメモは、とても英語で書かれているとは思えない様々な記号と単語がひたすら書きつけてあった。それはどうやら、単語の持っている性や格の状態情報と、文の条件を示す論理記号、そしてその特定の配置パターンに関するもののようだ。しかし、とにかく難解な言語学の専門用語と記号がところ狭しと並んでいるので、理解することはまったくおぼつかない。

そのとき、背後で銃の安全装置を外す音がする。

「久しぶりだね、殺し屋君」

ぼくは振り返った。

ジョン・ポールがそこに立って、悲しそうな顔で拳銃をこちらに向けていた。

4

「救出部隊の襲撃で死んだかもしれない、と思っていたよ」

ジョン・ポールは言った。あのプラハの晩とは逆で、今度はぼくが月明かりの窓を背にして立っている。しかし白い光に照らされたジョン・ポールの顔は、あの晩の印象と同じく、どこまでも正気で、どこまでも悲しそうに見えた。

時代物のブローニングだった。ＩＤ認証のない、誰でも使えて、誰でも殺せる、そんな時代の銃だ。

「たしかに死ぬかと思った」

「ふむ。残念だ」ジョン・ポールはぼくに銃口を突きつけたまま、近くにあった椅子を引き寄せて腰掛ける。「一応、今回は間に合ったわけだ。ヴィクトリア湖沿岸産業者連盟での種播《ま》きはまだはじまったばかりだからね」

ぼくは、南国風の椅子に腰掛けたジョン・ポールの穏やかな瞳を覗きこんだ。ぼくという暗殺者を前にして、この中年男性は静かな威厳すら放射しているように見える。それはある意味で、宗教者、自分を救済者だと思いこんだカリスマに近いものだと言えなくもなかった。

だが、そうしたカリスマにつきものの眼の輝きが、有無を言わせぬ傲慢さが、押しつけがましい慈愛が、この男からはまったく感じられない。

「あんたは、どうしてこんなことを続けるんだ。自分がどれだけ殺せるのか、まだ実験を続けるつもりなのか」

ジョン・ポールはぼくからやや目を離し、構えているブローニングの銃口を見つめた。まるで、自分はなんでこんな人殺しの道具をもっているのかと疑問を抱いたかのように。

「……実験なぞ、もう何年も前に終わっているよ。きみは、わたしが自分の力を試したくてうずうずしている狂人だと思っていたのかね」

ジョン・ポールの瞳は、なおもブローニングの冷たい輝きに据えられている。人を殺す道具を、人を殺すことのできる具体的な物体を、いま自分は手にしているのだ、ということをこの男はどう受け止めているのだろうか。

「あんたは、たぶん銃を持ったことは一度もないんじゃないのかな」

ぼくが訊くと、ジョン・ポールはブローニングから目を上げて、

「ああ、実は今夜初めて手にしたよ。どの紛争地帯に行っても、こういうものは一度も手にしたことがなかったし、積極的に避けてきたからね」

「そうだよな、あんたは自分の手を汚さずに大量の人間を殺戮する力を持っているんだから」

すると、ジョン・ポールは首を振って小さな笑い声をあげた。

これはわたしの力じゃないよ。

ジョン・ポールはそう言って、椅子から立ち上がった。疲労がにじむ、苦い声だ。

「虐殺のことばは、人間の脳にあらかじめセットされているものだ。わたしはそれを見つけただけだよ。人体のさまざまな器官を『発見』した解剖学者たちと大した違いはない」

「原爆が作られたとき、アインシュタインはあんたのようには感じていなかったと思うよ」

「……ヒトの脳にはあらかじめ残虐性が埋まっている。それ自体は驚くべきことじゃない。こんな虐殺言語を持ち出さなくたって、人間の脳は殺し、盗み、犯す機能をその内に抱えている」ジョン・ポールはもう一方の手で自分の構えたブローニングを指差し、「ほら、わたしが現にいま、きみを殺そうとしているようにね」

「原始社会や、文明化されていない未開地域は平和なんじゃないのか」

「それは前世紀に、文化を相対化しようとした学者たち……というより社会運動家たちが広めた根拠のない嘘っぱちだよ。未開種族の人々はわれわれと同じくらい、いや、ときにはそれ以上に残虐だったりする。彼らだってわれわれと同じように妬《ねた》み、奪い、犯し、殺すんだ。マーガレット・ミードが書いたサモアの楽園は、ちゃんとした追跡調査の結果とんでもない嘘っぱちだということがわかっている。その調査には、サモアで起こったさまざまな殺人事件や強姦について書いてあるよ」

「戦争は」

「もちろん、しっかりある。戦争はわれわれ文明国の専売特許じゃない。未開の集落だって立派に戦争をやってのける。戦い、奪い、殺し、女を犯すことは、進化のそれなりのニーズによって脳のなかにその座を得ているのだよ」

「人間は、選ぶことができる」ぼくは静かに宣言した。「ぼくは罪を抱えている。選択に対する責任を負うことができる。だから、あんたが言っているようなことで、殺し、犯し、奪うことが正当化されるなんて思わない」

「わたしも同感だ」

ジョン・ポールは微笑んだ。ぼくは拍子抜けして、

「……なんだって」

「殺人や強奪や強姦が、生存のためのニーズから発生したものだとすれば、他人を思いやり、他人を愛し、他人のために自分を犠牲にすることもまた、進化のニーズによって生まれたものだ。われわれのなかには、それなりに生存の必要性によって発生したはいいが、競合し合っている感情のモジュールがいくつかあるんだよ。そして、そのなかにはいまではすっかりいらなくなってしまったが、まだしつこく残っている機能もある。食料が乏しい時代には、甘いものを好むという脳の機能モジュールは栄養摂取の指標づけの上で大きく役に立ったろう。しかしいま、食料が溢れる社会においては、その嗜好はダイエットの敵と言われる」

「殺人を犯すモジュールや、強姦を好むモジュールは、そうした『時代遅れの』機能の一つだと言うのか」

「……それはわからない。時代遅れか否かというのは、あくまで、現在の文化的状況に対し

てだからね。ただし、この虐殺を誘引する文法も、そうしたモジュールのひとつであることは間違いない」

「どういうことだ」

ジョン・ポールは、ぼくの背後の壁にタブローのように枠どられた窓の外に広がる、ヴィクトリア湖沿岸の風景を見やった。いまそこで沢山の家族が貧困にあえぎ、飢え、体を売ってなんとか生きている。

「旱魃《かんばつ》が襲ってきたとしよう。人類が農業なんてまだ営んでいなかった時代の話だ。人間は集団を形成し、お互いを助け、お互いを愛し、いっしょにやっていくほうが、裏切って抜け駆けするよりも安定して生活できることを学んだ。それは遺伝子的な進化かもしれないし、文化的、ミーム的な進化かもしれないが、いずれにせよ生存への適応であることは間違いない。……だが、そうやって膨れ上がった集落が旱魃に見舞われ、人口を維持できるだけの食料が調達できなくなったとしよう。どうするね。その利他精神に満ち溢れた集合は、滅びるしかないのかね」

そこでぼくはジョン・ポールの言いたいことを理解した。

「虐殺の文法は、食糧不足に対する適応だった、というのか」

「そうだ」ジョン・ポールはうなずき、「虐殺の文法は、人類がまだ食糧生産をコントロールできなかった時代の名残だ。群れ全体に影響を広める場合、これが他の生き物だったらフェロモンや匂い物質を使ったりする。しかし、そのとき人間の鼻は匂いを感じる器官としてはすでに退化した状態にあった。そうなると影響を広範囲の個体に及ぼすには言語を用いるしかない。一対一でなく、一対多で伝達できる情報メディアとしてはそれしかなかったんだ」

啓発された残虐行為。

生存のための大量殺人。

ぼくはぞっとした。そんな原始的な状況であっても、コミュニケーションがあり、利他行為があれば、それは社会と言って差し支えないだろう。この虐殺の文法は、ヒトの攻撃性を個体レベルではっきりと増長させるようなものではない。前にもジョン・ポールが言っていた。ナチス政権下のドイツでは、ユダヤ人もそれを喋っていた、と。つまりこれは、個人レベルでなく、ある程度の個体に感染した段階で、社会的にその機能を発揮するモジュールなのだ。脳の中の価値判断がある方向に捻じ曲げられ、虐殺が起こるよ、皆殺しが起きるよ、そういうムードを醸成する。そしてそれが社会的なある閾値《いきち》に達したとき、「良心」に関わる特定のモジュールを抑制された人々の手で、さまざまなかたちの虐殺が行われるのだ。

しかし、とぼくはかつてウィリアムズから聞いた言葉を口にする。個体にとって不利な形質は進化しにくい。レミング現象のような自滅行動は、実際にはほとんど存在しない、と。

「これは自滅ではないよ」ジョン・ポールは笑う。「虐殺行為が行われ、個体数が減り、食料の確保が安定する。そのために虐殺を許容するムードを醸成し、良心をマスキングすることは、むしろ個の生存にはプラスとなる。じゅうぶん進化として残りうる特性だ」

「そんな太古の生存の適応がまだ脳のなかに残っていて、人類を虐殺に駆り立てる……それがこうやって貧しい人たちの国に火種を播いてまわる理由か。人間が本質的に残虐であることを証明し続ける、それがあんたの望みなのか」

「わたしのせいね」

女性の声がした。どこに隠れていたのだろう、ジョン・ポールの頭にルガーを突きつける、か細く白い腕が伸びている。

ルツィア・シュクロウプ。

月光のもとに、彼女が歩み出てきた。

ジョン・ポールは視線をぼくに、あるいは外の風景に据えたまま動かない。月明かりに照らされたルツィアの顔は、まるで死人のように冷たく、あるいは美しく見える。

「奥さんが死んだあのとき、サラエボの街が消えたあのとき、わたしと寝ていたあなたは、自分自身が許せなかった。妻と子を裏切っていた自分が許せなかった」

ルツィアはジョン・ポールの後頭部にルガーの銃口を押しつける。泣いている。頬をつたう涙が、白い肌の上に光った。

「だから、あなたは裏切りや、暴力が……人間の残虐性が……逃れがたい人間の本性だと思おうとしたのね。あなたは罪から逃れるために、人間の本性のどす黒さを証明し続けているんだわ。恐ろしい数の人たちの命で」

「ルツィア、違うよ。わたしはなにかを証明するために、こんなことを続けているんじゃない」

「じゃあ、なんなの」

「わたしは人間の古い機能を見つけ出した。しかし同時に、わたしは隣人を愛することも、人間の野蛮さと同じくらい、いやそれ以上に、生物学的に根拠のある機能だということを知っている。虐殺器官を見つけたところで、それが人間の本性だなどと、絶望する気はさらさらないよ」

そこでぼくは気がついた。ジョン・ポールの話し方には、絶望の影がまったく見られない。彼の眼差しのまっとうさ、正気さも、要するにそういうことだったのだ。

ぼくは、ジョン・ポールがブローニングを構えているのも意に介さず、一歩踏み出した。

「絶望で殺しているんじゃない、ってなら、他にどういう理由があるんだ」

ジョン・ポールは沈黙した。ルツィアの息づかいだけが、部屋のなかに満ちている。

無限とも思える逡巡ののち、虐殺の王《ロード・オブ・ジェノサイド》はこう答えた。

「愛する人々を守るためだ」

5

愛国心が戦争の動機の座に就いたのは、いつだろうか。

母を、妹を救うためだと言って、航空母艦に突っこんでいった、カミカゼ・アタックのパイロットたち。自分の国を取り戻すために死んでいった、フランスのレジスタンス。祖国のためと信じて、海の藻屑と化していったUボートの乗組員。

みんなのために戦う。国民国家の誕生までは、その動機は買い物列の最後尾だった。それまで戦争は、利益のため、金儲けのために行われる一部の専門家の仕事だったから、利益集団に対する忠誠心はあっても、「お国のみんなのために」なんていうスケールのでかいことは誰も考えなかった。市民も戦争に行くことはあったが、それは傭兵として自分の戦闘力を貸し出すためだ。国民の軍が登場するまでは、愛国心なんてものは存在しなかった。そもそも常に待機している軍隊、つまり常備軍というやつそのものが存在しなかったのだから、無理もない。無敵艦隊《アルマダ》を破ったイギリス艦隊は、その半分以上が武装した商船だったという。戦争は昔から、その時々で必要に応じ雇われた傭兵のものだった。

つまり、自分の国を守るために自らを犠牲にするという精神自体は、つい最近発生したものにすぎない。民間軍事請負業者《PMF》は、こと戦争の歴史においてはアメリカ軍よりもイギリス軍よりも由緒正しい存在だといえる。戦争という営為が変化したのは、つい最近のことなのだ。

　そういうわけで、考えてみれば当たり前なのだが、一般市民にとって愛国心が戦場へ行く動機になったのは、戦争が一般市民のものになった、言うなれば民主主義が誕生したからなのだった。自分たちの選択した戦争なのだから、そこに責任が生ずるのは当たり前だ。その責任がいわば、愛国心というやつだった。

　誰かを守るため。父や母や妹のため。

　それだって原理的には、自己犠牲であり、愛他行為であり範囲を限定した利他行為だ。つまり、戦争は愛によって戦われうる。生存の適応として相容れないと思われた愛他精神と殺人衝動とが、ここで奇妙に矛盾を解消してしまうのだ。

　ジョン・ポールが語ったのはそういうことだった。

　わたしは、愛するがゆえに殺すのだと。

「妻と子を核で失ったとき、わたしは決意したんだよ。もう、こんなことは起こさない。こんな悲しみはじゅうぶんだ、とね」

「悲しみを引き起こしているのはあなたじゃないの」ルツィアは唇を嚙み、「こんなに多くの人を死に至らしめて……そこらじゅう悲しみしかないじゃないの」

「だが、それは人々の目に映らない、悲しみだ」

そこでジョン・ポールの口調に、一瞬だけ絶望のようなものが混じった気がした。

「どういうことだ」

「人々は見たいものしか見ない。世界がどういう悲惨に覆われているか、気にもしない。見れば自分が無力感に襲われるだけだし、あるいは本当に無力な人間が、自分は無力だと居直って怠惰《たいだ》の言い訳をするだけだ。だが、それでもそこはわたしが育った世界だ。スターバックスに行き、アマゾンで買い物をし、見たいものだけを見て暮らす。わたしはそんな堕落した世界を愛しているし、そこに生きる人々を大切に思う。文明は……良心は、もろく、壊れやすいものだ。文明は概してより他者の幸せを願う方向に進んでいるが、まだじゅうぶんじゃない。本気で、世界中の悲惨をなくそうと決意するほどには」

ＣＮＮのクリップ・チャンネル世界。ドミノ・ピザの普遍性。映画ストリーミングサービスの冒頭十五分。ある深さまでしか辿られることのない物　歴《メタヒストリー》。ぼくらの倫理的ステージは、まだそのあたりでうろうろしている。

「人々は個人認証セキュリティに血道をあげているが、あれは実はテロ対策にはほとんど効果がない。というのも、ほんとうの絶望から発したテロというのは、自爆なり、特攻なりの、追跡可能性のリスクを度外視した自殺的行為だからだ。社会の絶望から発したものを、システムで減らすことは無理だし意味がないんだよ」

「ルーシャスも言ってたわね」

「わたしは考えたんだ。彼らの憎しみがこちらに向けられる前に、彼ら同士で憎みあってもらおうと。彼らがわれわれを殺そうと考える前に、彼らの内輪で殺しあってもらおうと。そうすることで、彼らとわれわれの世界は切り離される。殺し憎みあう世界と、平和な世界に」

憎しみの矛先が、いまにもＧ９に向かいそうな兆候のある国を見つけ出す。

自分たちの貧しさが、自分たちの悲惨さが、ぼくらの自由によってもたらされていることに気がつきそうな国を見つけ出す。

そして、そこに虐殺の文法を播く。

国内で内戦がはじまれば、怒りを外に向けている余裕はなくなる。国内で虐殺がはじまれば、外の人々を殺している余裕は消し飛ぶ。外へ漏れ出そうだった怒りを、その内側に閉じこめる。ジョン・ポールは、ぼくらの世界へのテロを未然に防ぐため、虐殺の旅を重ねたと言っているのだ。

「彼らには彼らで殺しあってもらう。わたしたちの世界には、指一本触れさせない。虐殺の深層文法の構造自体は明確だが、それぞれの地域の言語に合わせて翻訳《コンパイル》しなければならない。だから、効果範囲は単一の言語圏とその周辺に限られる。英語で伝達させようなどと考えなければ、規模の調節は容易だ」

「あんたは、自分のしていることが本当に、テロを防いでいると思ってるのか」

「統計を見れば明らかだ。お決まりのオープンソース、アメリカ国務省の公式資料だよ。バイオメトリクスによる認証社会が形成されていくにもかかわらず、テロ事件の件数は増加するばかりだった。しかし、わたしが虐殺の播種をはじめてからは、その件数がついにゼロになった。後進国における内戦や民族紛争、残虐行為はものすごい勢いで増加したがね」

そこで、ジョン・ポールは満足げに目蓋を閉じ、

「わたしのしていることが正義だとは、絶対に言わない。わたしはただ、自分が守りたいものを守るために、やれることをしているだけだ」

「……お願い、ジョン、銃をおろして」そう言うルツィアの声に弱々しさは微塵もない。

「でないとわたし、本当に撃つわ。いまなら絶対に撃てる。わかるでしょ」

「ああ、それがきみの罪に対する、責任の負い方なんだね」

そう言ってジョン・ポールは、ブローニングの銃口をぼくから下ろす。銃を突きつけられたまま、ずいぶんと話しこんでいたと思うと、おかしさがこみ上げてきた。ぼくはジョン・ポールのブローニングを受け取った。

「……ビショップ、あなた、本当の名前はなに……」

ぼくはルツィアの顔を見つめる。その瞳にもはや迷いはなく、自分がすべきことに集中している眼差しだった。こんな瞳のルツィアを、プラハでは一度も見たことがなかった。

「クラヴィス・シェパード。情報軍大尉だ」

「クラヴィス、この人を逮捕して」ルツィアは冷静に告げる。「この人を逮捕して、アメリカに連れ帰って。虐殺の文法の話を裁判にかけるの。みんな、知る必要がある。知る責任がある。本当の意味で自由でいたいのなら、本当の意味で自由な国でありたいのなら。自由の

責任を背負う必要がある。選んだ結果としての自由を背負う必要がある」

「ルツィア、クラヴィスはわたしを殺すよう命令を受けているはずだよ」ジョン・ポールは哀しげに微笑み、「彼は何しろ、暗殺部隊なんだから」

ぼくは今夜、この男を自分の意思で殺すつもりでやってきた。国防総省の命令とは関係なく、ぼくの意思でこの虐殺に終止符を打つつもりでここにやってきた。

そしていま、ぼくを罰しうる唯一の存在が、この男を逮捕してくれと言う。

「……この男の研究は機密だった。ぼくたちのこれまでの作戦も同様だ。たった一人の人間が、世界中の虐殺行為の根源だったなんて、ほんとうに信じてもらえると思うかい」

「それはわからないわ。無理かもしれない。陪審員に笑われるかもしれない。でも、ここでこの人を殺してしまったら、誰にも真実を知らせずにこの人を殺して終わりにしてしまったら、この人が引き起こした虐殺で死んでいったすべての人々を、わたしたちが食い物にしてしまうことになる。そういった人たちの死の上で、安穏とした生活を送っておきながら、目をつむっていたことになる。それだけは絶対に、許されないことだわ」

屍《しかばね》の上に築かれた、ぼくらの世界。

人々は屍の上に立っていることに気がついていない。

でもぼくらは知ってしまったのだ。もはや屍の上に立ち続けることはできない。

「……わかった。ジョンを連れて帰ろう」

ぷすっ、という音がして、ルツィアのこめかみがマシュマロのように膨れ上がる。間延びした一瞬、ああ、炸裂弾頭だな、と奇妙にも冷静に判断していた。膨れ上がったこめかみが熟したトマトのように割れて、真っ赤な血と脳漿とが、正面にいたぼくの顔に飛び散った。

ルツィアの額から左目がきれいになくなって、ぽっかりと空洞になっている。右半分に残されたルツィアの脳味噌が、その空虚に零《こぼ》れ落ちはじめた。制御を失ったルツィアの体は、弾の威力で前につんのめり、ジョン・ポールの肩口に寄りかかる。向こうにはサイレンサーつきの拳銃を持った、ウィリアムズが立っていた。

「ルツィア……」

頭の半分を失ったルツィアの体。こういうのは何度も見てきた。戦場ではよくある損壊のパターンだ。弾丸に顔面の一部をもぎ取られて死ぬっていうのは。

ぼくは叫んだ。いや、正確には叫んだつもりだったが、声が出なかった。声にならない絶叫をOの字に開いた口から発しながら、ウィリアムズに向かってライフルを発砲した。

ウィリアムズは部屋のなか、ぼくの火線の方向へと果敢に飛びこんでくる。廊下に立っていては、今の発砲で駆けつけた警備の連中に挟まれてどうしようもなくなるからだ。

「クラヴィス。落ち着け。命令は暗殺だ」

「彼女は標的じゃなかった。彼女は殺されなくてよかった。誰も殺される必要なんてなかったんだ」

ウィリアムズはバスルームに飛びこんだようだった。部屋の入口脇の暗がりから声が聴こえてくる。ぼくはジョン・ポールをウィリアムズの火線の死角に突き飛ばし、ブローニングを投げた。

「これで身を守れ」

ジョン・ポールは無言でうなずく。この狭い部屋だ。ウィリアムズがバスルームから出てきたら接近戦になる。とはいってもその前にここの警備兵が駆けつけてくるだろうが。

「なぜ殺した」

「モニータと赤ん坊のためだ」ウィリアムズは力強く断言し、「この世界がどんなにくそったれかなんて、彼女は知らなくていい。この世界が地獄の上に浮かんでいるなんて、赤ん坊は知らないで大人になればいい。俺は俺の世界を守る。そうとも、ハラペーニョ・ピザを注文して認証で受け取る世界を守るとも。油っぽいビッグマックを食いきれなくて、ゴミ箱に捨てる世界を守るとも」

部屋の外からどたどたと駆け上がる足音が聞こえてくる。警備兵とウィリアムズとで三巴の銃撃戦になったりしたら、最悪だ。

「ルツィアは死ななくてよかった。お前はここで死ぬべきだ」

「クラヴィス、落ち着け。昔のように協力して、駆けつけてくる警備陣を突破せにゃならん」

「貴様を殺して、その死体と協力するさ」

「いいか、暗殺命令は出ていたんだ。お前が知らなかっただけだ。ルツィア・シュクロウプとジョン・ポールは両方とも殺すよう俺は言われてた。この一件は完全に葬らにゃならんってのが、上のほうの意向らしい」

「なぜだ」

ついに警備兵が部屋の入口に姿を見せたので、ぼくはフルオートで面制圧射撃をする。一人が肩に一発喰らって、くるくる回転しながら床に倒れこんだ。

「国防高等研究計画局《DARPA》としちゃ、虐殺につながる研究に資金を出していたってのはスキャンダルになりかねん。それにそいつらの話は、国のセキュリティ強化政策にとっては嬉しくない。個人情報の追跡可能性と先進国におけるテロの消滅は無関係だなんてのはな」

「だが実際無関係だ」

「もう止められないんだよ」ウィリアムズは怒鳴る。「民衆が望んで、国が望んで、企業も望んではじめたことだ。多少の自由は犠牲にしてでも、安全な社会をつくろうってのはな。そのために作ったインフラを全部パアにする気なのか。いまや個人情報管理とセキュリティの市場はすさまじい規模だ。現在進行形の大金がかかったインフラ建設もある。その全部を、お前は止めるつもりなのか」

と、グレネードがバスルームから入口のほうへ放られた。爆音とともにドアの向こうの廊下が埃に覆われる。ぼくはなおもウィリアムズに向かって叫んだ。

「その全部が無意味なんだ。嘘っぱちなんだよ。セキュリティなんて無用なんだ」

「嘘っぱちだろうがなんだろうが、すでに走っちまってる経済は紛れもない本物だぜ」

ある意味膠着状態だったが、このままじゃ、すぐに弾切れで終わってしまう。

ぼくはとっさにジョン・ポールの腕を引っ張ると、月明かりの射しこむ窓から飛び降りる。二人して無様な姿勢で芝生の上に落下したが、すぐに立ちあがって湖岸の方向に走り出した。刹那、頭上の窓が吹き飛んだ。ジョン・ポールをつかんで飛び出したとき、空中で窓に放りこんでおいたグレネードが炸裂したのだ。それはほとんど反射的行動で、ウィリアムズがどうなるかなどは、まるで気にもしていなかった。

警備兵がAKを腰だめで撃ってくるが、下手な上に遠すぎてあたらない。相当部分は環境追従迷彩のおかげでもあるだろう。ぼくは剝き出しのジョン・ポールを迷彩で守るよう、なるべくその背中を覆い隠すようにして逃げた。

ジョン・ポールの肩口がルツィアの血と脳漿でぐっしょりと濡れているのがわかった。ふと、あの部屋においてきた彼女の死体のことを思い、胸が張り裂けた。あの状況では連れて行くことはできなかった。あの混戦状態では死体となったルツィアは置いてくるしかなかった。だがそんな理性的な判断で、全身を引き裂くようなこの感情を鎮めることはできない。ぼくはジョン・ポールと走りながら、いつの間にか泣いていた。

「ルツィアのために……泣いているのか」

「ぼくは彼女を置いてきてしまった……彼女の骸を」

「戦場で、死体は何度も見ているだろう」

吹き飛んだ後頭部を曇天に曝《さら》して倒れている少女。

背中から撃たれ、破裂した腹から腸をこぼしている少年。

村の広場に掘られた穴のなかで、ガソリンをかけられ燃やされた女子供。

これまで、死体は物だと思ってきた。人間は死んだら、どこまでも物だと。ルツィアの頭は半分ほども吹き飛んで、柔らかい脳髄が零れ、その物質性を余すところなく剝き出しにしていたはずだ。

にもかかわらず、それは物ではなかった。それはルツィア・シュクロウプだった。それは単なる肉の塊ではなく、あくまで「ルツィア・シュクロウプの死体」だった。

「うん、わかっているよ……勝手なものだ、大切な人の死体は物に見えないなんて」

ぼくは唇を嚙んで、ジョン・ポールとともにジャングルのなかに駆けこんでいった。


ジョン・ポールを連れてジャングルを移動するのは困難だった。紛争地帯を歩いてきた男ではあるが、やはり文官にすぎなかったわけで、ジャングルという、人間が歩くようにはできていない空間を移動するには、それなりのスキルが必要だった。

そのうえ、ジョン・ポールは二階の窓から飛び降りたとき、右足首を捻挫《ねんざ》したようだ。回収チームが待つタンザニア国境までそれほど距離はなかったが、この足では速度に限界がある。

「……あんたを〈ヴィクトリア湖沿岸産業者連盟〉に帰すわけにはいかない」ぼくは前方を見据えたまま言った。「あの国へ戻れば、あんたはまた虐殺の文法を歌いはじめるだろうから」

「戻る気はないよ」

ジョン・ポールはつぶやいた。ゲストハウスで語っていたときの確信に満ちた佇《たたず》まいは、いまやどこにもなかった。

「ルツィアは、わたしがしたことを世界に説明すべきだと言った。世界がどのようなものの上に安穏を築いているのか伝えろと言った。わたしは裁かれて、死刑になるかもしれない。あるいは狂人のたわごとと一蹴されて、もの笑いの種になるかもしれない。でも、どうなるにせよルツィアが望んだことを、自分はしようと思う。それが彼女への、わたしなりの贖罪だ。わたしは彼女を巻きこんでしまった。偽装ＩＤを入手するためにプラハに立ち寄ったので、久しぶりに顔が見たくなったんだ。ただ、それだけだったのに……」

ぼくは生い茂る草木を山刀で薙《な》ぎ払いながら、黙ってジョン・ポールの話を聞いていた。

「わたしは妻と子を裏切ったうえに、かつて愛した女性まで殺してしまった」

「虐殺で死んだ人々に対する罪は勘定されないのか。ずいぶんと身勝手な贖罪意識だな」ぼくは皮肉をぶつける。「お前の後ろには物凄い数の死者が立っているんだ。それを忘れるな」

「ああ、もちろんだ」

ジョン・ポールはうなずき、

「わかっているさ。虐殺の種を播いた最初の時から、ずっと背負ってきたものだからな」

ジョン・ポールの話を聞きながら、ぼくは自分が虫のいい話をしていることもわかっていた。すべての死者を忘れるな、とジョン・ポールに言いながら、ぼくはまだ自分の抱えた罪をどうすればよいのかわからずにいる。母親殺し以外のすべての罪。自分で選び取らずに人を殺してきたという、責任逃れの罪。ぼくはそれについて答が欲しかった。ルツィアの口から、罰を、あるいは赦しを聞かせてもらいたかった。

だが、ルツィアは死んでしまった。もはやぼくを罰したり赦したりしてくれる人はどこにもいなくなってしまった。

いま、ここにある地獄。ぼくは自分という地獄に閉じこめられた。地獄はここにあるんですよ、というアレックスの声。そうとも、いまぼくは最悪の地獄に堕ちた。罰せられることを、その果てに赦されることを期待して、こんなアフリカの奥地にやってきたのに、そこに着いたとたん罰も赦しも壊れて消えてしまった。

これこそが罰なのだろうか。死ぬまでの時間ずっと、罪を抱えて彷徨《さまよ》うことが。

「あんたに訊きたい。ルツィアが死んで……自分がしたことを悔いているか、その、多くの命を奪う土壌を築いたことについて」

ぼくはジョン・ポールに訊いた。自分のなかにいささかなりとも、ルツィアを失った者同士の連帯感があったのだろうか。ジョン・ポールは首を振って答える。いいや、それについては後悔していない、と。

「わたしは悔いていない。わたしは命を天秤にかけた。わたしたちの世界の人間の命と、貧しく敵意の影がさす国の人間の命。わたしは目を見開いたまま、完全に正気で、その選択をした。そうして選択がなされたあとで、どれだけの命がわたしの背中に貼りつくことになるか、それもはっきりと自覚したまま選択したのだ。自分にできることを知ってしまったら、そこから逃れることはできないよ」

「これから、どうする」

「わたしひとりで背負おうと思っていた。だが、ルツィアの望みどおり世界の知るところとなったら、今度は彼らが選択を迫られることになるだろうな。屍の上に、テロのない世界を築くことの是非について」

「それで、あんたの肩の荷は下りるのか」

「まさか。してしまったことから逃れることはできないよ」

ぼくらは休むことなく歩きつづけた。

世界はたぶん、よくなっているのだろう。たまにカオスにとらわれて、後退することもあるけれど、長い目で見れば、相対主義者が言うような、人間の文明はその時々の独立した価値観に支配され、それぞれの時代はいいも悪いもない、というような状態では決してない。文明は、良心は、殺したり犯したり盗んだり裏切ったりする本能と争いながらも、それでもより他愛的に、より利他的になるよう進んでいるのだろう。

だが、まだ充分にぼくらは道徳的ではない。まだ完全に倫理的ではない。

ぼくらはまだまだ、いろいろなものに目をつむることができる。

ジョン・ポールは足を引きずりながら、ぼくのペースに必死についてきている。息をあえがせながら、今度はぼくに質問してきた。「あんたのほうは、どうするね。これが終わったら。また誰かを暗殺しに行くのか。世界を守るために」

「いままでは世界なんか守っちゃいなかった。ただ命令されたから、やっていただけだ」

「これからは、違うのかい」

「わからない」ぼくは正直に答える。「でも、いろいろなものがはっきり見えるようになる。そう思うんだ」

ジャングルが終わった。唐突に。

どこまでも広い空。夜が明けて、地平線のかなたが白み始めている。

一台のジープが、草原のかなたに停車していた。遠くてはっきり見えないが、軍人がふたり、そこで待っているようだ。事前に取り決めた作戦の段取りでは、彼らはタンザニア軍から派遣されてきた軍人だった。

ぼくは一息つき、ジョン・ポールとともに平坦な草原を横切っていった。


そして、乾いた破裂音があたりに響き渡る。

ひとりが銃口をこちらに向けている。ぼくは振り返った。ジョン・ポールの額に小さな穴が開いて、地面に倒れている。

「作戦終了です。シェパード大尉。お疲れ様」

黒人の兵士が言った。もちろん、特殊検索群i分遣隊の軍曹だった。

「ウィリアムズは……」

ぼくはぼんやりと訊いた。

「死んだそうです。NSAのチームが傍受した無線の情報ですが」

疲労が体の隅々まで侵食し、まるで蠟になってしまったかのようだ。ジープに乗りこんでシートに体を預けると、猛烈な眠気が襲ってきた。アレックス、ルツィア、ジョン・ポール。そのすべてが遠い過去の出来事のように思い出された。あのとき覚えたはずの感情、あのとき得たはずの洞察。そのすべてがリアリティを失って、壁に隙間なく貼りつけられたスナップ写真のように、全体のディテールのごく一部へと還元されてゆく。

「出してくれ」

ジープがゆっくりと走り出した。白みだした地平線の彼方に向かって。一瞬、このタンザニアの草原だけが本物の世界であり、この草原がどこまでも広がっているだけで、ぼくがいたプラハも、パリも、ワシントンもジョージタウンも、文明という名のたちの悪い夢なのではないか、という思いにとらわれた。

ジープが後にしてきた草原の一点で、これからジョン・ポールはゆっくりと時間をかけて朽ちていくのだろう。焼けた死体は腐敗しない。防腐処理を施されたぼくの母親もまた、腐敗しない。ジョン・ポールは土に還ることができるぶん、そのいずれの死体よりもまだ幸せなのではないかと思えた。

エピローグ

これが、ぼくの物語だ。語り終えたあと、ぼくはそう言ったように思う。

ぼくは軍を辞めた。だれも引き止めるものはいなかった。あの作戦から帰還したぼくは、自分のなかから何かが抜け出てしまったようになっていることに気がついた。ぼくがそれを自覚したのはずいぶん遅かったようで、それまでにいろんな同僚がカウンセリングの必要性を切々と説いた。

ぼくはそうしたすべてを受け流した。帰国したアメリカで語られる言葉が、ひどくフラットでぺらぺらの、とらえどころのないものに思えて仕方がなかった。みんなの語ることばはあまりに捉まえるのが難しかったので、ぼくはやがて人と話すのをやめてしまった。

そうして家にこもりきりになってぼうっとしていたある日、ぼくのもとにＩＤとパスワードが送られてきた。

封筒にエンボスされた、高そうな印刷の情報セキュリティ会社《インフォセック》のロゴ。母さんの契約していた会社。

宛先はぼくになっていた。

封書には、個人情報保護法の修正第四条に基づき、生前とくに指定がない場合における死亡三年後公開規定によって、故人がアカウント登録時に指定した個人情報開示第一位であるぼくに、エリシャ・シェパードのアカウントを譲渡する、という説明が書かれていた。

すべてが記録され、長きにわたって保存されるぼくらの社会では、こうして過去から不意打ちを受けることがままある。交通事故がそうであるように、誰も自分がそんな目にあうとは思っていない。ぼくだってそうだ。

母さんがぼくに伝えたい何かを持っていたとは思えない。ぼくが序列の先頭だったのは、父さんはすでにこの世の人でなく、ぼくが息子だったからにすぎないだろう。

この封書に込められた刃は二枚あった。

ひとつは、母さんの記録そのもの。

もうひとつは、母さんの生死を決めるとき、ぼくが記録の閲覧を申請しなかったということだ。

存在と無のあいだに広がる、生者には認識も経験もできない世界へ母さんが踏みこんだとき、法的には情報セキュリティ会社《インフォセック》に申請して、ぼくはいくらでも母さんのライフグラフを閲覧することができた。契約者が意識不明またはそれに準ずる医学的状態になったときのことを、法律も情報セキュリティ会社《インフォセック》も一応は想定していたのだ。

けれど、ぼくはそれを申請しなかった。母さんのライフグラフを見ずに、ぼくは母さんの死を選んだ。

あのとき、どうして母さんの記録を見ることを怖れたのか。今となっては思い出せない。ただ、漠然とした恐怖だけがあった。

いま、自分は怖れているだろうか。たぶん怖れているのだろう。ただし、ルツィア・シュクロウプと、ジョン・ポールの死を経たいまとなっては、その怖れは違った意味であるはずだ。

その封書が届いた午後は、恐ろしく静かだった。ぼくがこのアカウントを使って、母さんのウェブスペースに残る記録を読むかどうか、誰かが――あえて言うなら、死者たちが――息を潜めて見守っているように感じられた。

そして、十五分の逡巡ののち、ぼくはアクセスし、ライフグラフに母さんの伝記の作成を命じた。


ジャングルのなかで、ぼくはジョン・ポールから一冊のメモ帳を渡されていた。ページをぱらぱらとめくり、ざっと目を通してみたけれど、そこに書いてあることはあまりに難解な学問の言葉で、それを理解するのは難しかった。

しかし、そのなかに書いてあるアドレスが、ぼくに力を与えてくれた。

どういうわけか、院内総務の引退の理由がどこかからリークされた。調査委員会が発足し、公聴会が開かれた。こうして世間に引きずり出されたとき、この政治家は堂々と言ったものだ。スペクタクルとしての戦争は、常に必要だ、と。どこかで戦争が起こっているということ。とりわけ、どこか自分とは関係ない場所で悲惨な戦争が起こっているということ。ぼくらはそれを意識し、目撃することで、自己を規定することがはじめて可能になるのだ、と。

敵があって、国家が団結する、という古めかしい話ではなかった。海の向こうに、漠然とした戦場が広がっていること。戦争が、ショッピングモールのBGMのようにサラサラと、どこかから聴こえてくること。二十一世紀のわれわれには、そうした世界の在《あ》り方が必要だ。

上院議員はこう語った。そしてジョン・ポールならば、絶えざる戦争を可能にしてくれると。

元特殊部隊員として、暗殺を行うアメリカ合衆国の極秘部隊の元隊員として、ぼくは議会公聴会の大舞台で長い時間、数え切れないほど自分の物語を繰り返し語る機会に恵まれた。ぼくが話したことで、ワシントンは二十一世紀はじまって以来のスキャンダルに叩きこまれた。ぼくがやったことは国家機密法違反だったから、アメリカ情報軍大尉クラヴィス・シェパードは告発されることになった。

だが結局、ぼくを迎えに来るはずの司法の手は、やってこなかった。アメリカ全土で暴動が発生し、それどころではなくなってしまったのだ。州軍はもはや公然と一般市民に発砲し、軍の兵器庫は狂乱状態の暴徒に浚《さら》われていた。

死者たちの静寂が見守るなか、ぼくはようやくそれを読んだ。

ソフトウェアが吐き出した母さんの人生。

つねにぼくを見つめていた、一対の瞳の物語。

けれどそこに、ぼくの場所はなかった。

母さんの視線の痕跡。母さんが常にぼくを見ていたという感触。そんな子供の頃の実感を裏切るかのように、ライフグラフが吐き出した母さんの伝記のなかに、ぼくについての記述はほとんど出てこなかった。

時折、思い出したように必要最低限のイベントが記述されているものの、母さんの記録のなかに生きていたのはぼくではなく、圧倒的に父、頭をぶち抜いて母さんの人生から不意に消えてしまったはずの父の姿だった。

母さんは、ぼくを見てはいなかった。

いまなら確信をもって言える。壁にぶちまけられた父さんを拭き取ったのは、母さんだと。

人は誰しも、自分の物語のなかに他者の物語を組みこんでいる。ぼくのなかには母の物語があり、ウィリアムズの物語があり、ルツィアやジョン・ポールの物語がある。けれど、母さんの物語に、ぼくはほとんど埋めこまれてはいなかった。

でも、とぼくは混乱する頭で自分の過去を繋ぎとめようとする。あの気配、あの肩口に感じていた視線は本物だったはずだ。一度、キッチンから廊下と洗面所を貫くかすかな隙間、そこしかないという絶妙な角度の向こうにいる母と目が合ったとき、背筋を走った冷たいものの感触を、ぼくはいまだ生々しく思い出すことができる。まるで互いを狙う狙撃手が、決定的な瞬間、恐ろしい偶然でスコープ越しに見つめ合ってしまったかのような戦慄。

しかし、その視線が愛情だと証明してくれるはずの記録は、ソフトウェアが吐き出した、母の物語のどこにも残ってはいなかった。

では、あの視線はいったいなんだったのか。

作戦が終わって、ぼくはからっぽになったと思いこんでいたけれど、そこが真空ではなかった。真の空虚がぼくを圧倒した。

そんな空虚にジョン・ポールのメモは実にぴったりと嵌《はま》った。もしくは、ジョン・ポールのメモのほうが、ぼくの空虚を見出したのかもしれない。

ニュース・クリップで適切な文法で物語ることができたことに、ぼくは満足している。ジョン・ポールが残してくれたアドレスには、虐殺の文法を生成することができるエディターが眠っていたのだ。

これを使って、ジョン・ポールはさまざまな国の、さまざまな言葉に、死の影を写し取っていったのだろう。かつてジョン・ポールが行ったように、ぼくは虐殺の物語を綴っていった。

その原稿は、ある意味で楽譜だった。ぼくは、それをできるだけ音楽に似せようと努めた。

唄うように語ろうとした。音を、リズムを、強烈に意識しながら、あなたたちに殺しあってほしい、アメリカの外で、いろんな人々が殺しあったように、と祈りを込めながら語った。これが祈りであることに、これが歌であることに、だれかが気づいてくれればいいな、と思いながら。

　ぼくの言葉は文字に起こされ、アメリカという情報の織物に、ゆっくりと染みこんでいった。ぼくの言葉は、ぼくの歌は、この映像で、音声で、公聴会の記録にアクセスした人々の、まぶたのない耳に入りこんでいった。

　かなり早い段階で、スキャンダルは問題でなくなった。虐殺の文法は、内戦の予兆などまったく存在しないこの国を、容赦なく混沌に叩きこんだ。機械仕掛けの神《デウスエクスマキナ》のごとく。すみやかに、自動的に。

　すでに多くの人々がアメリカ全土で死んでいた。もうすぐ内戦状態に突入するだろうと、まだ生き残っているネットワークは報じていた。だが虐殺と呼べるような大量殺戮は、まだ起こってはいなかった。とはいえ、それも遠い出来事ではないだろう。

　スターバックスの永遠も、ドミノ・ピザの普遍性も、なくなった。こうなることはわかっていたから、ぼくは家に食料をたっぷり溜めこんであった。それを狙ってやってきたこそ泥をライフルで射殺したが、その死体はまだ玄関に転がっていて、どうしたものか実に悩ましいところだった。

　英語による虐殺の深層文法は、あっという間にアメリカ全土を覆いつくした。

これでしばらくは、アメリカにテロを仕掛けようなどと思う人もいなくなるだろう。アメリカの輸入は完全にストップしていた。世界のどの国にも恨まれるような迷惑も掛けようがない。

ぼくは罪を背負うことにした。ぼくは自分を罰することにした。世界にとって危険な、アメリカという火種を虐殺の坩堝《るつぼ》に放りこむことにした。アメリカ以外のすべての国を救うために、歯を噛んで、同胞国民をホッブス的な混沌に突き落とすことにした。

とても辛い決断だ。だが、ぼくはその決断を背負おうと思う。ジョン・ポールがアメリカ以外の命を背負おうと決めたように。

外、どこか遠くで、ミニミがフルオートで発砲される音がする。うるさいな、と思いながらぼくはソファでピザを食べる。

けれど、ここ以外の場所は静かだろうな、と思うと、すこし気持ちがやわらいだ。

感謝を捧げます——私の困難な時にあって支えてくれた両親、叔父母に。

解説

翻訳家　大森　望

本書は、作家・伊藤計劃の第一長篇にあたる。原型は、二〇〇六年の第七回小松左京賞最終候補に残った同名の応募原稿。同賞では惜しくも選に漏れたが（詳細は後述）、翌二〇〇七年六月、『虐殺器官』は大幅な加筆訂正を経て早川書房のSF専門叢書〈ハヤカワSFシリーズ　Jコレクション〉から書き下ろし単行本として出版され、たちまちSF界にセンセーションを巻き起こした。SFマガジン二〇〇七年八月号の『虐殺器官』紹介ページには、SF翻訳家の山岸真が熱いコメントを寄せている。いわく、

〈……作者の視線は9・11以降の時代を真正面から見すえている。けれどこれは、テロの多発や監視社会化を近未来に投影しただけの作品ではない。物語の半分以上は、内戦が激化する（先進資本主義国以外の）世界各国で展開され、その背後には地理的・人類史的に広い視野に支えられた、作者の骨太な思弁がある。もし本書が英訳されることがあれば、ブルース・スターリングが喜んで推薦文を書くに違いない。一方で、〝宅配ピザの不変性〟をキイワ

ードに語られるアメリカ像は、ニール・スティーヴンスン的といえる〉

この引用からもわかるとおり、『虐殺器官』は最初から世界SFの最先端として評価されてきた。そして、「本書はまぎれもなく世界水準の傑作である」という山岸真の評がまちがいではなかった証拠に、『虐殺器官』は、「ベストSF2007」（SF作家、評論家、翻訳家などのアンケート投票で決まる年間ランキング）国内篇の第1位を獲得、日本SF大賞、星雲賞の候補にもなった。〈月刊PLAYBOY〉が実施した第一回PLAYBOYミステリー大賞を受賞するなど、ミステリとしても高く評価されている。〇九年七月に出た『SF本の雑誌』の国内・海外あわせた「本の雑誌が選ぶオールタイムベストSFベスト100」では、今世紀の作品としては最高位の16位にランクイン。二〇一〇年二月刊の『SFが読みたい！　2010年版』が実施した「ゼロ年代ベストSF」投票では、飛浩隆『グラン・ヴァカンス　廃園の天使Ⅰ』や冲方丁『マルドゥック・スクランブル』をおさえて、『虐殺器官』が国内篇のベストワンに輝いている。2で始まる西暦の最初の十年間を代表する日本SFが、この『虐殺器官』なのである。

物語の背景は、モスレム原理主義の手作り核爆弾によってサラエボが消失し、〝テロとの戦い〟が新たなステージに入った近未来（おそらく二〇二〇年前後）。先進諸国では、市民の監視を徹底することで、自由とひきかえに安全を手に入れたかに見えたが、その一方、発展途上国では内戦と民族紛争が頻発しはじめる。

一人称主人公の〝ぼく〟こと、クラヴィス・シェパードは、暗殺を専門とするアメリカ情報軍特殊検索群i分遣隊の大尉。心理操作とハイテク装備によって優秀な殺戮機械となり、紛争地域へと潜入して任務を遂行する。その新たなターゲットとして浮上したのが、各地で起きる不可解な虐殺の背後でつねに見え隠れする謎の米国人、ジョン・ポール。その影を追って、〝ぼく〟は悲惨な虐殺の現場へと赴く……。

さしずめ、押井守「機動警察パトレイバー2」の未来でコッポラの「地獄の黙示録」を再演したような──と言えば当たらずといえども遠からずか。ブルース・スターリング『ネットの中の島々』『ホーリー・ファイアー』、ウィリアム・ギブスン『ニューロマンサー』、グレッグ・イーガン『万物理論』、テッド・チャン『あなたの人生の物語』、小島秀夫監督の「スナッチャー」および〈メタルギア〉シリーズ、黒沢清監督「CURE」、さらにはモンティ・パイソンから「ときめきメモリアル」（の主題歌）まで、小説・映画・アニメ、あらゆる媒体の作品を貪欲に吸収しサンプリングしながら、伊藤計劃は、これまで日本には存在しなかったタイプのSF長篇を書き上げた。

小説の枠組は、国際軍事謀略サスペンス。死体の山が築かれる冒頭の戦闘シーンから、迫真のディテールが読者を鷲摑みにする（初読時に強く連想したのはルーシャス・シェパードが魔術的リアリズムを駆使して近未来の戦争を描いた『戦時生活』だったが、『虐殺器官』を書いた時点では、著者は未読だったという）。作戦行動用に感情を鈍麻させた〝ぼく〟の淡々とした語りが印象的だ。戦争アクションには不似合いなこの文体は、最初から意図したものだったらしい。オンラインSF誌「Anima Solaris」のメールによるインタビュー

(http://www.sf-fantasy.com/magazine/interview/071101.shtml) に答えて、著者はこう語っている。

〈「一人称で戦争を描く、主人公は成熟していない、成熟が不可能なテクノロジーがあるからである」というのは最初から決めていました。ある種のテクノロジーによって、戦場という、それこそ身も蓋もない圧倒的な現実のさなかに在ってもなお成熟することが封じられ、それをナイーブな一人称で描く、というコンセプトです。

イーガンではありませんが、テクノロジーによって幾つかの身体情報から切断された結果出現する、（我々にとって）ユニークなパーソナリティというのがあるだろう、と。そして、それは最新のテクノロジーの成果が投入される軍事領域に於いて最初に起こるだろう、と〉

こういう徹底した理詰めによるキャラクター設定、世界設定が、作品にのっぴきならない緊張感を与える。参考文献は明示されていないが、そのために集めた資料もおそらく膨大なものだろう。ごく一部を挙げても、ダニエル・C・デネット『解明される意識』『自由は進化する』、スティーブン・ピンカー『言語を生みだす本能』『人間の本性を考える』『心の仕組み』、マイケル・S・ガザニガ『脳のなかの倫理』、マーティン・デイリー＆マーゴ・ウィルソン『人が人を殺すとき』……。当然ウェブ上の情報も駆使してデータを集め、（〝神話的、イコン的未来性〟を注意深く排除しながら）ありうべき未来を構築する。

しかし、ＳＦ作家・伊藤計劃の最大の特徴は、ひたすら、いま現在の人間と世界が抱えている問題を描こうとしたことだろう。著者は前記のインタビューの中で、ＳＦを〝社会とテクノロジーのダイナミクスを扱う唯一の小説ジャンル〟と認識していたと語り、〈わたしはおそらく、これからも地上や「いま、ここ」に縛り付けられたままなんだろうなあ、と思います。……ひたすら今現在の人間のことしか考えてない〉と書く。

以前から伊藤計劃のブログを愛読していたという佐藤亜紀は、本書刊行の直後、『虐殺器官』について、ウェブ日記（http://tamanoir.air-nifty.com/jours/2007/07/）で次のようにコメントしている。

〈……一読して感じ入ったのはその繊細さだ。もちろん題材は、タイトルと表紙に偽りなく、凄まじい訳だが、にも拘らず、ちょっとないくらい繊細なのだ。凡百の繊細ぶった、その実どうしようもなく粗野な代物とは対極にある、題材に対する繊細さ。その背景の現実に対する繊細さ。（中略）『虐殺器官』は単なる近未来SFではなく、NV的軍事行動小説で終るものでもなく、今ここにおける切実な事柄を拾い上げ、見詰め、語った小説――まさに今、私やあなたのいる世界で起っていることを語った小説だ〉

近未来に託して現在の問題を描くのはSFの得意技だが、たしかにそれをここまでテクニカルかつ繊細にやってのけた日本SFは珍しい。『虐殺器官』の世界では、テロ、新自由主義経済、グローバリズム、民間軍事会社、環境破壊、貧困など、いま、ここにある問題が恐ろしく冷徹に分析される。そして、〝凄まじいまでの諦念と裏腹になった反撃攻勢〟（佐々木敦）。プロットの核となるハウダニット（犯行手段）にはSFのアイデアが用いられているが、むしろ、ホワイダニット（犯行動機）の意外性と、それを正面から引き受けた結末が重い読後感を残す。その結果、ミステリ読者にもファン層を広げ、日本の小説には稀な本格的国際軍事謀略サスペンスとして高く評価された。実際、佐藤亜紀のみならず、佐藤哲也や宮部みゆきや伊坂幸太郎など、SFの枠を超えて、同時代の作家たちから絶賛されている。伊藤計劃は、この一冊でゼロ年代を代表する作家となったのである。

当然、本書は日本SF全体にも大きな衝撃を与えた。桜坂洋は、〈『虐殺器官』には、作家としてぼくが描きたいと考えていた世界観があった。それを為した同世代の新人作家の才に対し、ぼくはそのとき、いくばくかの嫉妬と、焦燥と、そして他の感情を圧倒する歓迎の気持ちを抱いていたのだと思う〉と書いているが（SFマガジン二〇〇九年七月号）、その思いは、現役のSF作家の多くに共通するのではないか。同期デビューの円城塔はもとより、飛浩隆、新城カズマ、長谷敏司、東浩紀らが、直接間接に『虐殺器官』の影響を受け、あるいはシンクロして、新しい日本SFを書きはじめた。『虐殺器官』が孕む問題意識がSF全体の中心的なテーマとしてクローズアップされてきたのである。ついでに言えば、創元SF文庫の〈年刊日本SF傑作選〉や、河出文庫の〈NOVA　書き下ろし日本SFコレクション〉の発刊も（私事ながら）伊藤計劃の登場に刺激された面が大きい。日本SFの新たな胎動の中心にいるのは伊藤計劃だったし、二〇一〇年代の日本SFを先頭に立ってひっぱるのは伊藤計劃であるはずだった。

しかし、本書刊行からわずか一年九カ月後の二〇〇九年三月二十日、伊藤計劃は、三十四歳の若さで世を去った。生前に商業出版された小説の著作は、『虐殺器官』『METAL

GEAR SOLID GUNS OF THE PATRIOTS』『ハーモニー』の三長篇と、短篇二篇を数えるのみ。『虐殺器官』の応募原稿を書きはじめた時点から計算しても、伊藤計劃が小説の書き手として過ごしたのは、短い生涯の最後の三年間に過ぎない。それでも、その貴重な三年間をSFを書くことに費やしてくれたことは、日本SFにとってはかりしれない幸運だった。

その三年間にまつわる個人的な思い出は、SFマガジンの追悼号（二〇〇九年七月号）に書いたが、作家・伊藤計劃の誕生に立ち会う幸運に恵まれた人間として、ここでもう一度、あまりに短かったその作家歴をふりかえっておきたい。

伊藤計劃は、一九七四年十月十四日、東京都生まれ。武蔵野美術大学美術学部映像科卒。大学時代は漫画研究会に所属。卒業後、漫研OBのアンソロジーに寄稿した短篇漫画「女王陛下の所有物」は、現在、ウェブ上で読める。本業は、民放キー局系列のウェブ制作会社に勤務するウェブ・ディレクターだった。しかし、冗談まじりに「職業：病人」と自称していたように、病魔との戦いは『虐殺器官』以前から始まっていた。

最初に癌が見つかったのは二〇〇一年夏（入院中の病室で9・11の第一報を聞いたという）。手術と治療を経て、その後しばらくは健康をとりもどすが、〇五年六月、左右の肺に転移が見つかり、七月に肺の一部を切除。病気について赤裸々に語るmixi日記にいわく、〈デビューする（予定はないが）前に身体が文学者と化してきた伊藤。喀血と足萎えといえばクラシックかつハードコアな文学戦士のブランドである〉〈体からすこうしずつパーツが取り除かれてゆくこの人生を、わたくし「逆『どろろ』状態」と呼ぶことにしました。体を取り戻してゆくあの漫画の逆ルートだからです。天国の手塚先生、見てますか〉

長く続いた抗癌剤治療が一段落したのが〇六年四月。「ロマンス（物語）のかみさまは病気がお好き」と題する四月十日のブログ（「伊藤計劃：第弐位相」）では、スーザン・ソンタグ『隠喩としての病』を引きながら癌について語り、〈こうして隠喩としての病について語ること自体、自分が陥った状況をいかに「利用」し、「美化」し、「憐れむ」かというナルシシズムに過ぎないのですが、それを忌避しつつ語ることに倦まない「死」という存在。たぶん、人が死ななくなった時、文学も映画も、いや、文化が消滅するでしょうから、「隠喩としての病」は、文化が存在する限りあり続けるのでしょう〉と述べている。

この直後に（抗癌剤の副作用からようやく解放されて）『虐殺器官』を書きはじめたことを考えると、著者が人生の残り時間を計算していなかったはずはない。最後になすべきこととして選んだのが小説を書くことだったのだろうか。学生時代、友人に頼んで撮ってもらったポートレート（遺影に使われたもの）には、「文士風に」という注文をつけたそうだから、作家になりたいという夢は、昔から漠然と持っていたのかもしれない。

いずれにしても、〇六年五月、会社勤めのかたわら『虐殺器官』をわずか十日ほどで一気に書き上げ、第七回小松左京賞に応募する。角川春樹事務所が主催する小松左京賞は、SF、ファンタジー、ホラーを対象とする長篇小説の公募新人賞。小松左京がひとりで選考し、平谷美樹『エリ・エリ』、機本伸司『神様のパズル』、上田早夕里『火星ダーク・バラード』などの受賞作を世に出したが、二〇〇九年の第十回をもって休止している。

わたしが初めて伊藤計劃の小説を読んだのは、この賞の予備選考のときだった。一次選考を通過した十数本の原稿の中に『虐殺器官』が入っていたのである。個人サイトの「スプークテイル」や、はてなダイアリーの「伊藤計劃：第弐位相」を通じて、この独特の名前(香港映画「プロジェクトA」の原題の〝A計劃〟などに触発されて「劃」の字を選んだとか)にはなじみがあったので、どれどれ、お手並み拝見――という気分で寝転がって原稿のページをめくりはじめたが、たちまち座り直すことになった。単行本化に際して、第四部(インド篇)がまるまる追加され、メインアイデアに関する説明が補強されるなど、全体の二割以上におよぶ加筆と訂正が施され、飛躍的に完成度が高まっているが、応募原稿の段階からその才能は明らかだった。

検討会議の席でも『虐殺器官』は予選委員の全員が一致して最高点をつけ(それに次ぐ評価だった円城塔『Self-Reference ENGINE』とともに)最終候補となる。しかし、九月初めに発表された最終選考の結果は、意外にも、〝該当作なし〟だった。

選評(小松左京)の一部を抜粋すると、〈伊藤計劃氏の「虐殺器官」は文章力や「虐殺の言語」のアイデアは良かった。ただ肝心の「虐殺の言語」とは何なのかについてもっと触れて欲しかったし、虐殺行為を引き起こしている男の動機や主人公のラストの行動などにおいて説得力、テーマ性に欠けていた〉

この評の当否はともかく、『虐殺器官』はあえなく落選。その後、円城塔のすすめで、落選作を早川書房の塩澤快浩SFマガジン編集長（当時）にメール送稿。検討の結果、〈ハヤカワSFシリーズ　Jコレクション〉の一冊として『虐殺器官』を刊行することにGOサインが出たのは二〇〇七年一月だった。二月から改稿作業に着手し、三月末に現行バージョンの第一稿を脱稿。そののち、四月末のイベント、「SFセミナー2007」に参加し、デビューを控えた新人作家として、SFファンの前に初めて姿をあらわすことになる。

わたしが計劃氏とはじめて対面したのも、このSFセミナーのときだった。会場の入口で最初に顔を見たときのことは鮮明に覚えている。本人と会ったことのある塩澤編集長（当時）からは「ふつうの人ですよ」と聞かされていたが、トレードマークの黒のファッションに身を包んだ計劃氏は、見るからに〝伊藤計劃〟的なオーラを発していた。初対面のあいさつのあと、夕食の席では、渡邊文樹の映画だの、小松左京賞だの、押井守だのについてとりとめもなくだらだらしゃべり、合宿先の旅館に着くころにはもう（前々からブログの読者だったことも手伝って）昔からの知り合いのような気分になっていた。この夜、「ハヤカワSFシリーズJコレクションの部屋」という合宿企画に出演した著者は、ソフトな語り口で言葉を選びつつ訥々としゃべり、その場で校正の打ち合わせまでこなしていた。

しかし、すべての校正作業を終え、刊行を目前に控えた五月中旬、新たな転移が見つかり、月末に手術。二週間の予定だった入院はまる一カ月に及び、『虐殺器官』の発売日を病院のベッドで迎える。

このあたりから、一カ月のうち半分は病院で過ごすような生活が日常になってくる。だが、入院中も毎日のようにmixi日記を更新。ブログでもギャグを交えた入院日記を書いていた。アイソレータに入れば、「せっかくビニールテントの中にいるので、俺がスキンヘッドの長澤まさみであると想像してみる。あまり面白みは無い」などなど。

そのブログからもわかるとおり、娑婆にいるあいだは会社勤めの合間を縫って映画館に通い、イベントにも頻繁に顔を出した。SF大会はもちろん、書店のトークショー、ロフト・プラスワンの上映イベント、コミケ、授賞パーティ……。実際、二〇〇七年後半から二〇〇八年にかけては、しじゅう伊藤計劃の顔を見ていたような印象がある。この年、横浜で開かれた世界SF大会、Nippon2007にも参加して、円城塔、飛浩隆、桜坂洋、東浩紀、新城カズマとともに、来日したテッド・チャンを囲む即席の懇親会に加わったりしている。

初めての短篇、「The Indifference Engine」（SFマガジン二〇〇七年十一月号に掲載）を脱稿したのはこのワールドコンの直後。当初は単発の短篇の予定だったが、次号予告に〝『虐殺器官』のスピンオフ短篇〟とあるのを見て、あわててウィリアムズを登場させることにしたのだとか。この短篇はのちに第十九回SFマガジン読者賞を受賞している。

その後、ふたたび長い入院生活をはさんで、十月には京都SFフェスティバルに参加。東浩紀が主催した深夜の合宿企画、「リアル・フィクションからその先へ」に出演し、桜坂洋、新城カズマ、円城塔（途中参加）と五時間におよぶトークセッションをこなした。

京フェスの翌週には、〈月刊PLAYBOY〉が選ぶ第一回PLAYBOYミステリー大賞を受賞。しかし、その受賞者インタビューは入院中の病院で受けることになった（同誌二〇〇八年一月号に掲載）。

明けて二〇〇八年には、『虐殺器官』が「ベストSF2007」の第1位に選ばれ、短篇第二作となる「From the Nothing, with Love」を、SFマガジン二〇〇八年四月号に寄稿（外枠の下敷きは、前出の短篇漫画「女王陛下の所有物」）。さらには小島秀夫監督の新作ゲーム「メタルギアソリッド4　ガンズ・オブ・ザ・パトリオット」を小説化する大仕事が舞い込み、第二長篇『METAL GEAR SOLID GUNS OF THE PATRIOTS』を怒濤の勢いで執筆する。平均速度は一日四十枚、最高記録は一日八十枚だったという。この作品は、六月に刊行されるや、メタルギア・ファンの絶賛を浴びてたちまち完売。伊藤計劃の作家的実力をあらためて証明することになった。だが、五月にはまたも新たな転移が見つかり、病院で過ごす時間がますます長くなってゆく。

『虐殺器官』に続くオリジナル長篇の執筆は難航していたが、七月中旬、『ハーモニー』のプロットがついに完成。月末に入院してから病室で書きはじめ、日によっては一日三十枚に達する驚異的なペースで執筆。若干の中断をはさみ、第一稿が完成したのは八月末だった。

前述したとおり『虐殺器官』の第一稿も実質十日あまりで書き上げたそうだから、伊藤計劃は基本的にものすごく筆の速い作家だった。これでもし健康だったら――と考えてもしかたないが、切羽詰まった状況下であれだけの質の小説をあれだけの速度で書きつづけた意思の強さには茫然とするしかない。

だが、九月からはモルヒネ治療が始まり、病室で執筆することも次第に難しくなる。この時期、癌の病巣は六カ所を数え、抗癌剤と並行して苛酷な放射線治療も行われていた。

十二月、第二長篇『ハーモニー』刊行。『虐殺器官』の続篇というか、その延長線上にある作品だが、そこでは（皮肉にも）あらゆる病気が駆逐され、すべての人間が健康になった未来社会の息苦しさが描かれている。のちに『ハーモニー』は、星雲賞日本長編部門、日本SF大賞、ベストSF国内篇第1位と、日本SFの三冠を獲得するが、著者が生きてその喜びを味わうことはなかった。病気の進行の速さに比べて、評価が追いつくのが遅すぎたというべきか。

明けて二〇〇九年。年始めにいったん退院するが、一月半ばに再入院。月末から急速に体調が悪化する。それでもなお、ベッドの上で、河出書房新社の依頼で書く予定だった第四長篇『屍者の帝国』の構想を練っていた。mixi日記にいわく、〈ここ数日、ベッドから動けない。／なので、考えることしかできない身として、ひたすらヴィクトリア朝の時代にイスラエルを建国する方法を考えている。（中略）必要なのは19世紀後半の、シオニズムを生み出す原動力となったリトアニアでのポグロムがいつ頃から激化したかを示す資料だろうか〉

この長篇の〝試し書き〟として編集者に渡された三十枚ほどのプロローグが、伊藤計劃の最後の小説作品となった。

それまではどんな悲惨な状況でも笑いを忘れなかったmixi日記にも、この時期、悲痛な叫びが混じりはじめる。閲覧者を友人に限定した二月七日のエントリでは、「以下は、自分がどこまで弱い人間かという記録である」との但し書きをつけたうえで、迫りくる死に対する恐怖を率直に記している。〈尿も出ず、排便も出来ず、いま私はベッドの上で縛り付けられている／死ぬということを自分がまるで受け入れていなかったということに愕然としながら。（中略）／これから死ぬ自分を受け入れるにはどうしたらいいのだろうか。／だれか、助けになる方法を知っていたら教えて欲しい〉

そして三月二十日夜、日本SFを変えた不世出の作家は、ついに力尽きる。あまりに早すぎる死だった。最後の模様は、二〇〇九年七月の星雲賞受賞式に故人にかわって登壇したご母堂がこう語っている。

〈息子は、今から七年前、右足の膝から下を司る神経に癌が見つかり、手術をしまして、右足の感覚を失いました。それから三年ちょっとは癌もおとなしくてたんですが、今から二年ちょっと前に両肺に転移が見つかりました。そのとき息子は、「両足がなくなってもいいから、僕はあと二十年、三十年生きたい。書きたいことがまだいっぱいある」と申しておりました。『ハーモニー』は、苦しい抗癌剤と放射線の治療の中で書き上げたものでございます。

三月二十日に亡くなるだいぶ前から、食事も水もあまり摂れない状態になっておりましたけれど、亡くなる日の夕食に大好きなカレーが出て、少し食べてみると言いまして、スプーンに十杯くらい食べたんですね。それから一時間ぐらい経ってから、床ずれを防ぐために姿勢をちょっと変えたとたん、すーっと意識がなくなって、そのまま亡くなってしまいました。

お腹が空いたまま逝ったら、三途の川も渡れなかったんじゃないかと思いますが、最後にカレーを食べたので、今帰ってこないところをみますと、なんとか向こうにたどりついてるんじゃないかと思います。応援してくださった皆様、おつきあいしてくださった皆様、本を読んでくださった皆様、ほんとうにありがとうございました〉

【伊藤計劃作品リスト】

●長篇

『虐殺器官』二〇〇七年六月、早川書房ハヤカワSFシリーズ　Jコレクション刊→二〇一〇年二月、ハヤカワ文庫JA（本書）※「ベストSF2007」第1位、第1回PLAYBOYミステリー大賞受賞、「ゼロ年代SFベスト」第1位

『METAL GEAR SOLID GUNS OF THE PATRIOTS』二〇〇八年六月　角川グループパブリッシング刊→二〇一〇年三月、角川文庫

『ハーモニー』二〇〇八年十二月　早川書房ハヤカワSFシリーズ　Jコレクション刊　※第四十回星雲賞日本長篇部門、第三十回日本SF大賞、「ベストSF2009」第1位

●短篇

「The Indifference Engine」SFマガジン二〇〇七年十一月号→大森望・日下三蔵編『虚構機関　年刊日本SF傑作選』（創元SF文庫）に収録※第十九回SFマガジン読者賞

「From the Nothing, with Love」SFマガジン二〇〇八年四月号→大森望・日下三蔵編『超

弦領域　年刊日本SF傑作選』（創元SF文庫）に収録
「屍者の帝国」SFマガジン二〇〇九年七月号→大森望責任編集『NOVA1　書き下ろし日本SFコレクション』（河出文庫）に収録

＊このほか、「伊藤計劃：第弐位相」（http://d.hatena.ne.jp/Projectitoh/）には現在も膨大な量のテキストがそのまま残されている。また、祭谷一斗氏による「伊藤計劃Web目録」（http://maturiyaitto.blog90.fc2.com/blog-entry-214.html）には、ウェブ上で読める伊藤計劃の文章の大半が網羅（一部はバックアップ）されている。なお、早川書房では、全短篇及び映画評を含む遺稿集の刊行を三月下旬に予定しているとのこと。

本書は、二〇〇七年六月に早川書房より単行本として刊行された作品を文庫化したものです。

著者略歴　1974年東京都生，武蔵野美術大学卒，2009年没，作家　著書『ハーモニー』（早川書房刊）『メタルギア ソリッド ガンズ オブ ザ パトリオット』

HM=Hayakawa Mystery
SF=Science Fiction
JA=Japanese Author
NV=Novel
NF=Nonfiction
FT=Fantasy

虐殺器官《ぎゃくさつきかん》

〈JA984〉

二〇一〇年二月十五日　発行
二〇一〇年四月　十　日　七刷

（定価はカバーに表示してあります）

著者　伊《い》藤《とう》計《けい》劃《かく》
発行者　早川　浩
印刷者　大柴正明
発行所　株式会社　早川書房
郵便番号　一〇一 - 〇〇四六
東京都千代田区神田多町二ノ二
電話　〇三 - 三二五二 - 三一一一（大代表）
振替　〇〇一六〇 - 三 - 四七七九九
http://www.hayakawa-online.co.jp

乱丁・落丁本は小社制作部宛お送り下さい。
送料小社負担にてお取りかえいたします。

印刷・株式会社亨有堂印刷所　製本・株式会社川島製本所

ISBN978-4-15-030984-8 C0193

＊本書は活字が大きく読みやすい〈トールサイズ〉です